SYLVAIN TESSON

Sylvain Tesson a étudié la géographie et pratique l'escalade. Ses nombreux voyages lui ont inspiré une quinzaine d'ouvrages.

Après *La Chevauchée des steppes* (Robert Laffont, 2001), écrit en collaboration avec Priscilla Telmon, il a notamment publié *L'Axe du loup* (Robert Laffont, 2004), *Petit traité sur l'immensité du monde* (Les Équateurs, 2005), *Éloge de l'énergie vagabonde* (Les Équateurs, 2007), *Aphorismes sous la lune et autres pensées sauvages* (Les Équateurs, 2008), *Une vie à coucher dehors* (Gallimard, 2009) – Prix Goncourt de la nouvelle –, *Dans les forêts de Sibérie* (Gallimard, 2011) – Prix Médicis essai 2011 – et *Géographie de l'instant* (Les Équateurs, 2012).

GÉOGRAPHIE
DE L'INSTANT

SYLVAIN TESSON

GÉOGRAPHIE
DE L'INSTANT

*Édition augmentée par l'auteur,
14 blocs-notes inédits*

ÉDITIONS DES ÉQUATEURS

© Éditions des Équateurs, 2012.
© 2014, Pocket, un département d'Univers Poche,
pour la présente édition.
ISBN : 978-2-266-24134-2

Je ne pense que quand j'écris.

Pierre Louÿs, *Journal*
(13 septembre 1890).

*Quand on accepte la vie, quand on consent
qu'elle vaille et qu'elle ne vaille pas – en
même temps – la peine d'être vécue, cela nous
aide à nous défendre, n'est-ce pas ? Mais non,
cette intelligence artificielle, que je croyais une
cuirasse, n'était qu'une mince pellicule, un vernis
trompeur qui éclatait à la moindre secousse, et
me blessait d'autant plus cruellement que j'avais
tendance à m'y fier sans mesure.*

Soth Polin, *L'Anarchiste* (1980).

À Lei

Avant-propos

Pierre Bigorgne, rédacteur en chef du mensuel Grands Reportages *m'a proposé un jour de tenir un bloc-notes à la fin de son magazine – « carte blanche », a-t-il précisé. J'étais aux anges car le bloc-notes est le genre qui convient le mieux au voyageur, à celui qui souffre de ne pouvoir consigner par écrit tout ce que sa curiosité lui offre d'émerveillements ou lui cause de chagrin. Qu'est-ce qu'un bloc-notes ? Un herbier. Sur le chemin, on cueille une aimable vision, dans un livre, on rafle une pensée. En ville, une scène de la vie quotidienne nous émeut, nous indispose. Sur un mur, une affiche clame un slogan absurde. Dans le ciel, un nuage prend la forme d'un visage aimé. À la radio, un homme politique achève de trahir l'honneur. Ces copeaux, tombés de la roue du temps, sont jetés sur le carnet de notes. Plus tard, à la table de travail, il s'agira d'ordonner la moisson. Chaque pièce, patiemment collectée, s'agencera pour former un motif, dessiner une ligne. Les éclats du kaléidoscope s'agrégeront, les plis se déploieront, les miettes s'ordonnanceront.*

De l'harmonisation de ces instantanés jaillira une géographie de l'instant.

Le bloc-notes c'est l'hommage que l'observation

rend aux détails. Les détails composent la toile du monde. Ils sont les atomes de la réalité, nom que les myopes donnent à la complexité, à la fragmentation des choses. Le faiseur de vitraux assemble des milliers d'éclats de verre. Soudain, surgit un dessin. Les Parties ont formé un Tout. De même pour le bloc-notes : les notes s'assemblent, elles font bloc.

La plus belle définition de cette forme courte, consistant à précipiter sur une feuille de papier un saisissement de l'âme, un étonnement de l'esprit, un ravissement de l'œil, c'est Baudelaire qui la donne.

Dans une lettre à Arsène Houssaye, il définit ainsi son projet de recueil de petites proses poétiques qui sera publié sous le titre : Le Spleen de Paris.

« Mon cher ami, je vous envoie un petit ouvrage dont on pourrait dire, sans injustice, qu'il n'a ni queue ni tête, puisque tout, au contraire, y est à la fois tête et queue, alternativement et réciproquement. Considérez, je vous prie, quelles admirables commodités cette combinaison nous offre à tous, à vous, à moi et au lecteur. Nous pouvons couper où nous voulons, moi ma rêverie, vous le manuscrit, le lecteur sa lecture ; car je ne suspends pas la volonté rétive de celui-ci au fil interminable d'une intrigue superflue. Enlevez une vertèbre, et les deux morceaux de cette tortueuse fantaisie se rejoindront sans peine. »

Les blocs-notes publiés ici sont des coups de sonde, des carottages donnés dans le chatoyant foutoir du monde.

S. T.

Janvier 2006

Taches grises dans le 93

Les Renseignements généraux ont établi la liste des cent soixante-douze « cités interdites » de France, où les lois de la République ne sont plus en vigueur. Si un géomètre urbaniste se penchait sur le sujet, il calculerait – cadastre en main – la superficie de ces zones de non-droit. Nous saurions ainsi quelle proportion du territoire français est tombée dans cette catégorie nommée par les géographes « taches grises », ces étendues – comme le Changtang tibétain, la Corée du Nord ou la ligne de contrôle indo-pakistanaise – rendues inaccessibles par une situation politique et qui retournent peu à peu à l'état de terres méconnues où toutes les explorations redeviennent possibles !

Gare

Dans *Trois jours chez ma mère* de Weyergans, cette merveilleuse définition des gares : « Un endroit où l'on veut se débarrasser de vous au plus vite en vous indiquant soit les heures de départ, soit la sortie. »

Nature et culture

Un bon sujet de thèse à propos des catastrophes naturelles qui ont rythmé avec une vigueur peu commune l'année écoulée serait : « Conséquences et influences des grands cataclysmes sur la politique internationale ». Dans certains cas, les cataclysmes contribuent au rapprochement des nations. Les relations entre la Turquie et la Grèce se sont ainsi décongelées à la triste faveur d'un tremblement de terre. L'Arménie soviétique s'ouvrit au monde lors du séisme de 1990… Parfois un État profite du chaos post-traumatique pour s'immiscer sur le territoire d'un frère ennemi, comme le prouvèrent les incursions de l'armée indienne au Pakistan après le terrible séisme de l'automne dernier. Les catastrophes révèlent une situation sociale fragilisant le gouvernement : on se souvient des ravages provoqués par Katrina sur l'image de G.W. Bush. Au contraire, elles peuvent aussi servir les intérêts d'un dirigeant habile : le chancelier Schröder avait brillamment fait face aux inondations avant sa réélection. Parfois, l'État utilise cyniquement l'impact d'une catastrophe pour reprendre la main dans une région turbulente : l'armée indonésienne a bouclé certaines îles de l'archipel dévastées par le tsunami de Noël 2004. D'autres fois un sinistre offre à une nation oubliée (l'Afghanistan en 2002) les feux de l'actualité mondiale jusqu'au prochain soubresaut. (À ce propos, laquelle des voix antiaméricaines s'est souciée des victimes du cyclone guatémaltèque qui a suivi Katrina ? Aucune : les victimes de La Nouvelle-Orléans étaient politiquement plus symboliques.) Enfin, dans presque tous les cas, les colères de la Nature sont interprétées par des extrémistes religieux comme des signes de la colère de

Dieu contre le pouvoir en place. (Katrina a servi à raviver la mystique anti-Bush sans que personne ne songe à stigmatiser l'incompétence de Musharraf à la suite du séisme de Muzaffarabad…) J'attends avec impatience l'écrasement sur la Terre de la météorite géante annoncée par certains astronomes pour 2019. Que diront les mormons ? Al-Qaeda ? Accusera-t-on les États-Unis ? Criera-t-on au complot ? Ou bien alors, la paix dans le monde s'imposera pendant quelques heures, juste avant l'explosion…

Le Radeau de la Méduse

Le récit du naufrage de la *Méduse* par Alexandre Corréard et Jean-Baptiste Savigny, deux rescapés du radeau qui dériva deux semaines au large de la Mauritanie, vient d'être réédité en poche chez Folio dans la version de 1821. La première édition date de 1817, un an après les événements. Elle avait provoqué grand bruit à l'époque et fait vaciller le gouvernement. Le récit est superbe : au fil des pages lugubres, on entend le craquement des coques, le fracas des rouleaux, le cri des rescapés. L'histoire est digne des mythes antiques. Sur un radeau de 20 mètres sur 7, s'entassent 147 hommes. Un concentré d'humanité livré à lui-même sur l'océan. Plus aucune des lois régissant les sociétés ne le concerne. L'occasion d'étudier, comme au laboratoire, le comportement d'hommes dans l'épreuve de la vérité. Âmes sensibles, esprits humanistes, n'ouvrez pas ce livre. Sur le radeau, c'est le déchaînement. S'y exprime toute la laideur humaine. Trahison, égoïsme, passion morbide, pulsion, haine, lâcheté, médiocrité de l'être. Au bout de quinze jours, restent quinze survivants rendus au stade de squelettes et se défiant les uns des autres. Un peu de discipline et d'altruisme aurait sauvé ces malheureux. Le vrai naufrage est celui de la confiance qu'on pouvait accorder encore à la grandeur de l'homme. Est-ce cette révélation qui rendit fou Géricault ?

Février 2006

Bach underground

Un soir à Montpellier, sortant de la voiture dans un parking souterrain, j'entends la musique de Bach, à plein tube. Je reconnais les tons mineurs du *VIIIe Prélude*, si mélancolique. La libraire qui m'accompagne m'explique que la municipalité a décidé de diffuser du classique dans les parkings pour lutter contre la délinquance. « Cela fait fuir les jeunes », dit-elle. Jean-Sébastien se doutait-il qu'un jour son *Clavecin bien tempéré* contribuerait au maintien de la paix civile ? Jusqu'ici, on savait que l'abus de musique tempétueuse galvanisait les esprits et qu'une trop forte consommation de Wagner avait donné aux monstres l'idée d'envahir la Pologne. Il était temps d'utiliser le pouvoir apaisant des préludes pour adoucir les mœurs publiques.

Le retour de la momie

À Namur, le vendredi 18 novembre 2005, une fouine s'est introduite dans une centrale électrique et a rongé un câble, privant quatre-vingt mille personnes de courant pendant une demi-journée. Presque au même moment, la momie d'un chasseur du néolithique, vieux de cinq mille ans et baptisé Ötzi par ses découvreurs, faisait

17

sa dixième victime. Depuis la découverte du corps en 1991 dans la crevasse d'un glacier autrichien, un certain nombre de chercheurs, qui s'étaient pressés au chevet d'Ötzi, sont morts dans des circonstances accidentelles. Déjà des superstitieux parlent de la « malédiction d'Ötzi » comme autrefois de la « malédiction de Toutankhamon ». Aucun rapport entre l'histoire de la fouine et celle de la momie ? Si, car de tels incidents échappent aux mécanismes de la raison triomphante, à la domination technique. La dent de la fouine, l'esprit de la momie n'ont pas dit leur dernier mot. Ugh !

Devoir de mémoire, droit à l'indifférence

L'écrivain Claude Ribbe compare Napoléon à Hitler. Dans *Le Crime de Napoléon* (Éditions Privé, 2005), il rappelle que l'Empereur a rétabli l'esclavage aboli par la Révolution. Le sujet a déclenché la polémique en France. Dans ce pays, on aime débattre sur fond de Devoir de mémoire. Le rouge au front, on étudie nos taches noires. Et pendant que la classe politico-littéraire, penchée sur les balustrades de l'Histoire, dispute de l'esclavage du XIXᵉ siècle et des méfaits de Napoléon, l'esclavage actuel, lui, bat son plein dans l'indifférence générale. Les victimes éternelles, silencieuses, celles qui n'ont pas de chantres, qui n'en auront jamais, sont les femmes. Il faut lire le livre de la Serbe Jelena Bjelica *Prostitution, l'esclavage des filles de l'Est* (Courrier des Balkans/Paris-Méditerranée, 16 euros) et aussi *Le Silence de l'innocence* de Somaly Mam (Éditions A. Carrière) pour comprendre que l'esclavage n'est pas mort, qu'il se porte même très bien sur les trottoirs de Phnom Penh, de Bangkok, de Moscou et de Paris (ça se passe près de chez vous). Les gouvernements occidentaux se font les complices des mafias en criminalisant les filles. Les clients-criminels alimentent la souffrance. Mais qui s'en soucie ? Nous sommes trop occupés avec le premier Empire et le maréchal Lyautey pour avoir le temps de combattre les maquereaux qui torturent les innocentes, trop occupés à dénoncer nos aïeux pour protéger nos sœurs. Parfois le Devoir de mémoire fonctionne comme un anesthésiant : il endort la (bonne) conscience, canalise l'indignation vers le passé. Tout occupé à scruter les défuntes années on s'abstient d'agir *ici et maintenant*.

Encore deux choses

Pour finir, une jolie phrase et un petit pamphlet. La jolie phrase est de William Blake et devrait figurer en caractères gras sur tous les permis de chasse : « Si seulement tu comprenais que le moindre oiseau qui fend l'air est un monde de délices fermé à tes cinq sens. » Le petit pamphlet est de Matthias Debureaux et traite *De l'art d'ennuyer en racontant ses voyages* (Éditions Cavatines). Cela commence par « Chiant qui comme Ulysse a fait un beau voyage ». Cela se termine par « Chaque année plus de sept cents millions de touristes parcourent le monde. En 2010, ils seront un milliard à vous assommer avec leur récit de voyage. » Entre les deux c'est à mourir de rire. Je l'ai lu d'une traite en Belgique où je donnais une tournée de quatre-vingts conférences sur mes voyages.

Mars 2006

Le droit d'avoir froid

Paris, début du mois de janvier, boulevard du Montparnasse. Des adolescents tombent en arrêt devant une plaque de verglas. Ils ressemblent au petit héros des *Dieux sont tombés sur la tête* devant la bouteille de Coca-Cola. À croire qu'ils n'ont jamais vu de glace. Ils appartiennent à la génération du réchauffement climatique. Quelques semaines auparavant, un grand hebdomadaire publiait une photo satellite montrant le recul de la banquise arctique. (Cependant que la Russie – qui ne fait jamais rien en même temps que tout le monde – connaissait au début de l'année 2006 un hiver extrême, avec des – 50 °C enregistrés au nord de la Bouriatie.) La menace du réchauffement est dans toutes les bouches et sur toutes les manchettes. On annonce la montée des océans. Les cyniques se frottent les mains : bientôt les eaux territoriales des pays nordiques encombrées par les glaces s'ouvriront aux cargos et à l'exploitation pétrolière. En attendant, les Inuits, avec un sens médiatique supérieur à celui des scientifiques, reprochent à Bush de ne pas signer les accords de Kyoto et traînent le Département d'État américain en justice au nom du « *right to be cold* ».

Moi qui nourris une passion pour les causes perdues, en voilà une que je trouve enthousiasmante : « le droit d'avoir froid ! ». Le froid, l'eau, le silence seront les produits du luxe de demain.

Le nouveau grand jeu

Dans *Kim*, Kipling décrit le Grand Jeu, épisode politique où s'opposèrent sur les plateaux de la Haute Asie, à la fin du XIXe siècle, les espions de la Couronne anglaise et les émissaires de l'Aigle russe. Les Russes qui ont le langage fleuri appelaient cette valse diplomatique « le tourbillon des ombres ». Cent ans plus tard, un nouveau grand jeu se trame dans l'Asie intérieure. Les acteurs sont les mêmes : Russes, Américains, Anglais, Chinois. De nouveaux venus dans la danse : les Arabes, les Turcs, les Iraniens. Mais les lieux ont changé : on s'agite aujourd'hui autour de la Caspienne et ce ne sont plus les terres mais les ressources pétrolières qui animent les acteurs de ce nouveau *great game*. Les Américains investissent à tour de bras dans cette région, financent des pipelines, forment des sections paramilitaires pour surveiller les oléoducs, achètent des concessions, cherchent de nouveaux gisements. Un survol un peu rapide de la situation conduirait à penser que les USA cherchent à faire main basse sur les réserves fossiles de la région (c'est ce qu'on lit dans la presse russe). Pierre Noël, chercheur à l'IFRI, développe dans un ouvrage collectif intitulé *La Dépendance pétrolière* (publié aux Éditions Universalis sous la direction de Gérard Chaliand), une analyse qui démonte ce mythe de la prédation des réserves fossiles par les Américains. Le chercheur explique que l'objectif de la politique interventionniste de Washington n'est pas de s'approprier les ressources (ce qui serait une ineptie dans le contexte du droit international) mais de garantir la permanence des flux commerciaux pétroliers. Il faut maintenir coûte que coûte l'écoulement de l'or noir sur le marché mondial à partir du plus grand nombre d'endroits possibles. Cette libre circulation est une garantie de la stabilité des prix. Elle prémunit le monde entier d'un crash pétrolier. Le pétrole, c'est comme le courrier au temps de Latécoère : « Il faut qu'il passe ! »

Avril 2006

Pour l'honneur de qui ?

Parution des *Mémoires* du légendaire Pierre Guillaume. Ce lieutenant de vaisseau est un Surcouf en habit d'officier avec un cœur d'or, une volonté d'airain, et une tête aussi dure que le granit armoricain. Guerres d'Indochine et d'Algérie, clandestinité, navigations solitaires, naufrages, emprisonnements, évasions, renflouements de bateaux : les chapitres de sa vie se succèdent comme les salves d'une fantasia. Hegel disait de Napoléon qu'il était l'esprit de l'Histoire sur un cheval. Pierre Guillaume c'est l'esprit de l'aventure à bord d'une jonque. Et par *aventure*, il faut entendre la grande : celle qui fait du monde un théâtre, de l'action une mystique, de la vie une monture, de l'obstacle un objectif. Son existence fut tout entière dédiée à la mer, dont les Bretons déplorent que les accidents de la tectonique l'aient empêché de recouvrir la totalité du globe terrestre. Un bémol cependant à la lecture du livre : le passage où des marins français se livrent à ce que l'auteur n'appelle pas un viol collectif mais qui en est bel et bien un : pendant la guerre, cinquante matelots passent sur deux femmes philippines séquestrées dans le bateau où Guillaume est en poste. Tout en réprouvant ses camarades, il lâche laconiquement : « La plus jeune en avait ramassé une vingtaine et était assez *out*. Toutes les deux étaient des putains, mais enfin, à cette cadence… Tout cela n'était quand même pas glorieux… » Étrangement, après cet infâme épisode, on perd un peu de sa capacité d'indignation devant les épreuves subies ensuite par les valeureux officiers français ! On se réfugiera dans le cinquième tome du très profond *Journal* d'Ernst Jünger où l'officier allemand évoquant sa campagne de France écrit : « Je n'ai pas vu d'atrocités de mes yeux. Je les ai arrêtées dans l'œuf. »

Froid dans le dos

En janvier dernier, sur une paroi des gorges du Loup, dans les Alpes-Maritimes, nous achevons les dernières longueurs d'escalade sous la neige. Quelques jours plus tard, je me trouve debout sur les tuiles romaines d'un vieux mas du Vaucluse. Le toit menace de s'effondrer sous 40 centimètres de neige : il faut déblayer ! Impressionné par le spectacle des palmiers meringués de poudreuse, je me plonge dans le *Rapport secret du Pentagone sur le changement climatique*. Glaçant ! L'étude (livrée en octobre 2003 par des consultants de la CIA et rendue publique en 2004) révèle que les bouleversements actuels doivent davantage aux modifications de la circulation thermohaline (courants marins qui s'affrontent). On apprend que les changements climatiques ne seront pas globaux. Ils se manifesteront localement par des effets divers dont le plus spectaculaire pourrait être le refroidissement (et l'assèchement) de l'Europe et de l'Amérique du Nord. Le réchauffement actuel n'étant que les prémices des froidures futures. D'où la question qui naît dans les esprits pas encore engourdis par l'effet de serre : ce rapport a-t-il conduit le Département d'État à refuser de signer le protocole de Kyoto ? Ou bien a-t-il été précisément commandité pour légitimer ce refus ?

Figures

Dans mon panthéon intérieur, les êtres que j'admire ont un point commun : l'amour de la vie, mais de la vie choisie. L'existence doit ressembler à leur rêve. Ces hommes pèsent sur le gouvernail de leur barque pour prendre le cap désiré. Deux figures :

Jean-Paul Shafran, libraire. Il a ouvert boutique à Val-d'Isère, au pied des pistes. C'est le libraire le plus haut du monde (Milarepa était le poète le plus haut du monde). Il a fondé un comité de lecture, remet un prix littéraire chaque année, invite des auteurs à débattre, partage ses découvertes. On s'attend à ce qu'au paradis des sports de glisse, il ne vende pas grand-chose. Qu'on se détrompe ! Un seul chiffre pour mesurer l'étendue du miracle : l'année dernière il a vendu quatre *Critique de la raison pure* de Kant. À des clients qui venaient de déchausser leur surf des neiges !

Pierre André Scherrer, lui, vit retiré du monde avec son épouse Marie au pied du mont Ventoux. Il y a vingt ans, il a failli perdre ses forêts dans un incendie et une idée révolutionnaire lui est venue : introduire et élever des lamas en Provence pour nettoyer les taillis. Il s'est battu contre les ironiques (la pire des races), le mistral, le feu, les inondations, l'administration, les jaloux, les voisins. Il a dépensé ses forces, mais il a triomphé : aujourd'hui, dans sa ferme, une cinquantaine de lamas pâturent les broussailles qui sont à l'incendie de forêt ce que l'amadou est au briquet. Et Pierre, qui est aussi tisserand, confectionne des tapisseries de haute lisse avec la laine de lama. Ses ennemis lui ont reproché d'avoir introduit en Provence une espèce allogène ! À ces tenants de l'unité biologique régionale, il conseille de ne plus manger de tomates, ni de maïs, ni de marrons... et de se cacher les yeux quand cingle dans le ciel du Comtat-Venaissin un couple de tourterelles de Turquie.

Morale

Je fais toujours très attention aux derniers mots de mes interlocuteurs quand ils me quittent. C'est important les derniers mots. En cas de malheur c'est l'ultime trace que l'on conserve de quelqu'un. Voilà pourquoi il faut soigner ses sorties. Par prudence, je conclurai ces lignes en me réfugiant derrière la belle recommandation de Kunrath, alchimiste allemand du XVIe siècle, cité par Kenneth White dans ses *Lettres de Gourgounel* (Grasset) : « Étudie, médite, sue et travaille, alors un flux bienfaisant te sera donné et qui est pour nous une authentique eau-de-vie. »

Mai 2006

Danois !

Dans le débat qui a opposé les intégristes musulmans aux caricaturistes danois, une pièce importante à verser au dossier a été négligée : c'est l'*Histoire de la Sainte Russie* publié par Gustave Doré (rééditée par Hermann en 1996). On y voit des popes au visage d'ivrogne, maniant le knout en guise d'argument théologique, le ventre gonflé par des sacs de roubles volés à leurs fidèles. Le livre fut édité en 1854 sans déclencher les foudres de l'archimandrite. D'ailleurs si les instances orthodoxes moscovites avaient réclamé la mort de Gustave Doré, on peut supposer qu'il aurait été défendu plus âprement que ne l'ont été les caricaturistes danois. Hugo ne serait-il pas monté au créneau pour revendiquer le droit à la mauvaise foi ?

Femmes !

L'humanité repose sur l'imposture de cette équation : puisque la biologie a donné une supériorité musculaire à l'homme, celui-ci imposera sa domination à la femme dans tous les domaines. Et cette domination prendra le plus souvent possible le visage de l'oppression. Ce qui transforme le monde en un champ de bataille où se livre une guerre des sexes larvée, incessante, invisible, où l'indifférence est la meilleure alliée des bourreaux. Jack London voyait dans la propension de l'homme à maltraiter sa femelle sa vraie différence d'avec la bête. Il était urgent de dresser le tableau du *gynocide* planétaire et permanent. Afin que personne ne puisse plus ignorer la situation ou penser que le pire se passe toujours loin de chez soi (il y a cinquante mille viols en France tous les ans – davantage qu'à Srebrenica). *Le Livre noir de la condition des femmes* (XO Éditions), fruit de deux ans de travail est enfin là. Christine Ockrent et Sandrine Treiner ont dirigé une équipe de chercheurs, de journalistes, d'écrivains, de professeurs, qui dressent le plus affligeant des tableaux qui soit. Être une femme est un sport de combat. Une malédiction qui commence avant même la naissance ! Pour vivre femme, il faut échapper à l'avortement, aux maltraitances dans l'enfance, aux crimes d'honneur, aux mariages forcés, à l'esclavage domestique, à l'épuisement… Le paradoxe c'est que la condition des femmes ne suscite pas beaucoup d'émotion dans les foules, chez les gouvernants ou chez les élites si promptes d'habitude à témoigner de leur indignation devant l'injustice ou la souffrance. Casser la gueule d'une femme n'a jamais ébranlé les structures d'un État. Martyriser une fillette ne met pas en péril – beaucoup moins que voler une pomme à l'étalage – l'édifice civil ni le contrat social. Il faut lire ce livre avec en tête le mythe d'une peuplade perdue de la Terre de Feu, cousine des Alakaloufs. On professait là-bas que les hommes s'acharnent à brimer leurs moitiés parce qu'ils savent bien, au fond d'eux-mêmes, qu'elles leur sont infiniment supérieures !

Juin 2006

La (vraie) traversée de Paris

Jean-Louis Gouraud est un galopin qui met son hyperactivité, son érudition et ses réseaux au service d'une noble cause : la défense du cheval. Gouraud s'est fait conquérir par la plus noble conquête. Il appartient à ce genre de types qui mesurent la vie à l'aune d'un unique étalon. Avec une obstination de bête de labour, il travaille à la gloire de sa passion et écrit des livres, fonde des associations pour l'amélioration des races équestres, imagine des aventures à vivre le pied à l'étrier, anime des comités de sauvegarde de monuments dédiés au cheval, initie des spectacles, organise des manifestations et parfois met la main à la pâte (c'est-à-dire le cul sur la selle), comme lorsqu'il s'en fut à cheval (dans la discrétion la plus totale), de Paris à Moscou, en 1990. Ce voyage fit de Gouraud le Mathias Rust du cheval. Depuis longtemps Jean-Louis mène combat contre l'interdiction de chevaucher dans Paris. Aucun arrêté sérieux ne justifie cette restriction. Se heurtant à une administration aussi réactive qu'une botte de foin et trouvant moins choquant de déposer dans les rues quelques kilos de crottin que de subir les seize tonnes de déjections canines épandues quotidiennement sur les trottoirs, il a organisé une traversée de Paris équestre, militante et gracieuse. Le dimanche 23 avril, quatorze cavalières ont ainsi chevauché de la porte Dauphine à la Bastille (en passant par l'Hôtel de Ville) pour remettre au maire une supplique demandant la libre circulation des montures, proposant de faire du cheval « un outil de service public » et suggérant que la capitale ne soit plus la seule en Europe à bannir les sabots de son pavé. S'il obtient gain de cause, on fera une fantasia en l'honneur de Gouraud. En plein centre-ville.

Sourds et libres

Conversation l'autre soir avec Daniel Buffard-Moret. Ce malentendant a fondé l'association « Les Montagnes du silence » (grâce à laquelle des sourds sont partis en Géorgie du Sud, à bord du bateau *Tara*, sur les traces de Shackleton). Il m'apprend que la langue des signes fut interdite au siècle dernier par des médecins qui la tenaient pour une danse de Saint-Guy. Il me montre comment on désigne les peuples du monde avec les mains. Pour l'Allemand, on dresse son index avec le pouce appuyé sur le front en référence au casque à pointe. Pour le Noir, on fait le geste de brouiller son visage avec sa main. Pour l'Arabe, on fait celui d'avoir un gros nez. Pour le Chinois, on dessine d'un angle droit sur son torse la tunique à boutons des sujets célestes. Pour l'Asiatique, on se bride un œil avec l'index. Il faut aux sourds une formidable intelligence synthétique pour parvenir à mimer l'idée, à suggérer un concept. Jamais la main n'a si bien rempli le rôle de prolongement du cerveau qu'Aristote lui conférait. Je trouve gai (comme disent les Belges) de représenter les peuples par ces petites saillies gestuelles. Par les temps qui courent où l'on prend toute caricature pour une profession de haine, et où l'on n'a jamais autant parlé de *respect* mais jamais autant usé de violence, il est bon de s'intéresser à la langue des sourds où règne une magnifique liberté… de ton.

Un dernier pour la route

J'aime les mots d'auteur. Ils sont comme les arbres au bord d'une route. Ils se tiennent là, plantés, sur le côté de notre chemin intérieur. De Jim Harrison, dans *Dalva* : « Seul le plus pur des cœurs peut devenir meurtrier pour la cause d'autrui. »

Juillet 2006

Le Mal

On croyait qu'Yves Paccalet était un écolo sympa dont l'activité principale (après avoir exploré *le monde du silence*) consistait à arpenter la planète en poussant des cris d'extase avant d'en décrire les merveilles dans des livres (près de soixante-dix, en tout). Bref, un barde naturaliste doté d'une loupe et d'un savoir sans fond. On se trompait. Paccalet a menti. Lui, le chantre de la Nature ruminait au fond de son athanor un profond dégoût pour le genre humain. Il vient de faire son *coming-out* antihumaniste dans un salutaire petit livre rouge : *L'humanité disparaîtra, bon débarras !* (Éditions Arthaud). La thèse est simple : l'homme est accro à son plaisir individuel, qu'il assouvit en cherchant à baiser, posséder, dominer, toujours plus. Ce trait de caractère n'est ni culturel ni comportemental. C'est une marque de fabrique, enfouie dans ses gènes. « L'homme est méchant parce qu'il est pensant. » Résultat : la guerre, la surpopulation, l'exploitation, c'est-à-dire le Mal qui est le matériau dans lequel l'Histoire est sculptée. Si nous étions les seules victimes de nos méfaits, Paccalet aurait appelé son livre « Bien fait ! ». Mais c'est Gaïa, notre Terre, qui pâtit de nos horribles penchants. Et ce vaisseau est en train de mourir sous les coups de boutoir de notre avidité. Ni les discours sur le *développement durable* (concept stérile), ni les micro-actions écolos n'y feront rien. Ce qui nous guette, inéluctablement, au terme de l'autodestruction, c'est le néant. En attendant la nuit, Paccalet danse sur le mont chauve de ses cauchemars, une gigue endiablée et ravageuse. Il écrit noir sur blanc de très horribles et très jouissives pensées : il donne à l'humanité le conseil swiftien de manger ses bébés pour vaincre la surpopulation, considère l'homme comme « le cancer de la terre », et brosse treize différents scénarios qui pourraient conduire à notre disparition (en précisant que « c'est peut-être pour l'année prochaine »). Une seule interrogation : puisque tout est foutu, pourquoi Paccalet n'applaudit-il pas les recherches sur le clonage qui sont aussi passionnantes sur le plan intellectuel que la révolution copernicienne ?

Le Beau

Si l'on veut se réconcilier (un peu) avec l'Homme, on songera que certains êtres (une infime minorité de génies, malheureux flambeaux de notre vaste nuit) sont capables de produire de la beauté. La beauté est cette voûte sous laquelle il fait bon se tapir pour oublier le reste. Contrairement à ce qu'a dit Dostoïevski, elle ne sauvera pas le monde (que peut la *Piéta* de Michel-Ange contre la piété de Mahmoud Ahmadinejad ?) mais elle a déjà sauvé l'Homme en montrant qu'il existait dans l'art une vérité universelle. N'en déplaise aux partisans du relativisme esthétique (« chacun ses goûts », ânonnent-ils) il n'y a qu'une beauté. C'est la raison pour laquelle l'ange de pierre de Reims et le roi

Jayavarman d'Angkor ont l'air de jumeaux. Ils sourient en frères devant cette évidence : les valeurs de l'harmonie s'affranchissent des cultures et des géographies. Dans ses *Quatre Livres de l'architecture*, Andrea Palladio, maître italien de la Renaissance, donnait de la beauté cette définition : « [Elle] est l'harmonie de toutes les parties sous quelque forme qu'elle apparaisse, en vertu d'une proportion et d'une correspondance telles que rien ne puisse être ajouté, retranché ou modifié sans qu'en souffre l'ensemble. »

Le Bien

On réédite Vassili Grossman dans la collection Bouquins (Laffont), que Guy Schoeller, son fondateur, appelait la « Pléiade du pauvre ». Nous aimons Vassili Grossman (depuis *Vie et Destin*, lu dans une édition de poche où figure ce slogan sur la couverture : « Le *Guerre et Paix* du XXe siècle ») pour les mêmes raisons que nous aimons Tolkien et L.-F. Céline. L'écrivain russe, après avoir assisté à la nidification du vautour à deux têtes (nazi et communiste) sur le dos du XXe siècle, après en avoir été victime et l'avoir combattu, professe que la bonté n'existe pas à l'extérieur de l'homme, qu'aucun système politique (même pas la démocratie) n'instaurera le règne du Bien et que la seule manière de rendre le monde meilleur est de s'attacher à être bon en soi et autour de soi. Même idée chez Tolkien. Le jeune Hobbit voit s'affronter en son âme les forces du Bien et du Mal équitablement réparties en lui. C'est sa seule décision qui le fera basculer dans l'ombre ou la lumière. Céline, après guerre, à cause de son antisémitisme, incarne le « salaud absolu » sur la place publique. Mais dans sa retraite de Meudon, il soigne les pauvres. La bonté n'a de valeur que dispensée discrètement. Dès qu'on l'affiche, elle s'annule. La patrie de la bonté, c'est le silence de nos cœurs et le secret de nos actes.

Le Vrai

Certains croient aux fées, d'autres en Dieu, d'autres en rien. Certains prêtent foi aux histoires de fantômes. D'autres s'en moquent. Certains voient des apparitions. D'autres ne voient rien. Quelques-uns racontent leurs allers-retours dans l'au-delà. Mais des scientifiques expliquent que ce sont des phénomènes neurochimiques. Ici on parle de miracles et là d'événements rationnels. On peut regarder le monde dans une boule de cristal ou à travers l'œilleton du microscope. Il n'y a qu'une Vérité (sinon elle s'appellerait autrement) mais personne ne dit vrai quand il prétend la posséder. Au milieu de toute cette horrible confusion, le poète amérindien Simon J. Ortiz écrit : « Il n'y a pas de vérités, seulement des histoires. »

Août 2006

Trois mètres sur deux

Nulle envie de manifester la moindre pitié pour Zacarias Moussaoui, puits de haine et de stupidité, coupable d'avoir participé aux attentats du 11 septembre. Mais on ne peut rester indifférent aux conditions d'incarcération qui lui sont promises à perpétuité. Sa cellule mesure 3,5 mètres sur 2. Il y sera confiné, sans contact avec d'autres humains, 23 heures sur 24, et disposera d'une heure quotidienne dans une salle d'exercice. Pour survivre psychologiquement à ce régime sans sombrer dans la folie, l'Histoire nous montre plusieurs voies.

La première, décrite dans *Le Vagabond des étoiles*, chef-d'œuvre de Jack London (réédition Phébus), consiste à contrôler ses rêves et à s'évader en pensée avec une telle maîtrise des procédés psychiques qu'on finit par habiter le monde onirique : le corps est bien là, allongé dans la cellule mais l'esprit, lui, chevauche, libre, dans les prairies de la suggestion mentale. C'est la voie chamanique.

La deuxième voie est mystique. Elle entraîne le prisonnier à se réfugier dans la lecture sainte et à tenter, par la prière, d'atteindre un niveau de conscience qui libère l'esprit des injonctions du corps. C'est la voie de l'Éveil. Le Bouddha sous son arbre, le sage tibétain dans sa grotte, l'ermite au désert ne pratiquent rien d'autre qu'une forme de réclusion volontaire. Mais cette voie implique une immense profondeur intérieure dont un individu vociférant des appels au massacre doit être aussi dénué qu'un pois chiche de conscience de lui-même.

La troisième voie est celle de l'étude. Des êtres sont capables de s'enfouir dans leur cabinet pour dévorer des livres jusqu'à tuer leurs yeux. Ils ont conscience du monde extérieur, nourrissent des pensées universelles sans quitter la pénombre de leur bibliothèque. On pense à la photo de l'explorateur Paul Pelliot lisant à la bougie dans la grotte aux manuscrits de Dunhuang.

Quatrième voie : l'imagination. Condamné à vingt années de prison dans la forteresse de Spandau, Albert Speera a marché en rond dans sa cellule, tous les jours, pendant deux décennies en reportant scrupuleusement sur la carte les kilomètres effectués. Il a couvert la distance qui séparait sa cellule du Kamchatka en imaginant traverser les régions dont il lisait les descriptions dans des livres de voyage.

La dernière voie pour tromper le vide carcéral est celle de la création. Parfois l'isolement inspire, l'incarcération grandit l'âme. On peut lire pour s'en convaincre les poèmes d'André Chénier, le beau roman de Fernand Pouillon composé en cellule dans les années soixante, l'ultime missive de Marie-Antoinette rédigée à la Conciergerie… Reste que le plus probable, dans le cas de Moussaoui, c'est qu'il pourrisse mentalement et contracte des névroses. (C'est d'ailleurs l'argument des associations de droits de l'homme américaines qui militent pour la fermeture de ces centres d'incarcération extrême.)

Don't be so sade

Une phrase du marquis de Sade : « Le passé m'encourage, le présent me galvanise, je crains peu l'avenir. » En ces temps moroses, je rencontre, hélas, beaucoup de gens qui se repentent du passé, qui s'ennuient dans le présent et qui craignent les lendemains.

Lévi-Strauss

Les Éditions Chandeigne ont publié l'année dernière *Loin du Brésil*, court entretien de Véronique Mortaigne avec Lévi-Strauss. Le vieil ethnologue se souvient avec nostalgie de la planète de sa jeunesse, lorsque le monde ne comptait que 2,5 milliards d'êtres humains. Et il s'effraie de ce que la Terre soit aujourd'hui (sur)peuplée de six milliards d'individus. Michel Serres, lui, voyait dans la récente urbanisation des nations du monde et dans le gonflement monstrueux des mégalopoles la plus grande révolution humaine depuis le néolithique. Souvent, dans un square ou dans la rue, je croise des vieux messieurs pensifs et tristes. Désormais je me dirai qu'ils sont en train de méditer sur notre termitière.

Septembre 2006

Aller aux buts

Le Mondial de football. Fête planétaire. Des milliards de gens rivés au même spectacle, au même instant. Toute différence culturelle abolie le temps d'une émotion partagée. Le triomphe de la mondialisation. Au milieu de cette belle réjouissance, un bémol : pendant que les ballons s'envolaient aux buts, des milliers de supporters s'envoyaient des putes. Quarante mille filles de l'Est, d'Afrique et d'ailleurs ont été apportées en Allemagne pour la fête, afin qu'en plus des jeux et du pain il y ait de la chair à suffisance. À Berlin, on a construit de nouveaux bordels, tout confort. Pas un Bleu, hélas, n'a daigné dire un mot sur le sujet. On les entend pourtant s'exprimer sur des enjeux graves : les banlieues, le racisme, l'immigration. Ce qu'ils disent importe car ils bénéficient d'une caisse de résonance telle que n'en possédera jamais aucun penseur. Ce qu'ils disent a un retentissement, des favelas du Brésil aux jungles des Moluques. Mais que quarante mille femmes soient réduites en esclavage à la périphérie des stades ne leur a pas arraché un mot.

Achille

Le soir de la finale, je suis accueilli sur une plate-forme d'exploration pétrolière à l'ouest du Kazakhstan. L'ingénieur en chef est tunisien. Il parle cinq langues et a fait ses études à Moscou, sous Brejnev. Pas âme qui vive à 200 kilomètres à la ronde. À cause du décalage le match commence à minuit. Il fait trente degrés. On entend les grincements de la tour de forage. Le match se termine comme on le sait : le coup de tête de Zidane, le carton rouge, le dieu déchu. L'ingénieur tunisien met son casque de chantier et dit : « Ce type c'était Achille, sa tête aura été son talon ! »

Route turque

Falk von Gaver vient de publier *La Traversée des Steppes* (Presses de la Renaissance). Avec un ami, il a remonté en 4 L la route de la migration des peuples turcs. Vingt-deux mille kilomètres d'ouest en est, à contresens, à l'envers du cheminement des hordes. Dans leur épique récit de voyage, on apprend qu'ils lisent des livres, récitent de la poésie, prient, écrivent à leur fiancée, recommandent leur âme à Dieu. Ils sont un peu comme leur itinéraire : à contre-courant.

Faux Russes

À Moscou, à Nice ou à Val-d'Isère, on les reconnaît à mille verstes. Ils sont jeunes, souvent gras, ils sont vulgaires, parlent fort et croient que l'argent permet de tout s'acheter, même une conduite. Ils se sont enrichis dans des business rapides. On les appelle les

« nouveaux Russes » (novorusskis). Au Kazakhstan pour désigner les « nouveaux Kazakhs » on dit les « Kazanova » !

Vivre vite et bien

Les fortes statistiques d'espérances de vie sont fièrement brandies par les pays développés comme des preuves de progrès. Pas sûr qu'il faille se réjouir de vivre vieux. Dans *La Fille du capitaine*, Pouchkine rapporte une fable du peuple kalmouk (tribu nomade du nord de la Caspienne). Le corbeau se vante à l'aigle de vivre trois cents ans. « Et que manges-tu ? » demande l'aigle. « De la charogne », répond le corbeau. L'aigle conclut : « Je préfère ne vivre que trente ans mais en faisant orgie de sang frais ! »

Camélias

J'entends souvent des gens me dire qu'une phrase lue ou retenue au cours d'une conversation les a aidés à traverser une passe difficile. Les mots deviennent des béquilles, les phrases des bandages et on finit par ouvrir des livres comme on entrerait au sanatorium. La phrase qui suit est tirée de *La Dame aux Camélias* de Dumas fils (le seul livre en français disponible dans les librairies de Bakou, Azerbaïdjan). Je ne sais pas si elle mettra du baume aux cœurs éprouvés mais elle est belle comme une fleur fanée : « Il faut que nous ayons bien fait du mal avant de naître, ou que nous devions jouir d'un bien grand bonheur après notre mort, pour que Dieu permette que cette vie ait toutes les tortures de l'expiation et toutes les douleurs de l'épreuve. »

Octobre 2006

Grave syndrome

Le géographe Jean-Pierre Allix, dans *L'Espace humain*, livre paru il y a quelques années au Seuil, décrit ces touristes quittant un endroit prestigieux, persuadés d'avoir été les derniers à en goûter l'authenticité. Après eux, ces lieux dénaturés seraient bons à être jetés en pâture aux visiteurs indignes. Jean-Pierre Allix appelle ce mauvais penchant : « le syndrome du dernier voyageur ». Pierre Loti, décrivant Constantinople à la fin du XIXe siècle dans *Les Désenchantées*, en est gravement atteint. « Autrefois la traversée de la mer Noire les arrêtait encore ; mais depuis deux ans, avec le nouveau chemin de fer aboutissant au pied du Vieux Sérail, c'est effrayant ce flot de désœuvrés de l'Europe entière qui vient ici fureter partout… Stamboul – banalisée, hélas ! de jour en jour et profanée à présent par tout le monde. »

Visas

Falsifier des visas périmés est une activité à laquelle je me suis parfois livré. Je réfléchirai désormais à deux fois car j'apprends que le prince de Hohenlohe, fils de Son Altesse Ira de Fürstenberg, a été jeté dans un cachot de Bangkok pour avoir raturé un visa expiré et est mort dans de troubles circonstances pendant son incarcération, en août dernier. Inconséquence de l'administration qui, pour vous punir d'être resté trop longtemps dans un pays, vous y retient jusqu'à vous y faire mourir.

Le tao des CRS

Sur les plages des Landes, les nageurs-sauveteurs des Compagnies républicaines de sécurité enseignent que lorsqu'on est piégé dans le courant des terribles baïnes, « il faut se laisser emporter » par le courant au lieu de lutter contre lui, sous peine de noyade. Le tao chinois ne professe rien d'autre. Dériver lentement, ne pas aller contre le monde, ne pas remonter le temps, être avec la feuille dérivant sur les eaux plutôt qu'avec le roc fendant les flots de la rivière, être dans le vent, être le vent. Se laisser porter par le flux de la vie pour que s'éloignent de soi les rivages de la mort.

Entomophagie

« La vache du riche mange le grain du pauvre », martelait en son temps l'agronome René Dumont. Il est vrai que l'énergie dépensée pour produire cinq cents grammes de steak est supérieure à celle que le steak contient dans ses tissus. Ce passif énergétique est appelé « énergie grise ». L'impact négatif sur l'environnement d'un produit est proportionnel au montant de son énergie grise. La viande rouge contient beaucoup d'énergie grise. Elle est bonne au palais mais mauvaise pour la planète. Une solution : bouffer du cafard, de l'araignée, des blattes et des sauterelles, comme en Asie ! Coûts de production faibles, élevages non polluants, haute teneur calorique, surface agricole utilisée très réduite, pas d'émission de gaz à effet de serre ! Certes, il y a quelques réticences culturelles en Occident mais qui seront balayées par la nécessité. L'entomophagie est l'avenir de l'homme et constitue une manière de nous venger, à l'avance, des asticots.

Plaisir du voyage

« J'entends seulement de me branler quand le branle me plaît », écrivait Montaigne, ce grand voyageur solitaire, du temps où branler signifiait « se mouvoir ».

Shoah

Une exposition de caricatures sur l'Holocauste cet été, à Téhéran. Le couteau de la stupidité remué dans six millions de plaies. La mémoire bafouée. Cela pour répondre aux douze pauvres dessins parus en 2005 dans la presse danoise sur Mahomet. Comme si cracher sur les tombes équivalait à critiquer une croyance. Qui dira aux deux cents grotesques dessinateurs et à Mahmoud Ahmadinejad qu'ils sont des caricatures vivantes ? De la haine.

Novembre 2006

Toponymes

Pour le voyageur aventuré en de vierges parages y a-t-il plaisir plus grand que celui de baptiser les formes du relief qui défilent sous ses pas ? Afin d'accrocher des noms aux sommets, les premiers explorateurs ont puisé dans la mythologie (mont Maudit, pic du Diable, Déesse Mère du Monde). D'autres, moins inspirés, se sont contentés d'affubler les protubérances d'un qualificatif platement descriptif (mont Aiguille, pointe Percée, mont Rouge). Certains ont laissé sur les cartes le souvenir des souffrances que leur a coûté de vouloir les remplir (steppes de la Faim, baie de la Désolation). D'autres ont appelé ce qu'ils avaient devant les yeux du nom de ce qu'ils avaient sous la main (cap Boussole, détroit de l'Astrolabe). D'autres encore ont convoqué la mémoire de leurs pairs pour remplir les taches blanches (monts Prjevalski) ou bien ont vu offert leur propre patronyme à une éminence qui s'était donnée à eux (pointe Whymper, pointe de Lépiney). Parfois c'est en récompense de bons et loyaux services que les noms d'administrateurs obscurs se sont trouvés épinglés sur les neiges éternelles comme des médailles à la boutonnière (Everest). Les

Soviétiques, comme il se doit, ont enrôlé le paysage dans leur projet politique (chaîne de l'Académie des Sciences, chaîne des Topographes de l'Armée rouge). Il est arrivé que de hauts faits de guerre laissent sur le champ des batailles, par-dessous les cadavres, le souvenir de quelques braves (ainsi le ravin Gandoët sur les flancs d'un belvédère voisin de Monte-Cassino, du nom d'un officier héroïque de l'armée de Juin). Mais aujourd'hui, signe de nos temps modernes où l'argent sert de gouvernail à la barque du monde, on peut acheter le droit de baptiser une étoile de son propre nom. Une institution privée, l'International Star Registry, tient en effet à jour depuis 1979 un catalogue des corps célestes et vend sans scrupule des noms de domaines sidéraux. Désormais, à la verticale du Salto del Angel (Venezuela), du cap de Bonne-Espérance (Afrique du Sud) ou de la pointe de l'Ultime Espérance (Chili), les scintillements lactés sont menacés de recevoir mon nom, le vôtre, cher lecteur, celui de la voisine, de Madame Michu ou de Monsieur Tout-le-Monde qui se seront contentés pour entrer dans le grimoire superbe de la toponymie de cracher quelque fric au bassinet de l'imposture.

Tortues

Sur la plage de Yumurtalik (Turquie), j'assiste à un lâcher de tortues. Un biologiste a sauvé dix œufs qu'un goupil sans scrupule s'apprêtait à croquer. Les tortues ont éclos la veille. À présent, les doigts du scientifique s'ouvrent et laissent couler sur le sable les petites bêtes. Au prix d'efforts inouïs, elles battent le sable de leurs nageoires, vers la mer. Leur instinct, leurs gènes les guident centimètre par centimètre, jusqu'à la langue du ressac qui les happe une à une. Course à la vie pathétique et sublime. Jamais vu spectacle plus émouvant. Sur mille tortues qui naissent, une seule survivra. Et reviendra pondre à l'endroit où elle est née, trente ans plus tard, s'aidant de la cartographie mentale que les champs magnétiques ont gravée à la naissance dans son cerveau antédiluvien. Désormais, lorsque devant moi se dressera un obstacle duquel je n'aurai qu'une infime chance de triompher, je viderai un verre à la gloire éternelle des tortues de Yumurtalik avant de foncer, tête baissée.

Pétrole

Le pétrole est un produit résultant de la décomposition d'organismes végétaux et animaux. Le processus dure des millions d'années. Le pétrole peut donc être considéré comme un concentré de temps. Or c'est grâce à ce concentré de temps, à ce *précipité* de durée (au sens chimique du terme) que nous disposons de carburant pour nous déplacer. Nous distillons le temps pour nous affranchir de l'espace.

Benoît XVI

Mois d'août. Aéroport d'Ankara au petit matin. Dans la salle d'attente, les passagers turcs d'un avion pour La Mecque écoutent un imam vitupérer, debout sur un fauteuil. De la harangue, je ne saisis qu'un mot qui revient souvent : « Bénédikt 16. » On remet ça. Après l'épisode des *Versets sataniques* (1989) et celui des caricatures danoises (2005), à nouveau des cris d'orfraie pour protester contre les agressions à l'encontre de l'islam. Cette fois, l'étincelle, c'est une petite phrase prononcée par le pape Benoît XVI lors de son discours à l'université de Ratisbonne. Le pape citait les mots que l'empereur byzantin Manuel II Paléologue

adressait à un hôte persan (à Ankara précisément !) :
« Montre-moi ce que Mahomet a apporté de nouveau.
Tu ne trouveras que des choses mauvaises et inhu-
maines, comme le droit de défendre par l'épée la foi
qu'il prêchait. » Ô 1391 ! (date de la conversation).
Ô temps béni où un empereur pouvait dire posément
pareille chose à un mahométan sans que celui-ci ne
tirât justement son épée pour lui faire rendre gorge.
Par coïncidence, je tombe sur cette phrase du journal
de Gide (*Nouvelles Pages de Journal, 1932-1935*, Gallimard) que je suis en train de lire alors que l'imam
poursuit son réquisitoire : « Cœurs sensibles [Gide
vilipende les bourgeois d'avant-guerre], ce qu'ils n'aiment pas, c'est le rouge. Ils ont horreur des coups de
feu. Que quelques hommes trouvent une fin brusquée
dans une échauffourée, cela les indigne et quel raffut
aussitôt dans les journaux ! Ils supportent plus aisé-
ment que des milliers d'affamés périssent, mais peu
à peu, sans bruit et pas trop près d'eux. » Sous les
étranglements indignés de l'imam, ces mots de Gide
prennent un écho étrange. Et si les *cœurs sensibles*
c'étaient les musulmans outrés, les *coups de feu*, la
phrase du pape et les *milliers d'affamés,* ces femmes
sacrifiées, bafouées chaque jour en silence sur l'autel
de quelques versets bien mal ou trop bien interprétés ?

Décembre 2006

Chuchotis

Je viens de passer plus de trois mois sur les routes de Grèce, de Belgique et du Danemark. Trois mois loin de mes livres. En rentrant chez moi j'ai été presque aussi content de les retrouver que de revoir mes proches. Je ne sais plus quel écrivain disait que lorsqu'il passait devant ses livres, il les entendait chuchoter. Tant de mots compressés dans tant de pages et traduisant tant de pensées et recelant tant de sens finissaient par émettre un brouhaha, un froissement presque audible. Je me suis approché de mes rayonnages pour y capter le murmure de quelques livres.

Japonaiseries I

Le moine Dôgen Zenji, au XIIIᵉ siècle, errait sur les chemins lorsqu'il rencontra un vieillard qui s'épuisait à quelque tâche agricole. « Pourquoi ce travail harassant ? Laisse faire les autres », dit le moine. Le vieux lui lance : « Les autres, ils ne sont pas moi. » Formidable réponse qui nous invite à filtrer chaque moment de la vie à travers les mailles de notre seule expérience, à éprouver les choses en nous-même plutôt que d'écouter ce que nos pairs en rapportent. Cette anecdote est racontée par James Harvey qui publie chez Transboréal *Le Souffleur de bambou*. Le livre est une déclaration d'amour au Japon par un voyageur de trente et un ans, écrivain fidèle au « principe de la feuille de thé », lequel préconise de s'immerger dans la réalité, de s'en laisser lentement gonfler, avant de remonter à la surface du monde en exsudant son propre suc.

Japonaiseries II

Ariane Wilson, jeune visage pâle franco-écossais, n'a jamais su choisir entre l'architecture, la musique, le voyage et l'écriture. Pour n'avoir pas à trancher, elle fait tout en même temps. Il y a deux ans, tel le *komusô* japonais, ce moine errant et musicien (décrit par James Harvey), elle a traversé le Zanskar transportant son violoncelle sur le dos et égrainant à chaque passe franchie une sonate de Bach (voyage raconté dans *Un violoncelle sur le toit du monde*, Presses de la Renaissance, 2002). Seul le Japon pouvait convenir à son immense besoin d'ordre intérieur. Elle est donc partie pérégriner autour de l'île de Shikoku reliant au long d'un itinéraire de 1 400 kilomètres les 88 temples dévolus à la mémoire du saint Kobo Daishi. Chaque soir, elle dormait dans un léger abri de toile blanche semi-rigide qu'elle modelait selon son humeur et que, le matin venu, les moines estampillaient d'un sceau calligraphié.

Face-à-face

Dans la littérature, exploiter la situation du face-à-face est un exercice périlleux. L'écrivain doit maintenir un haut degré de température sans recourir à rien d'autre qu'au dialogue. C'est le casse-tête du tête-à-tête. Deux auteurs ont magnifiquement réussi. L'un est hongrois, Sandor Marai, et l'autre allemand, Jens Rehn. Le premier, dans *Les Braises*, met en scène les retrouvailles de deux vieux messieurs de la haute société austro-hongroise. Ils étaient amis, se sont perdus de vue, se sont retrouvés et se racontent leur jeunesse. On craint d'assister aux confidences de deux ectoplasmes zweigiens. Mais en remontant le fil de leurs souvenirs, les vieillards ravivent un passé terrible, évoquent une journée insoutenable et ressuscitent des destins atroces. Le ton est feutré, la pièce plongée dans une douce pénombre mais les comptes qu'ils règlent sont sanglants et la violence contenue est insoutenable. Le second face-à-face, dans *Rien en vue*, se tient entre deux rescapés de la guerre. Un Américain et un Allemand, l'un aviateur, l'autre marin, qui viennent de se livrer combat et se retrouvent sur un canot pneumatique. Ils s'échangent explications, souvenirs, considérations. Puis l'un des deux trépasse et l'autre n'a plus d'autre interlocuteur qu'un cadavre puis sa propre folie. On referme ces deux livres pour reprendre un autre face-à-face, permanent celui-là, inévitable et que seule la mort interrompra : celui qu'on mène avec soi-même.

Aron Ralston

C'est une histoire vraie qui avait fait grand bruit en 2003. Un garçon avait survécu cinq jours, au fond d'un canyon de l'Utah avec le bras droit coincé sous un rocher qui lui avait roulé dessus. Le sixième jour, il s'était amputé avec son canif. L'opération avait duré plus d'une heure. Il lui avait ensuite fallu descendre en rappel puis marcher 12 kilomètres pour retrouver la civilisation. Il a écrit un livre (de la main gauche) : *Plus fort qu'un roc* (Michel Lafon). On pouvait s'attendre à l'un de ces témoignages fracassants, *made in*

America, cuisiné avec sa dose de pathos, de suspens, de raccourcis spectaculaires et d'envolées ridicules. Non point ! Le livre est sobre, précis. Il contient cette leçon : il n'y a qu'un minuscule espace où l'on peut se connaître vraiment. Il se situe à la lisière de la mort, à l'orée de la nuit. Aron a attendu cinq jours avant de s'amputer parce qu'il n'avait pas encore atteint ces parages. Une fois parvenu sur les bords de l'abîme, il avait deux solutions : décider de vivre ou de mourir. Ce livre raconte la lutte, digne de l'antique, que la volonté mène contre le destin. Il y a une autre chose dans le livre : Aron s'est beaucoup souvenu de lectures au cours de son épreuve. Elles l'ont aidé à organiser sa survie. Les livres sont aussi nécessaires que les couteaux suisses.

Janvier 2007

Le plancton et les fées

Plongée à la nuit tombante dans les siphons et les grottes des falaises calcaires du Pradet près de Toulon. Vers l'occident, un liseré de ciel, fin comme une lame portée au rouge, est pris en étau entre le noir de la nuit et le bronze de la mer. Dans l'eau, les micro-planctons s'allument au contact des combinaisons de plongée. Un geste, l'eau s'illumine. Dans le monde de la fantaisie anglo-saxonne, les fées, les elfes vivent dans un halo. Leur corps scintille, enrobé de fluide phosphorique. Pendant ces heures de nage, j'ai l'impression de baigner dans l'inspiration du dessinateur britannique Brian Froud.

La vieille dame et la mer

Elle avait des airs de garçonne et le même regard d'acier qu'Ella Maillart. Elle réussit à se faire accepter dans le milieu professionnel le plus viril qui soit : le monde marin. Elle fut écrivain, photographe, reporter, se passionna pour l'océanographie naissante et contribua à ses fondations. Elle embarqua sur des navires de guerre, des esquifs de pêcheurs, des bateaux scientifiques et des chalutiers. Elle connut la guerre, la misère, le succès, la pauvreté. Elle célébra la grande fête de la houle, se fouetta d'embruns, s'enivra d'horizon, s'émerveilla de la puissance des mers, de la complexité du vivant et du génie des vents. Elle traversa l'existence comme une voile bordée bien ferme. Et de cette vie en maelström, dont elle aurait pu se contenter de jouir – avec les coffres bondés de souvenirs pour mille ans –, elle tira la conviction que l'océan est fragile et que, de sa santé, dépend l'équilibre du monde. Anita Conti s'insurgea dès 1973, dans *L'Océan, les bêtes et l'homme,* que les océans devenaient « les derniers égouts d'alchimistes incontrôlés ». Dans le combat écologique balbutiant de l'époque, elle se tint sur le gaillard avant avec quelques autres figures de proue tels Théodore Monod ou Jean Dorst. Elle avait rédigé ce testament : « En cas d'accident en mer, prière de laisser ma peau où les eaux la voudront. Inutile de me repêcher. » N'eût-ce pas été un grand honneur pour la mer d'avaler le corps de la vieille dame ? Anita n'eut pas le bonheur d'avoir les écumes pour linceul. Aujourd'hui, beaucoup de ses fidèles entretiennent sa mémoire. Le docteur Catherine Reverzy, au terme d'un océanique travail de recherche et de plongée dans les archives, vient de publier une biographie, *Anita Conti* (Odile Jacob). Le portrait d'une femme qui traversa la vie, vent debout. La preuve que sans amour, sans foi et sans révolte, il n'y a pas d'écologie.

Les sauvages et les sauvageons

Pour lutter contre la violence urbaine, la RATP a lancé une campagne d'affichage exhortant les citoyens français à ne pas se comporter comme des hommes préhistoriques. Drôle d'idée d'associer à la grossièreté une société humaine qui nous a légué les chefs-d'œuvre de Lascaux, la belette du réseau Clastres, la Vénus de Brassempouy et les premiers élans de l'âme vers le ciel. Et si les Cro-Magnon, qui, eux, ne brûlaient pas les mammouths, avaient manifesté plus de savoir-vivre que nous n'en sommes capables ?

Les Anglais ont un cœur

Merveilleux Anglais. À l'heure où les services du secours en montagne français sont accablés d'appels de détresse abusifs lancés grâce aux téléphones portables par des promeneurs indélicats, la Fondation britannique pour le cœur nous apprend que deux tiers des Britanniques victimes d'infarctus ignoreraient leurs symptômes, préférant le *wait and see* à l'alerte des urgences hospitalières. Lorsque le flegme tue, la mort a du panache.

Les livres contre les chars

Éva P. est hongroise. Elle est arrivée en France dans les années soixante-dix. Les premiers temps, elle a survécu en vendant du gouda dans un supermarché, déguisée en Hollandaise. Elle parlait hongrois aux clients et tout le monde la croyait batave. Elle n'a pas attendu le mois d'octobre 2006 pour se souvenir de la révolution de Budapest. À dix ans, en rentrant de l'école, elle a entendu les chars, vu les cadavres de soldats russes. Plus assourdissant que les chenilles des T 34 sur les pavés de Pest fut le silence de l'Occident. Aujourd'hui l'Europe se rachète en célébrant une grand-messe mémorielle. (Depuis quelques années le Souvenir est devenu un bien de consommation, l'Histoire une affaire de marchands et les commémorations des aubaines commerciales pour les éditeurs, les producteurs et les commissaires d'expositions.) Parmi les essais universitaires, les récits et les rééditions publiés à l'automne 2006, un livre proposé par l'Association des Hongrois à l'étranger porte sur les événements d'octobre un regard émouvant[1]. Celui de témoins anonymes qui avaient jusqu'ici enfoui leurs souvenirs dans le secret de leur cœur, et serré leurs photos et leurs écrits au fond de leurs tiroirs. L'Histoire n'est pas uniquement bâtie sur les analyses des chercheurs. Elle ne peut se passer de la parole des témoins. Elle a besoin des yeux. Ce livre n'est pas écrit par des spécialistes qui ont tout lu mais par des hommes et des femmes qui ont tout vu.

L'arnaque et l'anarchiste

Deux grands diaristes expriment, chacun dans son journal, une pensée païenne, revigorante et pleine de sève. L'un est un mystique. L'autre, un anticlérical. Leurs réflexions pourtant se rejoignent.

Jules Renard : « Dans mon église, il n'y a pas de voûte entre moi et le ciel. » Ernst Jünger : « Toucher du bois, une superstition ? Chacun sait que les dieux habitent dans les arbres ! »

1. *Témoins de la révolution : Budapest 1956*, Alcyon.

Février 2007

De la liberté

On savait que les bateaux sont des plates-formes de liberté. Royaumes flottants des flibustiers, des pionniers, des hors-la-loi. On connaît l'exemple de ces rebelles diffusant des émissions de radio à partir de rafiots croisant au large de pays en guerre. Une association de femmes mène depuis près de sept ans une opération qui ravive le caractère libertaire de la mer. *Women on Waves* a été créé en 1999. L'objectif : offrir aux femmes des pays où il est interdit un accès à l'avortement. Le principe : aménager une clinique à bord d'un bateau mouillé à la limite des eaux territoriales, c'est-à-dire hors de l'influence législative du pays côtier. Le bâtiment battant pavillon hollandais est soumis aux lois néerlandaises très avancées en matière d'IVG. Parmi les pays d'Europe qui interdisent l'avortement, le Portugal et la Pologne ont déjà reçu la visite du bateau. Une action digne de Surcouf dans l'océan de détresse des quatre-vingt mille femmes mourant chaque année d'un avortement clandestin.

De l'héroïsme

Dans la vitrine d'un magasin de jouets, des figurines en plastique de héros de *comics* américains. Sur le paquet, cette phrase : « Attention, en cas d'ingestion accidentelle d'un élément, le fabricant X ne peut être tenu responsable, etc. » D'un côté ce besoin (vieux comme l'Antiquité) d'aimer les héros. Hier Achille, aujourd'hui Batman. De l'autre, ce désir de protection maximale. On élève ses enfants dans l'admiration de la puissance physique et de la supériorité morale, mais on n'hésitera pas à engager une action en justice en cas de bobo. On édifie des modèles et on élève des parapets. Dans le même ordre d'idée, ces mentions au dos des topos d'escalade révèlent une contradiction psychologique : « Les auteurs déclinent toutes responsabilités en cas d'accidents survenus dans les itinéraires décrits dans ces pages, etc. » L'homme moderne a besoin d'aventure. Il rêve de partir. Il célèbre les vastes monts et les mers lointaines. Mais il désire une montagne sans risque, une mer sans vagues (« une guerre sans mort », dirait-on au Pentagone). Pour un peu il s'insurgerait que le risque tue ou que la vie finisse toujours aussi mal. Sous l'action d'un autre effet paradoxal, plus le discours médiatique glorifie les marins, les alpinistes et les aventuriers et plus ceux-ci développent un penchant pour la modestie. Chez les héros des mers et des cimes, c'en est fini des rodomontades et des tartarinades. Le ton n'est plus celui des années d'après-guerre. Place à l'humble ! Écoutez-les parler ! L'alpiniste rendra grâce au sommet de l'avoir laissé arriver jusqu'à lui. Le marin remerciera le vent et les qualités de son bateau. Le coureur de jungles louera la forêt de l'avoir adopté. Chacun réfutera la dimension nietzschéenne de l'action, niera qu'une *volonté de puissance* se cache derrière l'élan aventureux. Même l'himalayiste Reinhold Messner, dont l'existence entière est un précis de dépassement de soi, a dit un jour que « les seuls qui croient aux héros sont ceux qui rêveraient d'en être un ». La tendance amène à cette drôle de situation : les nouveaux *supermen* refusent d'être considérés comme tels et les gens qui voudraient leur ressembler aspirent à un monde sans danger.

De la sincérité

Campagne présidentielle française. Mensonges en forme de bilan, incantations en forme de débats, promesses en forme de programmes. Il faut se souvenir de la réponse de Tchernomyrdine (ministre de Boris Eltsine) à un journaliste qui lui demandait de résumer son mandat. Il a prononcé une phrase immensément triste, désespérément russe et rigoureusement inaudible en France : « Nous avons voulu faire pour le mieux, mais cela a été comme d'habitude. »

Du progrès

Le dauphin de Chine est en train de disparaître. Il ne resterait plus qu'une centaine d'individus dans les eaux du Yang-tsé. Dans les profondeurs aquatiques, la pesanteur réduite a permis à ces animaux de développer de gros volumes cérébraux. Peut-être que, dotés de mains, les dauphins auraient érigé cités et civilisations. Des scientifiques pensent que ces bêtes possèdent une forme d'intelligence proche de la nôtre. Voici en tout cas la première race de mammifères marins rayée de la surface du globe à cause de l'homme. Quand toutes s'éteindront, ce sera le début de notre nuit.

De la sagesse

Robert Paragot, octogénaire granitique, est un mythique alpiniste des années 1950-1970, compagnon de grimpée de Lucien Berardini. Il fut l'auteur de la première de la face sud de l'Aconcagua et du pilier ouest du Makalu et donna à des générations entières de grimpeurs l'envie de connaître le bonheur de la cordée. Quand je lui demande ce qu'il retient de son incroyable vie d'aventure, je m'attends à recueillir le récit d'une bataille farouche sur une arête glacée ou de l'exploration dangereuse d'un versant inconnu. Réponse : « Rien ne m'a plu autant que de marcher au petit matin sur les chemins de la forêt de Fontainebleau. » On court le monde pour chercher ce qu'on avait sous les yeux, *hic et nunc*.

Du dégoût

Être né sur la paille, avoir échappé à Hérode et finir sur une croix, tout ça pour que, le 24 décembre, les foules hystériques se battent devant les vitrines, obsédées par cette question : faudra-t-il ouvrir les magasins le dimanche au cas où l'on n'aurait pas eu le temps de remplir les hottes de Noël ras-la-gueule ?

Du travail

Dans *Au cœur des ténèbres*, le héros de Conrad dit cette phrase que je copie dans mon carnet de formules-gouvernails : « Je n'aime pas le travail – personne ne l'aime – mais j'aime ce que le travail recèle – la chance de se trouver. »

Avril 2007

Mettre en veille

Cette publicité dans un journal : « Allumez X (une marque de téléviseurs), et mettez en veille le monde autour de vous ! » Je préfère éteindre la télé et allumer le monde autour de moi. Apollinaire professait qu'« il est grand temps de rallumer les étoiles ».

Citer l'autre

On me reproche de trop citer d'auteurs. Mais les citations ne sont pas des paravents derrière lesquels se réfugier. Elles sont la formulation d'une pensée qu'on a caressée un jour et que l'on reconnaît, exprimée avec bonheur, sous la plume d'un autre. Les citations révèlent l'âme de celui qui les brandit. Elles trahissent le regret de ne pas avoir su ou de n'avoir pas pu dégainer sa pensée.

Croire ce qu'on dit

Un peu d'eau au moulin de ceux qui revendiquent le droit à la mauvaise foi avec cet aphorisme de Nietzsche : « Ce qui est viscéral est irréfutable. »

Changer de monde

Mardi gras dans Paris. Pas de processions carnavalesques, pas d'enfants déguisés. En revanche, sur la façade de l'Hôtel de Ville, au fronton des mairies d'arrondissement, le réjouissant spectacle des lampions et banderoles du nouvel an chinois. Sentiment de vivre un important moment : celui de l'effacement d'une culture et de l'émergence d'une nouvelle ère. Les Francs ont-ils ressenti le même chavirement quand leur royaume, quittant les obscurs chemins du paganisme, s'achemina vers les rivages chrétiens ?

Vider son sac

Les Russes ont tout compris. Au lieu d'exposer leurs débats internes, leur *tas de misérables secrets* à un psychanalyste, ils ont inventé le toast. Lors d'un dîner russe, on boit, on s'épanche, on écoute l'autre, on se sert à nouveau. Au bout de deux verres, on parle avec sincérité. Au bout de quatre, on se confie franchement. Au bout de six, on déballe tout ce que l'on a sur le cœur, on s'explique, on se demande pardon, on se réconcilie. Avec un litre de Cristal à 45 degrés, on fait l'économie d'une consultation sur le divan.

Vivre vieux

Escalade un jour de janvier sur les sombres parois du Caroux, au sud des Cévennes. L'homme qui me guide s'appelle Henri Blanc. En son temps, il a ouvert des dizaines de premières dans le massif, pitonnant sans relâche, côtoyant les meilleurs grimpeurs de l'époque. Aujourd'hui, il a soixante-quinze ans et passe encore du cinquième degré en tête ! Il pose son regard sur des vallées qu'il connaît dans leurs moindres recoins et s'extasie. Il brûle d'un feu intérieur tel qu'il en couve peu chez les êtres de cet âge. Quel est le secret de la longévité ? Qu'est-ce qui maintient les êtres en état d'appétit vital ? Pourquoi le temps glisse-t-il sur la peau de certains ? Les hommes naissent peut-être égaux, mais ne vieillissent pas tels !

Dire les noms

Péguy a écrit ce vers : « Chenonceaux et Chambord, Azay, Le Lude, Amboise. » À sa manière, j'aime composer des alexandrins avec des noms de lieux. « Boukhara, Saratov, Mourmansk et Samara. » La toponymie est un moyen de transport. Les mots sont les wagons, les phrases des trains et les pages deviennent des steppes blanches traversées de convois.

Aimer toujours

Ce beau mot russe : *razliubit*. Il désigne le sentiment à l'égard d'un être que l'on a aimé et pour qui l'on éprouve encore une nostalgique affection mais plus d'attirance charnelle. *Razliubit* est intraduisible en français. Notre langue qui sait si bien servir l'amour passionné ou le dépit enragé n'a pas de mot pour les états de l'entre-deux !

Mai 2007

Victor Hugo griffonnait des notes partout. Son cerveau jaillissant n'épargnait pas le moindre morceau de papier. Quotidiennement, il consignait ses pensées, les scènes de rue dont il était le témoin, ses propres faits et gestes, les conversations qu'il tenait avec les obscurs ou avec les princes. Ses notes ont été publiées sous le nom de Choses vues *(deux tomes en Folio). Elles constituent une géniale leçon sur l'art d'observer les choses, d'en tirer un enseignement, de ne rien laisser passer de ce que nous offre l'existence. Ce mois-ci, à la faveur d'un voyage en Sibérie et dans le Gobi, j'ai décidé de tenir un bloc-notes en forme de* Choses vues.

— Débarquement à Moscou. La douanière sourit et dit : « *Good morning, sir.* » À ces petites phrases, on comprend que l'Union soviétique est bel et bien morte.

— À Irkoutsk, dîner avec Galina, journaliste à la télévision locale. Soudain, un lourd silence. Moi : « En France, on dit : un ange passe. » Elle : « Ici, on dit : un flic naît. »

— En haut du clocher de l'église de l'Ascension, à Irkoutsk, Arthur, le carillonneur, bat les cloches à toute volée. « Lorsque je sonne, je prie. En même

temps, j'appelle le peuple russe à rejoindre l'église. »
Plus loin, sur les rives de l'Angara s'élève l'église du
Sauveur. Dans le soubassement du clocher, Nikolaï a
installé le bureau de son association : Fonds pour la
renaissance de l'âme. Son objectif : détruire le bâtiment
stalinien qui sert de siège à l'administration d'Irkoutsk
pour élever en lieu et place une réplique de la cathédrale rasée par les communistes dans les années trente.
« La foi déplace bien les montagnes », dit Nikolaï.

— Activité chérie des Russes : *pagouliat*, se promener. On marche dans la rue, on flâne, par zéro ou
– 25 degrés. Occupation simple d'un peuple économe
pour qui se montrer, se rencontrer et se parler a encore
du sens.

— Monastère de Saint-Vladimir. Beauté de l'office,
rais de soleil sur les icônes, j'entends le frou-frou des
robes de nonnes. Bonheur gourd de rester ainsi, des
heures, sous la nef des vaisseaux de la foi russe. Ce
bien-être serait presque une raison de se convertir à
l'orthodoxie.

— Sur le lac Baïkal : 80 centimètres de glace permettent à notre camion de rouler au-dessus des profondeurs. Il fait 30 degrés sous zéro. Le froid est un
chien subtil. Il peut saisir, couper, mordre, pénétrer,
s'insinuer, tenailler. La chaleur se contente d'assommer.

— Conversation avec un garde-chasse sur l'oppor-
tunité d'ouvrir les réserves naturelles du Baïkal au
public. Lui : « Il faut donner à connaître la beauté
du monde pour que les gens aient envie de la protéger. » En réponse, je lui traduis (péniblement) la
phrase d'Aldo Leopold (naturaliste précurseur de la
décroissance) tirée de son *Almanach du comté des
sables :* « Toute protection de la vie sauvage est vouée
à l'échec car pour chérir nous avons besoin de voir

et de caresser, et quand suffisamment de gens ont vu et caressé, il ne reste plus rien à chérir. »

— À Oulan-Bator, rencontre d'Alexandre, jeune Français expatrié dans les steppes. Il a ouvert une boulangerie où il produit des croissants. Les Mongols ont conquis le monde. Leur poussée a entraîné l'expansion turque. Le Turc a inspiré le croissant aux Viennois. Et voilà qu'un Français le rapporte dans le berceau turcique. Cette anecdote pourrait s'intituler : « Éternel retour de l'histoire illustré par le croissant au beurre ».

— Les Mongols ont inauguré l'année dernière une statue de Gengis Khan sur la place centrale d'Oulan-Bator. Au temps du grand chef, l'écriture n'existait pas. La parole donnée n'était pas d'or : les alliances entre clans se défaisaient au gré de permanentes trahisons. Le seul code d'honneur que l'on connaissait était celui de l'action, de la force, de la conquête. Un code de loup.

— Coucher de soleil sur le désert de Gobi tacheté de névés. Une fois le soleil disparu, on voudrait être un peu plus à l'ouest pour que le spectacle continue. Est-ce la raison de l'ébranlement des hordes mongoles vers le couchant ? Le désir de se gorger encore de la beauté des soirs ?

— Le nomadisme mongol : l'herbe nourrit la bête qui fournit la laine qui sert à confectionner la yourte sous laquelle prospère l'homme qui mène la bête à l'herbe. À quoi sert l'homme dans cette valse ? À recréer l'équilibre qu'il a défait dans un monde qui pourrait se passer de lui.

— Tous les 100 kilomètres, un village construit par les Russes pendant la collectivisation. Tristes agrégats de cubes de ciment couverts de tôles. Un Mongol entre quatre murs, c'est comme du vent en boîte.

— Le tao chinois fascinait Gengis Khan (ce héros destructeur). La doctrine postule l'existence d'un chaos originel que l'homme par ses pensées, sa conduite, son harmonie intérieure peut rééquilibrer. « Ils reviendront les dieux que tu pleures toujours, le temps ramènera l'ordre des anciens jours », écrivait Nerval, ce poète tao.

— Cette pierre de Gobi que je caresse a peut-être été foulée par le sabot des hordes mongoles. La pierre est un capteur mémoriel. Un témoin silencieux du fracas des siècles… Prenez-en une au creux de votre main : elle pèse les quelques grammes de sa structure atomique. Elle pèse aussi le poids des siècles. Le minéral règne sur le temps.

Juin 2007

La vision du moine

Je prends un verre de riesling un soir sur les toits de Paris avec une amie. Nous avons grimpé par un vasistas ouvert dans une soupente. Le ciel de l'Île-de-France déploie ses incendies. Reflets de sang sur l'océan de zinc, de tuiles et d'ardoises. Les poteries des cheminées ont l'air de petits godets posés sur le comptoir d'un bar. Dans le contre-jour se découpe la forêt des antennes de télévision. Ce paysage fait un étrange écho à une phrase écrite au XVIIIe siècle par saint Cosmas l'Étolien, moine orthodoxe du mont Athos et dans laquelle il est difficile de ne pas reconnaître une prophétique description de la télé : « Viendra l'époque où le diable s'enfermera dans une boîte et se mettra à hurler, ses cornes perçant les tuiles du toit. »

Le regard du forçat

La photo a fait le tour du monde à la fin du printemps. On voit le président Poutine venu remettre le Prix de l'État à Soljenitsyne. Vladimir Vladimirovitch, l'ex-officier du KGB rendant les honneurs à Alexandre Issaïevitch, l'ancien forçat ! « Tout passe », aurait soupiré Vassili Grossman… La photo témoigne de l'extraordinaire capacité du peuple russe à digérer ses propres tourments, à dissoudre les noirceurs de l'Histoire dans le continuum historique. Le chef du Kremlin lui-même a choisi de faire table ouverte du passé plutôt que table rase et d'engager le pays dans la fertile voie de la réconciliation plutôt que dans l'impasse de la repentance. Sur la photo, le Président entre dans la pièce et couve l'écrivain d'un regard bienveillant. Soljenitsyne est dans une chaise roulante. Il est terriblement maigre. Il a des joues de *zek*, un teint de cadavre, une barbe de mage. Son regard, on ne sait point s'il est hagard ou inspiré. Fixe-t-il le passé ? Voit-il déjà la mort ? Ou bien se chauffe-t-il à l'illusoire foyer de l'espérance ? On dirait qu'il contemple un abîme et l'on pense aux mots si cruels de Milan Kundera dans l'introduction de *Jacques et son maître*. Le Tchèque y argumente sa méfiance pour le peuple russe en expliquant que celui-ci n'a jamais connu de Renaissance historique, ne s'est pas abreuvé à la sève de la Raison et entretient avec la vie un rapport médiéval, magique, obscur. Comme le regard de Soljenitsyne.

Les adieux des marins

Je vais vous livrer, lecteurs qui rencontrez des difficultés à faire avaler à vos amies, à vos femmes, à vos filles la perspective de voyages lointains, d'absences prolongées et de départs répétés, cette traduction du « Chant des marins » au début de l'acte III du *Didon et Énée* de Henry Purcell : « Buvez et laissez vos nymphes sur le rivage et faites taire leurs lamentations en leur promettant que vous reviendrez promptement mais sans jamais avoir l'intention de les revoir. »

Les larmes du poète

Quoi de plus ressourçant, après une longue et difficile étape sur la route, que de fumer en lisant des vers de poésie ? Cet été, au bord du Baïkal, je tirais sur la fin d'un doux cigarillo lorsque je tombai sur ces vers de Saint-Amant, composés en 1629 :

Non je ne trouve point beaucoup de différence
De prendre du tabac, à vivre d'espérance
Car l'un n'est que fumée et l'autre n'est que vent.

La plume de l'oiseau

Sur la berge du Baïkal, à nouveau. Je trouvai une plume de rapace. Je la taillai avec mon couteau, la trempai dans l'encre noire et m'amusai à écrire des petits poèmes libres. Le crissement de la pointe sur le papier est un son que nous avons oublié mais que nos ancêtres connaissaient bien. Voici trois de ces menus exercices :

1. Une plume tombe du ciel / Un poète la taille / Écrit des vers ailés / Qui regagnent le ciel.
2. Une plume tombe du ciel / L'oiseau qui l'a perdue / Sait-il qu'elle servira / À composer des vers / Qu'il ne pourra manger ?
3. Une plume tombe du ciel / Et de stupeur d'avoir chuté / Sa pointe sur la blanche plage / Fait un point d'exclamation !

Les répliques des moujiks

En plus des plumes d'oiseaux, j'ai moissonné sur les bords du Baïkal des bribes de conversations qui en disent davantage sur la prétendue *âme russe* que de longs traités de psychologie des peuples.

Je montre un jour mon doigt écorché à un couple de garde-chasse dans une réserve naturelle de la rive ouest. La femme me dit : « La graisse d'ours agira sur l'infection. » Son mari : « Moins bien qu'une hache aiguisée. »

Anatoli, soixante-cinq ans, nous prête son fusil pour traverser une zone où rôde un ours entreprenant. Il nous donne trois cartouches puis soudain se ravise : « En voilà cinq autres si vous croisez les Allemands. »

Un pêcheur à qui je demande pourquoi des religieux bouriates ont érigé un stupa bouddhiste sur une des petites îles baïkaliennes : « Ils n'ont trouvé aucune raison de ne pas le faire. »

Ce Moscovite avec qui nous trinquons dans une isba de la rive orientale s'écrie : « Remerciez-nous d'avoir été pendant soixante-dix ans le laboratoire de ce qu'il ne fallait pas faire. »

Victor, descendant des Cosaques de l'Oural, à qui nous louons un side-car Oural et signalons que le réservoir fuit et que manquent les freins, explique d'une voix très douce : « Chaque moto a sa vie propre… »

Juillet 2007

Motifs

« Bon qu'à ça ! » Samuel Beckett lança ces quatre mots à un journaliste qui lui demandait pourquoi il écrivait. L'exclamation du dramaturge fait écho au mot de l'alpiniste George Mallory qui répondit à la question de savoir pourquoi il grimpait l'Everest : « Parce qu'il est là. » Ou encore au mot de Cendrars qui cloua d'un « parce que ! » le caquet d'un journaliste désireux de savoir pourquoi il voyageait. J'aime ces cris du cœur qui claquent la porte au désir de connaître la raison des choses. Il n'y a pas d'explications aux efforts consacrés à la conquête des cimes ni de raisons justifiant la nécessité d'écrire des livres. Il est des actes que rien ne fonde. Et lorsqu'on entend résonner l'infrangible appel du voyage ou de l'écriture, il faut y répondre sans en chercher l'origine.

Correspondances

Conversation avec un ami russe (résidant à Omsk) sur le capitalisme et le communisme. Ni l'une ni l'autre des deux doctrines ne discernent de progrès possible sans croissance matérielle. L'une et l'autre font de l'économie le principe directeur conduisant le destin des sociétés. L'une et l'autre oubliant le message des dieux s'appuient sur la force des Titans (l'industrie, l'extraction des matières premières…). La différence qui les oppose ne réside pas dans la vision du monde mais dans le mode opératoire : les commandes des moyens de production ne sont pas laissées aux mêmes mains dans un cas et dans l'autre. Dans *Race et Histoire*, Claude Lévi-Strauss glisse une phrase illustrant ce voisinage conceptuel. Il donne cette définition de la civilisation occidentale sous la bannière de laquelle le communisme et le capitalisme prospèrent au XXe siècle : « La civilisation occidentale s'est entièrement tournée, depuis deux ou trois siècles, vers la mise à disposition de l'homme de moyens mécaniques de plus en plus puissants. Si l'on adopte ce critère, on fera de la quantité d'énergie disponible par tête d'habitant l'expression du plus ou moins haut degré de développement des sociétés humaines. » Le capitalisme et le communisme, lorsqu'ils se tenaient sur la ligne de départ du XXe siècle, poursuivaient tous deux le même objectif : irriguer leurs sociétés respectives d'une énergie sans cesse accrue sans considérer qu'un progrès alimenté par des ressources naturelles épuisables ne pouvait être illimité. La croissance : triste tropisme.

Nature

Le roman *Pan* de Knut Hamsun : un chef-d'œuvre que chaque vagabond devrait avoir sur sa table de chevet si les vagabonds avaient des tables de chevet. Il fait office de bréviaire de la décroissance, de traité de l'écologie radicale et de missel pour l'enchantement de l'âme. Il s'achève par cette phrase : « car j'appartiens aux forêts et à la solitude ». L'homme qui dit cela, le héros du livre, s'appelle le lieutenant Glhan.

Cœur et âme à vif, il souffre en silence – reclus dans une clairière baignée par la lumière du Nord – de la cruauté du monde. Il tente au long du livre de faire l'unité en lui en recourant à la nature. Il déchiffre la partition mystérieuse et se compose sous le couvert des futaies une existence légère, enivrée. Il vibre de ce souci romantique de ne pas peser sur l'harmonie naturelle (ce que les techniciens de l'environnement appellent laidement « la réduction des impacts »). Hélas, ils sont peu nombreux, les coureurs de bois. Et l'on peut difficilement élever le recours aux forêts au rang des panacées et préconiser la vie en cabane pour tous. Car lorsque les foules recourent aux forêts, c'est en général pour les abattre à la hache. Parfois, la bonne volonté des amateurs de la Nature se révèle contre-productive. La Nature se passerait bien de la vénération de fervents fidèles. Car, pour l'adorer, les amoureux de la Nature doivent la pénétrer. Et gâcher par leur seule présence les lieux qui font l'objet de leur adoration.

Espace-temps

Tous les peuples nomades chantent. Mettez un cavalier kirghiz en selle, un éleveur kouchi sur son chameau et un yackier tibétain sur une piste, il en ressortira mélodies, mélopées, ritournelles, comptines. Le nomadisme – science de l'espace vaincu – s'accorde à la musique, science du temps maîtrisé.

Août 2007

*Longue échappée à moto au Chili, du désert d'Ata-
cama à l'île de Chiloé.*

Cigare

Devant l'océan, je fume un Churchill offert par une
amie très chère. Le Chili lui-même est long comme un
cigare avec la Terre de Feu pour bout incandescent.
Kilomètres après kilomètres, je consume mon voyage.
Il reste la cendre des souvenirs.

Drapeaux noirs

Peïne, petit village du désert d'Atacama. Des drapeaux noirs flottent au-dessus des toits comme sur les
maisons afghanes au temps des talibans. Les habitants
protestent en levant les couleurs du deuil contre les
mines de sel et de cuivre qui détournent les réserves
d'eau. En contrebas, la plaine stérile du *salar* ressemble
à une page blanche sur laquelle rien ne pourrait s'écrire.

À quoi bon ?

Une piste longe le littoral du Pacifique. Le désert
d'Atacama s'effondre dans l'écume. Des platiers basal-

tiques déchirés par le fouet des embruns millénaires défendent l'accès à la mer. Quand bien même on parviendrait au ressac, on serait drossé par les rouleaux. L'océan ne semble pas pardonner à la terre de briser sa course. Hypnotisé par la hargne de la houle, je pense à Pablo Neruda :

> La mer déchire à belles dents
> la pulpe offerte de la côte
> Devant la furie de la mer
> tous les songes sont inutiles
> À quoi bon dire la chanson
> d'un cœur si petit, si petit.

J'aime ces vers parce qu'ils traduisent l'impuissance de l'artiste à dire l'immensité du monde. Aucune strophe, aucun tableau n'égalera jamais la symphonie des éléments. Cioran le savait bien : « J'ai appris ce matin qu'il y avait des milliards de galaxies, j'ai renoncé à faire ma toilette. »

Malentendu

Dans le port de Valparaiso, des destroyers hérissés de canons n'ont pas compris que l'océan était Pacifique.

Cauchemar

Valparaiso est construite sur 42 ou 45 collines (il y a une polémique chez les spécialistes). La nuit, on dirait une couverture de lumière jetée sur les bosses d'un monstre. Des milliers de fils électriques relient les maisons en équilibre sur le fil des arêtes. On les croirait encordées. On n'oserait pas tirer sur les câbles de peur que la ville entière ne s'écroulât. On compte parfois 500 mètres de dénivelé entre la ligne de littoral et les maisons les plus haut perchées. Cauchemar de l'habitant de Valparaiso : s'apercevoir qu'il a oublié ses clés en arrivant en bas et lâcher son ballon de football lorsqu'il parvient en haut.

Aimer boire et parler

Dans la salle de dégustation du domaine *Baron Philippe de Rothschild* sis au cœur de la vallée viticole de Maipo, j'écoute l'œnologue Michel Friou décrire les arômes du joyeux *Escudo Rojo*. Les mots lui coulent de source. Il appartient à la catégorie des gens que le vin fait parler avant de le boire. Moi hélas, à la seconde : celle des gens qui bavardent après l'avoir bu.

Almaviva

Un attelage tiré par deux chevaux chiliens parcourt les allées du domaine d'Almaviva dans la vallée de Maipo. Les cueilleurs soupèsent les grappes, coupent les meilleures, en laissent d'autres sur pied. Le temps est suspendu, la poussière levée par la voiture retombe. Pourquoi tout est beau ? Parce que tout est lent.

Intuition

C'est l'automne. Dans la vallée de Casablanca, à 100 kilomètres de Santiago, le paysage distribue ses contrastes de part et d'autre de la route. À l'est : des terres arides, cuirassées, rasées par le bétail. À l'ouest, les rangs de chardonnay et de pinot noir couvrent les talus de belles plaques de cuivre frappées d'îlots purpurins. Il me vient à l'esprit des images d'Israël et du Néguev avec cette rupture brutale entre ce qui est cultivé et ce qui ne l'est pas, entre ce qui est irrigué par la sueur des kibboutzim et ce qui est piétiné par le sabot des chèvres. Par hasard, je demande le nom de l'endroit que l'on traverse. On me répond : « Domaine de Bethléem » !

Modération

Les exhortations à la modération imprimées sur les étiquettes de vin vont bientôt faire leur apparition au Chili. Les producteurs réfléchissent avec les autorités sanitaires au texte qui figurera sur les bouteilles. Quelque chose qui ressemblera à notre « à consommer avec modération ». Je suggère au patron du syndicat des viticulteurs chiliens de frapper les bouteilles de cette phrase extraite du sermon d'un évêque allemand rapporté par Goethe dans *La Fête de Saint-Roch à Bingen* : « L'abus n'exclut pas l'usage, car il est écrit : *Le vin réjouit le cœur de l'homme*. D'où il résulte que nous pouvons très bien et que nous devons user du vin pour notre plaisir et celui des autres. »

Septembre 2007

Panache

Il paraît que Carl Gustav XVI, roi de Suède, invectivait ainsi les soldats qui renâclaient à charger baïonnette au canon : « Chiens ! vous voulez donc vivre éternellement ! » Je ne sais pas si l'invective aide à calmer l'effroi de l'homme devant l'imminence de la mort mais elle ne manque pas de style et je tâcherai de me la lancer à moi-même la prochaine fois que la peur m'étreindra.

Fierté

Une anecdote que je tiens de source très sûre. Été 2007, cathédrale de Cologne, six heures du matin, une petite escouade d'alpinistes, amoureux des lignes gothiques, parvient au sommet d'une des deux flèches (celle qui surplombe la gare). Ils passent cinq minutes là-haut, encordés à 150 mètres du sol, sous la pluie. Une heure après ils sont interrogés par un officier du *kriminalkommissariat* de la ville. Un ouvrier du chantier de restauration les a dénoncés. Extraits de la déposition :

— Pourquoi avez-vous choisi d'escalader la cathédrale de Cologne ?

— Parce que c'est la plus haute d'Europe, *mein herr !*
Regard noir du flic aux yeux d'acier :
— *Nein !* Du monde.

Lucidité

Dans la préface de son *Orient, enfer & paradis du cheval* (opus publié chez Belin qui clôt, après la *Russie*, l'*Afrique* et l'*Asie centrale*, le quadrige de son tour du monde d'un hippolâtre indécrottable), Jean-Louis Gouraud, cite Idriss al-Amraoui, envoyé du sultan du Maroc auprès de Napoléon III en 1860. L'émissaire traverse la France et écrit : « Quel dommage que les paysages splendides soient gâtés par ceux qui les peuplent. » Pensée de voyageur préférant cultiver la lucidité plutôt que l'humanisme béat.

Pilosité

« La femme est souillure » (saint Jérôme). « Toutes les femmes devraient mourir de honte à la pensée d'être nées femmes » (saint Clément d'Alexandrie). Il y avait quand même chez tous ces pères du Désert, prophètes monophysites hallucinés, ascètes frappés par le soleil et la révélation, chefs abrahamiques (dont la parole est encore aujourd'hui tenue pour vérité), un culte testostéronique détestable. Il y a des *bonnes nouvelles* qui ne le furent point pour les femmes.

Contraste

Tout le monde sait qu'on doit au géographe Richthofen l'invention du terme « route de la Soie », il y a un peu plus d'un siècle. Tout le monde convient que cette belle expression n'est pas scientifiquement satisfaisante. D'abord parce que l'unicité de la route de la

Soie n'existe pas. Il y avait un réseau d'innombrables itinéraires entremêlés comme les fils de l'écheveau de soie lui-même. Ensuite parce qu'il s'y trafiquait mille autres denrées que la soie. Mais quoi ! Voudrait-on que l'on dise : « trame filandreuse de pistes propices à des échanges commerciaux et spirituels entre l'Orient et l'Occident » ? Le génie de Richthofen est d'avoir apparié le mot Soie qui symbolise le luxe et le mot Route qui évoque la peine.

Simplisme

La géographie et la géopolitique, sa débitrice, sont les sciences qui étudient la diversité touffue du monde, la complexité des rapports entre l'homme et la Terre, la multiplicité des interfaces entre l'homme, le paysage et l'histoire. Affirmer que la situation d'instabilité dans la région caucaso-caspienne n'est que la conséquence de la politique pétrolière occidentale (un photographe célèbre le soutenait l'autre jour à la radio), c'est balayer d'un revers de la manche l'irrationalité des relations entre les hommes, le vieux conflit entre le montagnard et l'homme de la plaine, entre le nomade et le sédentaire, entre le Perse et le Turc, entre le musulman et le chrétien, entre Byzance et Rome, entre le Grec et le barbare, entre le Russe et le reste du monde. C'est donner à croire qu'avant la prédation des ressources énergétiques par les puissances modernes, nul conflit ne venait troubler la paix des cimes caucasiennes ni les rivages caspiens...

Regret

Un philosophe parisien déplore dans un grand quotidien national que l'école de la République ne soit plus « une voie d'accès difficile vers l'essentiel ». J'aurais juré que c'était là la définition de l'aventure !

Instant

Un samedi soir, à Paris, devant le parvis de Saint-Séverin, enfle le bourdon des cornemuses. Trente sonneurs défilent, accompagnés de dix tambours. Une fille au beau visage et aux bras de débardeur frappe la grosse caisse. Ils viennent du New Brunswick, mais sonnent dans la plus pure tradition écossaise. Devant les bars, ils s'arrêtent, forment cercle et les sonneurs clament : « *Beer ! beer ! beer !* » Les tambours roulent le temps que s'abreuvent les cornemuseux. Puis dans le fracas, la troupe se reconstitue et s'ébranle par les petites rues du Quartier latin. La foule des badauds s'écarte. La rue Galande est submergée. La rue des Anglais paraît sur le point de s'écrouler. La déferlante coule dans l'austère rue de Bièvre. Le serpent traverse le boulevard Saint-Germain matant la circulation. Une rivière en crue emplit les venelles de la Huchette. Il s'exhale de la forêt des bourdons une force terrible : cet appel qui soulevait le peuple des Glenn. Le *bag pipe* déchaîne une fantastique puissance sonore. Les clans l'utilisaient en temps de guerre pour donner l'illusion du nombre. Lorsque les Vikings débarquèrent ici en 845 et remontèrent la rue Saint-Jacques pour aller piller le monastère Sainte-Geneviève, ils ne firent certainement pas tant de barouf. Le pipe-band marque une halte sur le quai de Montebello. Deux blondes beautés en kilt dansent, la rose entre les dents. Sous le commandement des tours de Notre-Dame, la Sainte Alliance est ressuscitée.

Novembre 2007

Un séjour dans la province du Wardak afghan au début de l'automne 2007.

Le mystère des chemins

Le Transall plonge sur la capitale. Je reviens dans le pays afghan pour la sixième fois. Je m'étais juré, un certain jeudi saint de l'an 2001 de ne plus jamais y mettre les pieds. Un accident venait de nous ravir quatre des nôtres. Hakim, Siddiqui, Thomas A. et Vadim S. gisaient sur la route de Ghazni. Je me souviens de la poussière teintée de rouge. Je me souviens, en couvrant d'un foulard le visage de Thomas, puis en sentant les derniers battements du pouls de Vadim, d'avoir haï cette terre si prompte à se gorger de sang. Mais on ne s'affranchit pas de l'aimantation afghane. Alors que les roues de l'avion touchent le tarmac de Kaboul, six ans plus tard, en ce jour d'octobre 2007, j'ignore encore que le camp militaire que je m'apprête à rejoindre près de Maydan Shar, pour les besoins d'un reportage, se situe à moins de 2 kilomètres de cet endroit maudit.

Ah, Dieu, que la guerre est jolie !

Avec le photographe Thomas Goisque, nous côtoyons pendant quelques jours six chasseurs alpins français, intégrés à une compagnie de l'armée nationale afghane qu'ils appuient dans la lutte contre les talibans. Ils sont jeunes et beaux, un peu exaltés. Ils croient à leur mission, on comprend leur excitation. Ils sont commandés par un brillant capitaine de vingt-six ans. « Ah, Dieu, que la guerre est jolie », écrivait Apollinaire pour dire combien la guerre était laide mais rendait les hommes ivres. Dans la machinerie de l'armée française, ils se tiennent un peu en électrons libres, répondant à leurs chefs mais prenant quelques largesses avec la lourdeur administrative. Dans mon sac, j'ai *Septentrion* de Jean Raspail que Laffont vient de rééditer. J'y croise des passages nostalgiques : « Au moins notre armée n'était-elle pas triste ! Elle ne donnait pas cette impression de pesanteur sombre et vulgairement fonctionnelle où s'est partout dévoyé le métier des armes. » Les six soldats non plus ne donnent pas cette impression.

L'essence d'un message

De deux choses l'une. Ou bien les combattants islamistes expriment la détresse des populations épuisées de pauvreté. Dans ce cas, l'islamisme est une révolte planétaire à caractère social et politique, un activisme vert (comme il y eut, dans les années de la bande à Baader, un activisme rouge) et Oussama Ben Laden est un avatar de *Jacquou le croquant*. Ou bien les djihadistes visent la conquête du monde par l'expansion religieuse. Comme le climat n'est pas très serein dans le ciel du débat d'idées, je me contente de citer trois phrases glanées dans la presse et qui contiennent l'aveu de ce qu'elles n'expriment pas directement : « Un homme qui se dit musulman ne tue pas des innocents *durant le mois de ramadan* », Hamid Karzaï, président de l'Afghanistan (*Le Nouvel Observateur*). « Je suis un simple musulman qui vit *dans les préceptes de sa foi* et veut vivre en harmonie les principes d'humanité et de justice », Rachid Ramda, condamné à la prison à perpétuité pour son implication dans les attentats de 1995 en France (*Libération*). « Les assassins qui ont tué 140 personnes à Karachi ont trahi l'essence du message de l'islam. La loi islamique est absolument claire sur un point : s'attaquer, *sans avoir été provoqué*, à des civils désarmés, à des innocents, et détruire la propriété d'autrui est prohibé », Benazir Buttho (*Le Figaro*).

Un soleil qui descend dans un ciel écarlate

Patrouille à pied sur les crêtes. Les soldats afghans se déploient dans la rocaille. Leur unité est à l'image du pays : rassemblement de Hazaras, de Tadjiks, dePachtounes et de Kaboulis. Leur point commun ? L'engagement sous le drapeau national et le sourire qu'ils affichent. Le sourire un peu las des gens pour qui rien n'importe d'autre que de goûter l'instant (vertu à laquelle j'aspire). Le soleil tombe emportant le vent, les versants s'empourprent, l'ombre des soldats se découpe, hérissée d'armes. Les militaires appellent les champs de bataille « théâtres d'opérations ». Les reliefs de l'Afghanistan se foutent des acteurs et de la pièce qui s'y joue. Le pays en a vu d'autres. Perses, Huns, Mongols, Moghols, Britanniques, Russes : tant de monde est venu cracher sa poudre sur cette peau de chagrin. La Nature subit les outrages des hommes, indifférente, seule souveraine. Angélus Silésius (XIIᵉ siècle) :

La rose est sans pourquoi, fleurit parce qu'elle fleurit ;
Sans souci d'elle-même, ni désir d'être vue.

La Nature ne fait aucun cas de nous. Elle est. À sa surface, les hommes s'agitent.

De la malédiction d'avoir une fille

Retour à Paris, escale à Dubaï. Un chauffeur de taxi détaille ses misérables conditions de travail puis demande d'où nous arrivons.

— D'Afghanistan.

— Moi je suis du Kérala. Là-bas, juifs, chrétiens, musulmans, vivent en paix. *No fighting !*

— Pourquoi n'y retournez-vous pas ?

— Parce que je dois gagner de quoi payer la dot de ma fille. Encore cinq ans ici.

Cette propension des hommes à se créer l'enfer…

Janvier 2008

Wilderness

Par un matin d'automne, je marche dans le massif des Trois Pignons en la forêt de Fontainebleau. Il règne une étrange atmosphère : nul oiseau ne chante, nul fourré ne frémit de cette vie secrète qui fait (qui faisait ?) vibrer les sous-bois. Je m'arrête. Pas un bruissement. La forêt est plongée dans le silence des sépulcres. Des naturalistes crient depuis des années dans le désert de nos indifférences. Ils tirent les sonnettes d'alarme : les atteintes à la biodiversité ne frappent pas uniquement les forêts tropicales et les milieux tempérés d'Europe subissent uniment les atteintes à la biomasse dans leurs biotopes épuisés. Je me souviens du vrombissement des bois de mon enfance. Les taillis d'aujourd'hui n'auraient-ils plus rien à dire ? Et si la prophétie des Cassandre écologistes se vérifiait ? Je fais quelques pas et tombe en arrêt devant un bloc de grès. Des bêtes, enfin ! Le rocher est couvert de coccinelles. Il faut marcher avec précaution pour ne pas les écraser. Le spectacle redonne espoir : tout ne serait donc pas perdu dans les futaies franciliennes ? Mais le soir, dans le journal, cette information : une coccinelle importée d'Asie du Sud-Est prolifère en

Île-de-France. Des milliers d'individus s'agglomèrent au même endroit. « *Harmonia axyridis* menacerait l'équilibre des écosystèmes. » S'achemine-t-on vers un avenir où les survivances de la Nature s'alimenteront de son déséquilibre ?

Comment cette anecdote toucherait-elle le comédien avec qui je discute le lendemain soir à la sortie du Théâtre Ranelagh où il vient de dire des poèmes de Musset ? Il me confie que l'écologie lui semble suspecte. Selon lui, l'Homme est trop souvent exclu des préoccupations naturalistes. Au pays des Lumières, de la raison raisonnante et de l'exception humaine, la Nature est assignée à tenir son rôle d'*environnement,* de milieu destiné à accueillir ce qui se tient en son centre : l'Homme. Aux yeux humanistes, l'environnement pourvoit ce que la niche procure au chien : un habitat (c'est d'ailleurs le sens littéral du mot écologie, *science des habitats*). Et s'il convient de protéger celui-ci, c'est en vertu du principe qu'il faut *ménager sa monture* pour continuer la marche. Dans « la France des collines » (titre d'un livre du géographe Pierre Georges), au royaume des jardins, au pays des campagnes où le travail de l'homme s'inscrit sur chaque pouce carré, il n'y a pas de terme pour désigner la Nature intouchée, édénique. Les Américains ont forgé le mot *wilderness*. Le français n'en possède pas de traduction.

Quand oserons-nous déclarer notre amour à la Nature pour elle-même, sa beauté et non pour les fruits qu'elle nous procure ? Quand serons-nous prêts à sanctuariser, à la surface de la planète, d'immenses cathédrales sauvages, préservées de l'homme ? Dans les sociétés du progrès, interdire à l'Homme des espaces naturels passe pour un grave manquement à la civilisation. Même les mesures de moindre envergure rencontrent l'opposition des sicaires du genre humain. On s'avise de classer la mer d'Iroise en parc naturel ? Complainte des pêcheurs. On lâche quelques ours dans les Pyrénées ? Larmoiements des bergers. On veut interdire la circulation dans une vallée ? Thrènes des routiers. À chaque fois, la même rengaine servie sur le mode corporatiste : il est intolérable de sacrifier les intérêts hominidés sur l'autel d'une vision rousseauiste ! Jusqu'ici, seule une poignée d'anarchistes et d'écologistes radicaux, américains pour la plupart, de la trempe d'Edward Abbey, ont osé rétorquer à leurs détracteurs que le genre humain pouvait se passer des pêcheurs et des camionneurs mais pas des espèces sauvages.

À la lumière des écrits d'Abbey, la parole écologique politique contemporaine accuse sa fadeur. Elle tente de justifier la protection de la Nature par l'argument utilitaire. Le discours convenu assène que l'écologie assure l'avenir de l'homme et peut même souscrire aux impératifs de la rentabilité économique (*green is money !* proclament les pragmatiques). Des voix bien intentionnées opposent au massacre des éléphants le fait qu'un pachyderme en vie rapporte vingt fois plus de dollars grâce au tourisme que n'en ferait gagner tout l'ivoire moissonné sur la même bête morte. On appelle cela un argument durable. L'argument ontologique, lui, prétend que la souveraine beauté de l'éléphant suffit à le préserver.

Et que cette beauté est inhérente à la survie de l'Homme.

Savoir l'existence d'espaces vierges et d'espèces sauvages n'est-il pas aussi vital que le pain ? Se dire secrètement qu'il existe des replis épargnés par les regards humains n'élève-t-il pas le cœur ? Imaginer la subsistance d'un carré inaccessible ne fortifie-t-il pas l'être ? Cette certitude de la présence d'un ailleurs sauvage est comme le carreau de lumière dans la cellule du forçat. Voilà la valeur profonde de la sanctuarisation des espaces, de la mise sous cloche des étendues, de la défense du *wilderness* : la possibilité d'un rêve. Ainsi en va-t-il des amoureux séparés qui, malgré l'éloignement, se sentent apaisés parce qu'ils se savent aimés. Dans *Les Racines du ciel*, Romain Gary campe un prisonnier qui survit psychiquement à la déportation en rêvant à la charge des éléphants dans une savane. Le recours par la pensée à la puissance des pachydermes insuffle la force à l'esprit. Aldo Léopold commence son *Almanach d'un comté des sables* par cette phrase : « Pour nous, minorité, la possibilité de voir des oies est plus importante que la télévision. » Plus loin, il plaint cette « dame fort cultivée » disant qu'elle « n'avait jamais entendu les oies qui, deux fois par an, proclament le retour des saisons à sa toiture bien isolée ». Et Darwin, dans sa *Théorie de l'évolution,* lance que « nul individu à l'esprit impartial ne peut étudier une quelconque créature vivante, si humble soit-elle, sans être enthousiasmé par sa structure et ses caractéristiques admirables ». Trois voix pour signifier la même chose. L'enjeu de la préservation de la Nature ne se réduit pas à l'impératif d'assurer la survie de la race humaine. Il touche au désir profond de sauvegarder la possibilité d'une vie sauvage.

Février 2008

Regard persan I

« Pour le Persan, l'apparent n'est qu'une parcelle de la vérité. Il n'ignore pas que d'autres réalités se dérobent aux yeux. » Cette phrase est extraite du *Regard persan* de Sara Yalda (Grasset). Un tendre livre sur l'exil et le retour, sur le goût salé que le passé laisse aux lèvres, sur la difficulté de *n'être pas de quelque part,* pour reprendre l'expression de Pierre-Jakez Hélias, sur le poids de la poussière lorsqu'elle recouvre les souvenirs, sur la traversée du miroir des représentations. Sara se dévoile au pays du hijab. Elle retourne en Iran après trois décennies passées en France. Elle rencontre des gens lointains qui sont ses proches. Elle veut comprendre ce pays d'où elle vient, qui a vieilli sans elle et qu'elle a contemplé d'une France où on le tient pour épouvantail. Elle découvre des choses inconnues mais qui lui semblent familières.

C'est cela *être de quelque part :* lorsque les imprévus paraissent des habitudes. Chaque chapitre est une madeleine, belle et riche – mais attention : pas forcément sucrée. Souvenons-nous : se méfier des apparences ! Sara peint du pays des mollahs un portrait qui ne ressemble pas à l'Iran du petit Ahmadinejad éruc-

91

tant dans son blouson si mal coupé. Regard persan : comprendre que l'apparence n'est que le masque dont s'affuble la transparence.

Regard persan II

Qui a dit : « S'il faut choisir entre la violence et la fuite peureuse, je ne peux préférer que la violence à la couardise » ? Et qui a dit : « La curiosité et la tolérance, l'hospitalité de l'esprit, sont les éléments nécessaires de toute pensée. Sans la curiosité, aucun savoir n'existerait et, sans la tolérance, son trésor n'augmenterait pas » ? La première phrase est du Mahatma Gandhi, cité par Franck Michel dans son explosif *Autonomadie* (Homnisphère). La seconde est de Charles Maurras tirée de *L'Ordre et le désordre* (L'Herne). Le Mahatma en hussard combatif ! Le terrible patron de l'Action française en apôtre de la tolérance ! Ne pas se fier aux apparences. Regard persan ! Regard persan…

Regard persan III

Neuilly-sur-Seine. Je longe à bicyclette, une de ces avenues pleines de lumière et de vieilles dames qui ne se souviennent pas pourquoi elles sont sorties dehors. Soudain, deux petites filles, la main dans la main. L'une a huit ans, l'autre six. La grande mène la cadette. Boucles blondes, robes à smocks, sandalettes : on croirait l'une de ces affiches de campagne antialcoolique soviétiques barrées du slogan : « Papa, ne bois pas, s'il te plaît ! » J'arrive à leur hauteur. Un rayon de soleil frappe le casque d'or des deux anges aux joues roses. Le spectacle est si beau que je ne résiste pas. Je fonds et fais un signe de tête : « Bonjour, mesdemoiselles, vous êtes bien jolies. »

Dans mon dos, j'entends : « Pauvre con ! » Je crois que c'est la plus petite qui a parlé.

Comment dit Sara déjà ? « Pour le Persan, l'apparent n'est qu'une parcelle de la vérité. Il n'ignore pas que d'autres réalités se dérobent aux yeux. »

Regard persan IV

Soixante-dix s'efface. C'est le titre du journal intime d'Ernst Jünger tenu jusqu'aux derniers jours de sa vie. Ce livre en cinq tomes est une mise en garde contre ce que Novalis appelait *das ganze verkehrte Wesen fort,* « le contresens entier de la réalité ». Jünger accueille chaque journée nouvelle comme un cadeau merveilleux, une occasion de féconder la pensée. Il prend au sérieux ses rêves et les consigne comme s'il tenait la chronique de ses faits et gestes, il se refuse à contempler quoi que ce soit sans en tirer un enseignement profond, il se défie de tout jugement car le jugement est la caresse ou bien le coup qu'on donne à la surface des choses. Il n'essaie pas de démontrer mais plutôt de relier les faits avec les idées, les idées avec les visions. Il jette la sonde de sa réflexion, lestée du poids de son grand âge sous le miroir des apparences. Ainsi ces lignes écrites en 1993 : « … le manteau électronique qui entoure la planète et irradie autour d'elle ne saurait rester sans conséquences. Par rapport à lui, ses contenus, tels que les images ou les informations, sont secondaires. » Jünger, le Persan…

Regard persan V

Les Éditions du Cerf viennent de publier un *Psautier liturgique orthodoxe* (version de la Septante) dans une nouvelle traduction de la moniale Anastasia. Dans un texte introductif bouleversant, la religieuse, décédée récemment de maladie, explique le chemin qui l'a menée de l'enseignement du chinois classique à l'université Paris VII jusqu'à la conversion et la prise de voile dans le monastère orthodoxe russe de Bussy-en-Othe.

Un jour d'août 1993, son fils s'est suicidé. Terrassée, *abandonnée dans la fosse profonde* (Ps 87,7), Anastasia a voulu disparaître. L'obscurité s'est emparée d'elle. La mort a installé ses quartiers en son sein, lui susurrant de la rejoindre. Les Psaumes de David l'ont sauvée. Elle y a puisé la force de regagner la lumière. Elle a chassé la garde des morts. Elle a traversé le courant mauvais, *consolée*. « La mort est morte ! » a-t-elle pu entonner de nouveau avec le chœur des vivants. Puis la grâce l'a touchée. La mère en deuil, la mère malade, la mère déniée a reconquis le bonheur d'être. Et ses pensées pour le fils mort sont devenues des pensées pour un ange. « En vérité, Dieu était là et je ne le savais pas. » Le suicide, le chagrin, la maladie : les apparences étaient trompeuses. Quand on les outrepasse, cela s'appelle la transcendance.

Regard persan VI

À l'instant même où je finis d'écrire ce bloc-notes, un moineau vient cogner à ma fenêtre. Abusé par le reflet, il croyait que le ciel se prolongeait dans le carreau.

Mars 2008

Un court séjour à l'île Maurice.

Toponymie

Toponymie de l'île Maurice : baie du Tombeau, cap Malheureux, baie des Canonniers, pointe du Diable. Je ne crois pas (il faudrait un long travail de vérification) avoir déjà lu sur les cartes du monde des toponymes qui révélassent une navigation paisible et un débarquement heureux : imaginerait-on une baie du Bon Accueil, une anse de la Joie, un cap Exaltation ? Il y a bien Bonne-Espérance, mais il s'agit d'un pari sur l'avenir et l'avenir n'est pas toujours heureux pour les hommes de la mer. Les emprunts de la toponymie au registre du malheur donnent une meilleure idée de ce que fut la marine à voile que les traités historiques.

Bionique

Dans les arbres du bord de mer, des nids de tisserins suspendus aux branches comme des boules de Noël. Le *designer* de l'hôtel a dessiné des fauteuils de plage qui en reproduisent exactement la forme. On s'assied dans une conque de rotin vanné suspendue à une structure de métal. Définition de la bionique :

s'inspirer des adaptations anatomiques des bêtes pour faire progresser la science. Exemple : les combinaisons de plongée empruntent à la structure de la peau du requin. Les constructeurs de radars copient les systèmes d'écholocation des vespertilions. En la matière, le plus fameux exemple est l'appareil sous-marin du professeur Tournesol en forme de squale. Dans l'histoire de la bionique, se pose une énigme : les Européens n'auraient-ils pas dû maîtriser la technique du vol plané (vol à voile) bien avant le XXe siècle ? Peut-être étaient-ils trop préoccupés par le mouvement de rame des oiseaux. Sans doute cherchèrent-ils en vain à copier l'obsédante mécanique du battement d'ailes au lieu de se laisser glisser sur les lamelles de l'air.

Mémoire

Se baigner dans l'eau de mer. Sentir le sel cristalliser sur le dos. Se cuire au soleil. Sécher dans le vent : rares sensations qui ne doivent qu'au dialogue de la peau avec les éléments et restent donc inchangées depuis le paléolithique. Il faut prêter grande attention à ces instants mémoriels. On croit que c'est du *farniente*, on vit en réalité des émotions identiques à celles que pouvaient éprouver nos ancêtres.

Symbolique

Inauguration d'un hôtel somptueux devant la plantation d'Albion, sur la côte ouest de l'île. Coucher de soleil sur la terrasse. Baudelaire : « C'est là que j'ai vécu dans les voluptés calmes, au milieu de l'azur des vagues et des splendeurs… » Cependant quelque chose chiffonne. Au loin, la barre de corail crételle l'océan d'une frange d'écume. En 1606, quatre bateaux de commerce hollandais se sont échoués ici : le *Banda*, le *Geünieerde Provinciën*, le *Gelderland* et le *Delft*. Par-dessus les reprises de l'orchestre de jazz qui anime la soirée, j'écoute le fracas des rouleaux, j'imagine les coques de bois qui explosent sur le récif, je crois entendre les hurlements des marins dans la tempête. Étrange destin que celui des lieux géographiques. Ils changent de nature et de fonction exactement comme un soldat monte ou baisse en grade. À Albion, l'ancien parage infernal est devenu lieu paradisiaque. Autrefois, dans ces eaux funestes, des hommes se sont noyés ; aujourd'hui leurs descendants barbotent. Le tourisme a provoqué le glissement symbolique de bien des paysages. Ce qui repoussait hier attire à présent. Prenez le désert : les caravanes s'y aventuraient pleines de terreur, les jeunes filles y vont méditer (lire le bel *Éloge du désert* de Blanche de Richemont, Presses de la Renaissance). Les vagues terrifiaient le hunier, elles attirent le surfeur. Les cristalliers redoutaient l'altitude, les montagnards s'y enivrent. Le grand apport de la modernité, c'est d'avoir aboli l'effroi qu'inspiraient les confins.

Retour sur la terrasse de l'hôtel, la soirée bat son plein. Le *Banda* plus jamais ne coulera sur les récifs d'Albion.

Entomologie

Dans le tome IV de *Soixante-dix s'efface*, le journal d'Ernst Jünger emporté pour le voyage, je découvre d'extraordinaires pages sur l'île Maurice où le vieil homme accomplit un séjour en 1989. Comme à son habitude, il s'adonne aux *chasses subtiles*, traque la cicindèle, s'enchante de l'éclat d'une chrysomèle et se demande : « Pourquoi faut-il que les brenthides aient un aussi long cou » ? L'écrivain qui a traversé le siècle, vécu deux guerres – « du côté des perdants » –, côtoyé les acteurs de la marche du monde en revient aux seules questions : quels sont les messages que nous envoie le Vivant ? Quel signe, contenu dans le vol d'un insecte ? Y a-t-il dans la partition de la Nature une clef pour accéder au divin ? Pendant que je lis, passent des gosses sur le sable blanc. Ils marchent dolemment. Ils sont déguenillés, pleins de gaieté. Ils portent des petites croix autour du cou (un mot me vient du regretté peintre Ylipe : « À la nouvelle qu'elle était mineure, les missionnaires sautèrent dans leurs embarcations pour l'Asie. »). Ces enfants n'appartiennent plus à l'océan Indien. Ils appartiennent au monde globalisé. Jünger encore : « Le soleil, l'air et l'eau [...] donnent une idée du plaisir des Îles avant les célèbres découvertes de Cook. » Les voyages de Cook sont un marqueur dans l'histoire de l'humanité. Ils entraînent le basculement des terres de l'hémisphère Sud dans la modernité. Plus rien après le périple du célèbre explorateur ne sera comme avant. Je pense aux pages sauvages de Nordhoff sur les premiers contacts entre *Les Révoltés de la Bounty* et les insulaires polynésiens. La *nudité* du sauvage est portée à la *connaissance* de l'Européen. Comme la nudité d'Ève et d'Adam dans le jardin d'Éden. La vraie Chute, c'est lorsque le regard de l'homme blanc s'est posé sur le paradis des Îles.

Avril 2008

À la ville comme à la steppe

Il y a dans la longue histoire des voyages en Occident une tradition du voyage en amoureux. Les plaisantins diront que la vie en couple constitue un moyen de transport en soi. Les grincheux que l'amour du voyage vaut mieux que l'amour en voyage, que les aventures menées avec l'élu(e) de son cœur sont vouées à l'échec et que, pour s'épanouir, les sentiments nécessitent un décorum dont vous privent les pistes pleines d'ornières. J'ai même connu des aventuriers qui avaient fait l'expérience des romances baroudeuses dans les confins du Turkestan et concluaient qu'en matière de tendres virées : « Venise oui, mais la steppe, non ! » Pourtant, les époux Kraft sur les pentes des volcans, le couple Villeminot dans les déserts d'Australie, et plus récemment la belle cordée formée par Arnaud Petit et Stéphanie Bodet ont prouvé qu'ils y avaient des histoires à deux qui survivaient à l'usage du monde.

On pensera au célèbre voyage mené conjointement dans les années cinquante par Ella Maillart et Peter Fleming le long du chapelet d'oasis du Turkestan chinois et dont chacun voulut donner sa propre vision (*Oasis interdites* pour Maillart, *Courrier de Tartarie* pour Fleming). Beaucoup de lecteurs les ont lues avec l'arrière-pensée de savoir s'il s'était passé entre les deux écrivains ce qu'aucun d'entre eux n'évoque mais à quoi les ciels étoilés du Sinkiang invitent !

Quelque cinquante années plus tard, Pia Copper et Sébastien de Courtois ont repris à deux les chemins de la soie. Lui est historien, auteur d'études, d'articles et de livres sur les chrétiens d'Orient. Elle est spécialiste d'art contemporain et traque pour les collectionneurs les œuvres des artistes les plus rares dans les pays émergents. Pendant l'été 2005 ils ont voyagé plusieurs mois dans les pas des nestoriens, d'Istanbul à Pékin. En Anatolie, dans le Turkestan occidental et le Turkestan oriental puis dans les glacis de l'ex-Empire céleste, ils ont cherché les vestiges laissés par les fidèles hérétiques de Nestorius et ont même réussi à rencontrer des gens qui se disaient descendants de ces lointains sectateurs ! De ce périple en forme d'hommage à l'une des plus grandes aventures spirituelles eurasiatiques, ils ont tiré chacun son propre récit, souscrivant ainsi au même principe que Maillart et Fleming. Le lecteur a ainsi le bonheur de pouvoir comparer deux regards sur une expérience identique : celui de l'érudit et celui de l'artiste. Selon l'ouvrage, on flânera en poète ou progressera en savant. On poussera la porte des villes – Samarcande, Boukhara, Kashgar, Pékin – avec le désir d'en découvrir les musées ou bien l'impatience d'en sillonner les marchés. Le texte de Sébastien de Courtois (*Chrétiens d'Orient sur les routes de la Soie*) est un trépidant récit exploratoire mêlant les aventures vécues, les digressions historiques et les réflexions spirituelles. Celui de Pia Copper (*Frontières de Soie*) ressemble à une planche naturaliste où auraient été cloués dans un désordre apparent des souvenirs d'enfance, des descriptions en forme de haïkus, des pensées en touches impressionnistes, des dialogues pénétrants, le tout glané dans le vent des steppes avec le filet à papillons de l'émotion.

Des chiffres et des maux

Ceci n'est pas recommandé aux âmes sensibles. Il y a de l'obscénité dans ce qui va suivre. Branchez-vous sur Internet et tapez l'adresse suivante :

http://www.peterrussell.com/Odds/WorldClock.php

Il s'agit d'une horloge numérique qui décompte en temps réel toutes les données démographiques globales. À la ligne « population mondiale », le compteur défile sans répit. On voudrait l'arrêter, c'est la surchauffe ! Le temps d'écrire cette ligne, déjà vingt-deux naissances ! On a l'impression de regarder le lait déborder de la casserole avec les mains liées dans le dos. Tous les indicateurs d'accroissement de la population sont sous pression. Sur le bas de la page, avec un rythme parfaitement accordé aux signaux démographiques, les compteurs écologiques jouent les derviches tourneurs : en l'espace de six petits jours, plus de six cent mille bagnoles sont sorties des usines, cinq cent millions de tonnes de CO_2 ont été vomies dans l'atmosphère, deux cent trente mille hectares de forêts sont partis en fumée. La charge supportée par la planète, elle, s'est alourdie d'un million quatre cent mille nouveau-nés. Précisons que ces chiffres sont tous caducs à l'instant même où on les découvre car l'emballement des indicateurs est plus rapide que le débit de la parole, la vitesse de l'œil sur le papier ou la frappe dactylographiée. Heureusement, j'entends à la radio que le gouvernement a prévu ce soir l'extinction des guirlandes de lumière de la tour Eiffel pendant cinq minutes pour célébrer l'anniversaire de l'entrée en vigueur du protocole de

Kyoto. Nous sommes sauvés. *P.-S.* – Cinq minutes soit mille deux cent soixante-dix-huit naissances.

Le savant et le poète

En 1817, dans *Rome, Naples et Florence,* Stendhal écrit : « Je bénis le ciel de n'être pas savant : ces amas de rochers entassés m'ont donné ce matin une émotion assez vive… Si j'avais les moindres connaissances en météorologie, je ne trouverais pas tant de plaisir certains jours, à voir courir les nuages et à jouir des palais magnifiques ou des monstres immenses qu'ils figurent à mon imagination… » Je ne me range pas à cet avis. Je ne crois pas que la connaissance assèche le regard poétique, ni que le savoir entrave les élans de l'âme. Je ne vois pas en quoi le pâtre ignorant entendrait mieux que le professeur le chant de la nature. Goethe qui connaissait la météorologie (et la minéralogie et la botanique et la géomorphologie…) se pâme-t-il moins que Stendhal devant les paysages italiens malgré la compréhension qu'il possède de leur ordonnancement ? Et Fabre ? Son écrasante compétence entomologique l'empêchait-il de s'émerveiller du chatoiement des cicindèles ? Il y a de la jouissance à savoir que les forces tectoniques ont soulevé les sédimentations des mers et propulsé les nappes de charriage à la périphérie des bassins sous la pression des batholites. Il y a de l'excitation à embrasser par l'esprit les mécanismes climatiques et à comprendre que la pluie rend à la terre ce que le ciel lui avait pompé. Il y a une élégance à prononcer au fur et à mesure qu'on les reconnaît le nom des fleurs, des oiseaux et des formes du relief. Je comprendrais que le savant déplore de n'être pas assez poète. J'entends mal que le poète se réjouisse de n'être pas savant.

Mai 2008

Charançons

Rencontre du professeur Hélène Perrin spécialiste des charançons au Muséum d'histoire naturelle de Paris. Selon elle, 10 % de la production mondiale de riz et de blé seraient dévorés tous les ans par ses protégés. Soit soixante millions de tonnes de chaque céréale ! Dans un premier mouvement, on se sent consterné pour les populations humaines spoliées par la petite bête. Ensuite tout de même, on se félicite pour le curculionidé. Après tout, on massacre les charançons à coups d'insecticide depuis des décennies. Les survivants se revanchent et prélèvent leur gabelle. C'est la guerre, c'est le jeu.

Insectes

Un autre chiffre : une voiture lancée à 60 km/h dans la plaine de Beauce écraserait cent soixante-quatre insectes au kilomètre contre son pare-brise (quelle merveille de penser que des scientifiques se livrent à ce genre de calculs : vive la recherche, à bas ceux qui s'en prennent à elle !). Or il y a plus de trente-six millions de véhicules en France : trente-six millions d'exterminateurs potentiels ! Ce qui signifie que des centaines de millions d'insectes périssent chaque jour contre nos bagnoles. De deux choses l'une. Soit on considère que ces bestioles sont tout juste bonnes à finir dans les collections du Muséum. Soit on réfléchit avec Jorge Luis Borges et Ernst Jünger (ils ont eu à Wilflingen une conversation sur ce sujet que rapporte l'Allemand dans son journal) que chaque animalcule possède une singularité et une individualité propre, une conscience de lui-même, une certitude de son « *être-au-monde* » et par là même un imprescriptible droit à la vie, au même titre qu'un ours et qu'un rorqual (ou qu'un « animal humain », pour parler comme Peter Singer, fondateur de l'Animal Liberation Front). Alors les chiffres du carnage automobilistique deviennent insoutenables. Il y a des jours où je voudrais vivre en *jaïn*, un voile de tulle sur la bouche et un esclave au pied qui époussetterait le chemin avec une plume de paon pour me précautionner d'écrabouiller qui que ce soit.

Homme

Étrange égarement de l'esprit qui conduit à dire que quelqu'un « manque d'humanité » lorsqu'il commet un acte dont le caractère ignoble s'enracine précisément dans la spécificité humaine. On devrait en fait dire d'un meurtrier, d'un ogre, d'un dépeceur de petite fille qu'il « manque de naturel », qu'il pèche par défaut d'animalité.

Nymphes

Certains papillons portent des noms de fées, de faunes, de saintes, de héros ou de divinités : *Mars, Satyre, Andromaque, Vulcain, Apollon, Sylvain, Thècle, Vénus, Esméralda, Sphinx.* Tous disparaissent ou sont menacés d'extinction. Lorsque le monde se désenchante, la vie s'en va, les dieux se retirent…

Oiseaux

Dans les jardins du Muséum, conversation avec Marc Giraud, directeur de l'ASPAS[1], l'auteur du très plaisant *Kama-sutra des demoiselles* (Robert Laffont), un livre en forme de cabinet de curiosités que tout naturaliste devrait tenir à son chevet. Il parle de la valeur intrinsèque de la nature, de son amitié avec François Terrasson dont l'ouvrage *La Peur de la Nature* lui semble répondre (par son seul titre) à bien des questions sur les outrages du progrès, de la nécessité de considérer le patrimoine naturel avec autant de solennité qu'on juge du patrimoine culturel. Parfois il s'arrête au milieu d'une phrase parce qu'un cri d'oiseau, dans le ciel ou sur un houppier, l'a perturbé. « C'est le chant de pluie d'un pinson ! », « C'est une mésange à tête noire ! » s'exclame-t-il. D'habitude ce sont les téléphones portables qui hachent les conversations. J'aime savoir qu'il y a encore des gens qu'une mésange interrompt.

Renard

Jules Renard, notre soleil (et notre maître en aphorismes), disait des papillons : « ce billet doux plié en deux cherche une adresse de fleur » (*Histoires naturelles*).

---

1. Association pour la protection des animaux sauvages.

Microfaune

Si, un jour, nous éradiquons de la surface de la Terre les insectes et toute forme de microfaune, nous – qui aurons si mal vécu – ne réussirons même plus à pourrir.

Vol de nuit

Gérard Luquet, entomologiste au Muséum et spécialiste des micro-lépidoptères, stigmatise les lampadaires à vapeur de mercure installés dans les années 1970 aux abords des grandes villes. Les ultraviolets diffusés par ces lumignons attirent les insectes qui viennent papillonner par milliers contre le halo bleuté et finissent par mourir d'épuisement. Au pied de ces étoiles urbaines, il n'était pas rare de voir des crapauds affairés à la curée. Ainsi les lampadaires publics ont-ils une immense part de responsabilité dans l'érosion de la biodiversité entomologique. L'extinction des espèces par l'éclairage des espaces.

Juin 2008

Une journée à Paris

Début du printemps à Paris. Avec le réalisateur de film d'aventure Evrard Wendenbaum et l'explorateur Christian Clot, j'escalade la tour Eiffel au passage de la flamme olympique chinoise pour fixer, sous le premier étage, la banderole de Reporters Sans Frontières frappée des anneaux olympiques en forme de menottes. La banderole reste en place plus d'une heure. Les pompiers interviennent. Nous finissons menottés par des agents de police plutôt acquis qui confient : « On a beau être fonctionnaire, on a des opinions ! » Pendant ce temps, Robert Ménard – président de RSF – attend avec Priscilla Telmon et Jean-François Julliard l'instant propice, caché dans la forêt des charpentes de Notre-Dame. Tout à l'heure, à seize heures, ils déploieront leur bannière au-dessus de la grande rosace occidentale (dix ans plus tôt Chantal Mauduit accrochait nuitamment un drapeau sur la flèche et racontait l'histoire dans un chapitre de sa biographie intitulé « Notre-Dame de la Paix »).

En ce jour de célébration olympique, Paris manifeste sa compassion au peuple du haut royaume. De bien des fenêtres tombent des huées au passage du cortège. La flamme attise la réprobation. Les Chinois se sont crus seigneurs des anneaux, mais leur méthode jure avec l'antique humanisme hellène. Les jeux grecs célébraient la gaieté de la vie, la force et la beauté des corps, la paix entre les citoyens, l'alliance des dieux avec les hommes. Au spectacle de la confiscation chinoise, les divinités de l'Olympe doivent avaler l'ambroisie de travers ! Aux garde-fous des balcons parisiens flottent des *lungtas*. Une banderole RSF est déployée avenue Marceau, sur la façade de l'immeuble de Nicole Lattès (éditrice du moine bouddhiste Matthieu Ricard), une autre sur les Champs-Élysées, d'autres encore ondoient, immenses, sous le pont des Arts, quai Malaquais, stade Charlety, sur Saint-Sulpice, aux fenêtres du photographe Bernard Hermann, place du Petit-Pont... Paris est pavoisé aux couleurs tibétaines constituées d'un soleil levant flanqué de deux lions des neiges. Dans la rue, les policiers arrachent les drapeaux tibétains des mains des manifestants. Au passage du défilé officiel, seul a le droit de claquer le drapeau rouge. La flamme est passée, le feu s'est éteint.

Avis aux éditeurs !

Dans *Le Miroir de l'âme* de Georg C. Lichtenberg (Éditions José Corti), cette injonction qui devrait figurer en quatrième de couverture de tous les livres : « Que celui qui a deux pantalons en vende un et se procure ce livre. »

Privé de désert

À la radio ce matin : 42 % des enfants de sixième ne sauraient pas nager. Combien n'ont même jamais vu la mer, la neige, le sable ? La vie les prive de la plus simple des joies. J'ai connu des gens qui n'avaient jamais voulu dormir à la belle étoile de leur vie. Ceux-là se privent eux-mêmes d'expériences inoubliables. Axel Munthe écrit dans la préface de son *Livre de San Michel* : « On me dit qu'il est des gens qui, de leur vie, n'ont jamais vu un lutin ! J'ai réellement pitié de tels gens : beaucoup de choses leur échappent. »

Paris Toundra

À la filmothèque du sixième arrondissement, vu le film d'Anastasia Lapsui, *Les Sept Chants de la toundra*. Un bouleversant tableau du télescopage de deux univers. D'un côté le monde en ordre de l'Arctique où la vie s'accroche comme elle peut. De l'autre, l'Union soviétique qui impose ses certitudes avec une délicatesse de char d'assaut. On pleure à la scène du commissaire soviétique pénétrant dans le *choum* et criant en substance à son hôte hébété : « Vous nous appauvrissez ! vous vous gavez de graisse ! » À celle de la fillette que deux institutrices russes arrachent à la chaleur de la tente pour l'emmener de force à l'école pendant que les haut-parleurs du village diffusent des musiques martiales. À celle des deux *Nenets* ivrognes trinquant à la statue de Lénine qu'ils prennent pour une idole. Le lendemain, je rencontre Anastasia Lapsui chez la journaliste Astrid Wendlandt. À la fin du dîner, la cinéaste interprète un chant nenets térébrant. Il n'y a pas d'ouverture au plafond des logements parisiens comme à la voûte des tentes nomades. La charge mantique des paroles d'Anastasia flottera donc longtemps entre les quatre murs de l'appartement.

Juillet 2008

Dix jours

Dix jours d'escalade au Verdon. Dix jours d'action pure. Chaque minute est consacrée à déchiffrer les subtilités du terrain, les lignes de la paroi, les signes de la nature, à grimper, à se déplacer, à traverser lentement des journées de vide et de soleil. Et pour se donner bonne conscience de n'avoir pas lu une seule page de livre, ni écrit une seule ligne, ni occupé une seule minute à l'étude, cette phrase du philosophe russe Léon Chestov : « Préférer les idées à la vie, c'est le péché originel. »

La flamme

Donc, les Chinois ont réussi à hisser leur flamme au sommet de l'Everest. Il n'a échappé à personne le caractère mythologique de cette ascension. Les Chinois incarnent aujourd'hui – avec leur industrie conquérante et leur énergie expansionniste – la dimension prométhéenne de l'humanité. Ils sont les Titans de l'ère postindustrielle annoncée par Hölderlin. Et les voilà hissant le feu de l'Olympe sur le sommet de la Déesse Mère du Monde. Seront-ils punis par l'homologue tibéto-tantrique d'Héphaïstos ? Auront-ils à rendre compte, devant un tribunal céleste, des forfaits accomplis au pied de Qomolongma ? Quel aigle dépêché par quel dieu viendra-t-il leur ronger le foie, les condamnant à la pire des peines : celle du remords bourrelant ?

La manif

Des amis me reprochent de ne pas participer aux défilés pro-tibétains organisés ici et là dans Paris et de fomenter uniquement des actions à caractère symbolique. Mais je n'ai pas le penchant manifestant. Marcher au pas cadencé dans un cortège en réduisant les élans de l'âme et les opinions de l'esprit à quelques slogans ne me plaît pas. J'aime mieux accrocher des petits *lungtas* aux fenêtres et aux arbres dans le silence de la nuit, qu'hurler dans les mégaphones. Je crois davantage à la valeur mantique de ces gestes qu'à l'utilité du beuglement collectif. Et puis le militantisme m'indiffère au plus haut point. Le combat idéologique m'intéresse encore moins que le marketing ! En matière politique, mon bulletin de vote c'est la pensée n° 37 de Marc Aurèle : « Quand on voit ce qui est maintenant, on a tout vu, et ce qui s'est passé depuis l'éternité, et ce qui se passera jusqu'à l'infini ; car tout est pareil en gros et en détail. »

Deux photos

Sur mon bureau j'ai la photo de deux vieux messieurs que j'admire. L'une représente Dumézil dans une bibliothèque. Il y règne un désordre inouï. Il se tient bras croisés en fixant le photographe avec un air amusé. Derrière lui : des piles de papiers, des tours de livres, un amoncellement insensé de vieux dossiers poussiéreux dont on se demande par quel miracle ils ne s'écroulent pas. Arriver à une telle limpidité de pensée dans un pareil capharnaüm est rassurant pour l'être désordonné que je suis. La photo de Dumézil constitue un bon argument contre les architectes intérieurs qui ne jurent que par l'*open space*, les « espaces de rangement » et la « rationalisation des plans de travail ». L'autre photographie est un portrait de Lévi-Strauss pris en juillet 1981. Il fixe aussi le photographe en tenant le dossier d'un fauteuil d'une main belle et puissante. Derrière lui, son bureau parfaitement rangé baigne dans une pénombre sobre. Mais le maître a l'air profondément triste, habité par une hantise obscure. J'ai toujours songé que les vieux penseurs, à la fin de leur vie, finissaient obsédés par la surpopulation de la Terre, laquelle déplace toutes les catégories, rend caduque toute prévision, vaine toute considération sur le genre humain et perturbe tous les échafaudages théoriques. Dans une tribune de 2005 que *Le Nouvel Observateur* a republiée à l'occasion de la sortie d'une partie des œuvres de Lévi-Strauss dans la Pléiade, l'ethnologue livre la clef de l'expression pessimiste qu'il arbore sur la photo. « Il n'est aucun, peut-être, des grands drames contemporains qui ne trouve son origine directe ou indirecte dans la difficulté croissante de vivre ensemble, inconsciemment ressentie par une humanité en proie à l'explosion démographique et qui – tels ces vers de farine qui s'empoisonnent à distance dans le sac qui les enferme bien avant que la nourriture commence à manquer – se mettrait à se haïr elle-même parce qu'une prescience secrète l'avertit qu'elle devient trop nombreuse pour que chacun de ses membres puisse librement jouir de ces biens essentiels que sont l'espace libre, l'eau pure et l'air non pollué. » Ces « vers à farine » font écho aux visions que Saint-Exupéry livrait dans une lettre écrite quelques jours avant sa mort : « La termitière à venir m'épouvante. » C'était en 1944.

Août 2008

Calanques

Dans les calanques marseillaises, à mi-parcours du couloir rocheux qui borde la face nord de la Candelle, des inconnus ont scellé une plaque à la mémoire d'un escaladeur « victime de l'arête de Marseille ». Récemment le mot « victime » a été martelé. Ce geste anonyme est une protestation contre la sémantique du pathos dont usaient autrefois les alpinistes pour parler de leur passion. Il témoigne d'un changement dans les rapports que les sportifs entretiennent avec l'élément. Aujourd'hui, on ne considère plus les hautes murailles comme des champs de bataille. On ne se bat plus contre la montagne, on fait corps avec elle. On ne la vainc plus, c'est elle qui vous laisse passer. Les seuls drapeaux qu'on accepte de planter aux sommets sont des *lungtas* bouddhistes et lorsqu'on chute, on n'est plus « victime » d'une arête fatale ou d'une face homicide (« *mordwand* », disait Bonatti en parlant de la face nord de l'Eiger) mais on se considère comme le seul responsable de son faux pas.

Orpierre

Lorsqu'on ne tient pas les fourmis et les insectes pour des animalcules bons à être écrasés (« Je ne veux point te faire d'ombre, petite bête, le soleil t'appartient autant qu'à moi », écrivait Lichtenberg au XVIIIe siècle) mais qu'on leur reconnaît, à chacun, une importance existentielle, grimper devient très difficile. Sur le beau calcaire d'Orpierre, de grosses fourmis chasseresses, rousses et solitaires, vaquent à la verticale. Parfois l'une d'elles stationne sur un petit graton de la paroi, fourbissant ses antennes. Que faire ? Arquer les phalanges sur la prise au risque de l'écraser ou attendre qu'elle s'en aille au risque de tomber ? Même question pour les petites plantes qui trouvent refuge dans les lunules et que les doigts réduisent en bouillie. En Suisse, la Commission fédérale d'éthique pour la biotechnologie dans le domaine non humain (CENH) vient d'étendre aux espaces végétaux le concept juridique de « dignité de la créature ». Bien avant que les sages helvètes ne statuent, des grimpeurs avaient déjà accordé aux êtres minuscules une valeur intrinsèque en évitant d'un geste de les écrabouiller.

Orpierre II

Au bistrot d'Orpierre, on parle de l'affaire de Lille : une magistrate a annulé un mariage musulman au motif que la femme n'était pas vierge. Propos de comptoir : les uns s'indignent, les autres s'en fichent. Une jeune fille se félicite ironiquement de ce qu'on ne pouvait rendre plus grand service à la mariée puisque l'annulation lui évite de vivre *ad vitam* avec un demeuré. Il n'en reste pas moins qu'on commence à rendre le droit de Marianne avec les édits du Prophète. Nietzsche dans *L'Antéchrist :* « La décadence c'est quand on commence à faire des choix qui ne sont pas favorables à soi-même. »

Nanda-Devi

Au bivouac dans la calanque des Pierres-Tombées, je lis qu'en 1936, après une lutte acharnée contre les tempêtes, l'alpiniste Tilman et son compagnon Odell arrivent au sommet de la Nanda-Devi. À cette époque, c'est le plus haut sommet qui ait jamais été gravi. Là-haut, au lieu des explosions de joie auxquelles les Latins ont habitué les divinités tutélaires, les deux hommes expriment leur euphorie d'une manière très *british :* « Nous oubliâmes toute retenue au point de nous serrer la main. » L'anecdote est tirée d'*Himalayistes* (Éditions Glénat), la réjouissante galerie de portraits que Gilles Modica dresse de quelques conqué-rants de l'inutile qui ont hanté la très haute altitude.

Septembre 2008

Destin tragique

Au bout de la presqu'île de Crozon, près du petit village de Camaret-sur-Mer où villégiaturent les amoureux des bouts des mondes, se tiennent les hautes parois de la pointe de Pen-Hir. On s'approche du bord précautionneusement en se disant qu'aller de l'avant n'est pas toujours une bonne solution dans la vie. Tomber serait pourtant une belle chute au roman de sa propre existence. Les houles atlantiques battent le pied des falaises hautes de 100 mètres. En Bretagne, même la mer fait de la crème. C'est le fond de la France, sa fin, sa conclusion. Les peuples celtes sortis de leur berceau d'Europe danubienne sont arrivés ici et ont eu à choisir entre se précipiter dans le vide ou bien prospérer le long des littoraux du *finis terra*. Quelques bunkers sont disposés, face au couchant, gravats du *mur de l'Atlantique*. Le bunker, échec de l'architecture : une carapace de béton pour se protéger du ciel et une fente étroite pour surveiller l'horizon. À un ou 2 kilomètres de Pen-Hir, une ruine surnage de la lande. L'ancienne demeure jouxte un champ mégalithique. La nuit, les menhirs ont l'air d'une armée de sentinelles pétrifiées par la grandeur des lieux : avant de plier la terre à sa loi, l'homme a dressé des pierres vers le ciel. La ruine est tout ce qui reste de l'ancien manoir de Coecilian, demeure wagnéro-baroque construite par le poète Saint-Pol Roux avant la Première Guerre mondiale. Ce symboliste inspiré et visionnaire fascina les surréalistes et compte encore de nos jours des admirateurs qui évoquent sa mémoire avec des airs de membres de société secrète. Lassé des vespéries parisiennes, il voulait vivre face au vieil océan et se consacrer à la contemplation de la beauté. Il aimait avidement le monde et le déclarait lyriquement. Il inventa le terme d'*idéoréalisme* pour expliquer sa vision de l'existence et de la poésie. Il rêvait d'un univers uni, inondé de soleil, réconcilié, et d'une langue où le fond et la forme s'épouseraient païennement pour annoncer le triomphe de la Beauté. Il ne croyait qu'à elle. La voyait partout. Considérait chacune de ses manifestations – naturelles ou humaines – comme la preuve de son règne. Pendant des décennies, pour la célébrer, il jeta l'or de ses mots et l'argent de ses rêves par les fenêtres de son manoir. Un jour de juin 1940, un soldat allemand pénétra dans la bâtisse et sema la terreur : il tua la servante, assomma le poète, martyrisa sa fille, mit le feu. Le Teuton était entré dans la thébaïde. Il n'y a vraiment rien à faire : dans ce monde, vous avez beau élever des autels, aménager des reposoirs pour l'âme et construire des temples où pratiquer la vertu, les brutes l'emportent toujours. Saint-Pol Roux ne survécut pas à l'événement et mourut quelques mois plus tard. Sa fille, Divine, entretint l'œuvre et le souvenir de son père jusqu'à sa mort en 1985. Aujourd'hui, quelques maisons style Leroy Merlin (rien à voir avec le roi Arthur et l'enchanteur Merlin) sont construites aux abords du manoir. Où ces gens trouvent-ils le courage pour vivre là, entre les menhirs, les embruns et les fantômes ? Sur le revers de la falaise, on entend l'Atlantique mordre le récif sans répit. C'est à croire que l'océan n'a pas assez de lames pour laver tout ce chagrin.

Slogan débile

Aperçu une affiche de cinéma avec ce sous-titre d'une crasse rare : « Pour devenir un homme, il faut choisir son camp. » Si j'avais eu une bombe (de peinture), j'aurais tagué du Cioran par-dessus : « C'est folie d'imaginer que la vérité réside dans le choix, quand toute prise de position équivaut à un mépris de la vérité. » Mais, hélas, je me promène toujours en ville sans matériel de graffiti. Je passe mon chemin en me disant qu'après tout, « pour être un homme, il faut savoir foutre le camp plutôt que le choisir ».

Bel apophtegme

Avis à tous les fondamentalistes, maniaques de la Loi céleste et autres adorateurs d'oukases révélés. Plongez dans Pétrarque plutôt que dans les saints codes pénaux : « Il est plus important de vouloir le bien que de connaître la vérité » (*Prose*).

Pensée profonde

Monts d'Arrée. Village de Brennilis. Marche dans la lande (de quoi peut-elle bien être désolée ?). La végétation est si drue que même les nuages s'y accrochent. Le conteur Claude Le Lann m'emmène visiter un dolmen. L'homme, comme tous les Celtes, a le front hercynien et l'œil océanique. Avant de pénétrer sous la galerie du mégalithe, Le Lann adresse un salut joyeux « au génie du lieu ». La dalle sommitale du trilithe pèse 35 tonnes. Nul ne sait comment les hommes s'y prenaient pour lever de tels ensembles il y a cinq millénaires. « Les promoteurs de la dalle de Roissy (effondrée en 2004) devraient faire des stages ici », sourit Le Lann. L'intérêt porté aux œuvres des sociétés préceltiques est très récent. Dolmens, galeries et menhirs furent anathémisés par le clergé, retaillés en forme de croix pour certains, dynamités pour d'autres. À la Révolution, beaucoup servirent de gibets. Au XXe siècle, on en fit des dépotoirs. Aujourd'hui, ils suscitent respect et affection. Le Lann conclut après ce bref historique : « L'âme bretonne c'est parler des choses après qu'elles ont disparu ! »

Colossale plaisanterie

Une blague circule dans les milieux militaires : OTAN (Organisation du traité de l'Atlantique-Nord) se dit NATO en anglais. Ce qui se traduit par *No Action, Talk Only !*

Octobre 2008

Parachutisme

Centre de parachutisme de Tallard, près de la ville de Gap. Les nuages se déchirent enfin. Je me harnache pour le troisième saut de la journée. Le Pilatus prend de l'altitude, il nous larguera à 4 700 mètres. Ensuite, une minute de chute libre avant d'ouvrir la voile. En bas, j'ai laissé le livre dans lequel je plonge lorsque le temps est maussade : *Qu'est-ce que la philosophie antique ?* de Pierre Hadot (Folio). Il se trouve dans la philosophie des Grecs et des Romains des similitudes flagrantes avec le parachutisme. Ainsi, pendant le vol, le monde vu du ciel apparaît dans sa splendeur. Sénèque aurait aimé le spectacle, lui qui préconisait de contempler la beauté des choses et de prendre la mesure de l'immense pour se pénétrer de la petitesse de l'homme. Pythagore, cité par Ovide dans les *Métamorphoses*, eut des paroles qui ressemblent à la description d'un saut en commandé : « Je veux prendre mon chemin dans les astres élevés, je veux abandonner la terre, ce séjour inerte, je veux me faire porter par les nues... » Lorsqu'on tombe à 200 km/h, mieux vaut accepter son sort comme le préconisent les stoïciens : « Ne cherche pas à ce que ce qui arrive arrive comme tu le veux, mais veuille que ce qui arrive arrive comme il arrive et tu seras heureux » (Épictète, *Manuel*). Mieux vaut également ne croire qu'à la valeur du moment présent : l'avion est déjà loin et rien ne nous y fera remonter, quant au sol, il se rapproche bien assez vite. La chute libre prouve que le passé et le futur sont des constructions de l'esprit, inutiles, stériles. Horace rappelle dans ses *Odes :* « Que l'âme heureuse dans le présent refuse de s'inquiéter de ce qui viendra ensuite. » Mais que l'*amor fati* ne soit pas synonyme de désinvolture ! Il ne doit pas nous faire oublier la valeur de ce que l'on est en train d'accomplir. La chute libre ne souffre pas la distraction. Il faut accorder à chaque seconde une concentration totale comme si c'était la dernière et se consacrer tout entier à elle afin de ne négliger aucun geste vital. Marc Aurèle est le maître de la *prosoché,* cette vigilance permanente, cette attention portée à soi-même, à ce que l'on est, à ce que l'on fait. Seule la pratique de cette discipline pourra conduire à l'ataraxie, l'absence de trouble que convoitaient les philosophes et que connaît le chuteur. Si la voile ne s'ouvre pas, il faudra recourir au mépris matérialiste de Lucrèce pour la mort, à l'indifférence stoïcienne pour les « causes malheureuses qui nous sont extérieures » ou au dédain qu'affichait Pyrrhon devant toute chose (et donc devant l'inéluctabilité de l'écrasement). Mais une fois atterri, on ressentira le vrai plaisir épicurien, ce pur bonheur d'exister, cette grâce procurée par les choses belles et paisibles. « Sentir qu'on vit est un plaisir », écrit Aristote dans l'*Éthique*. Il aurait pu prononcer cet aphorisme en repliant sa voile dans le carré d'atterrissage. Voilà pour les passerelles entre l'eudémonisme et le parachutisme. En revanche, quelle drôle d'expression que « chute libre ». De quoi la chute peut-elle bien être libre ? Libre que cesse la chute ? Libre d'arrêter le cours du temps ? Non ! elle est libre comme la pierre qui tombe et qui dit : « Je choisis de tomber. »

Surf

À Biscarosse, sur la côte atlantique avec une planche. Nous sommes quelques-uns – surfeurs et bodyboarders – postés face au large. Je ne connais pas de sport à dimension aussi liturgique. Nous flottons, sur le dos du vieil océan, baignés de soleil, attendant la vague. Nous savons qu'elle viendra. Douceur d'espérer quelque chose dont on est certain qu'elle apparaîtra, disparaîtra, réapparaîtra. Comme si l'on se délectait que l'horloge produise un « tac » juste après le « tic ». Le contraire du messianisme où la récompense de l'attente précipite du même coup la fin de tout. Le surf est un sport fondé sur le principe de l'éternel retour. La série arrive enfin : l'eau se gonfle, la mécanique se met en place, les vagues augmentent. On en saisit une, on accélère. La glissade est une prière adressée au génie de la houle, un remerciement pour ce plaisir fugace.

Marche

À pied, par les chemins des Landes. Y a-t-il activité plus décroissante que la marche ? Le marcheur revient à sa nature profonde (la bipédie), s'emplit de la beauté du monde, ne laisse que l'empreinte de ses pas, apprend que ce qu'il ressent vaut mieux que ce qu'il possède. La clé du bonheur ? Pétrarque nous la livre dans une phrase que Schopenhauer place en exergue du *Monde comme volonté et représentation* : « Si quelqu'un marche toute la journée et parvient le soir à son but, c'en est assez. »

Novembre 2008

Un court séjour à New York City.

Le poumon vert

Central Park. L'endroit est considéré par les guides de voyage comme « le poumon de la ville ». Mais derrière ce lieu commun, c'est surtout le seul endroit où le New-Yorkais est en contact avec la Terre. La seule surface où les radiations du champ magnétique peuvent se libérer, s'échapper de la gangue de béton. L'homme saurait-il vraiment se passer de caresser du pied un sol naturel ? Le goudron qui nous isole de l'écorce terrestre n'est-il pas un couvercle mortifère ?

Darwin, réveille-toi !

Madison Avenue. Tout près de la Christian Science Society, des militants distribuent des tracts créationnistes. Je me dis qu'ils devraient se plonger dans les *Souvenirs entomologiques* de Fabre. Ils seraient guéris sur-le-champ. On y apprend des choses d'une cruauté sans nom. Le mâle de la punaise fore la carapace de sa femelle pour déposer sa semence ; le pompyle pond ses œufs dans une lycose vivante

123

que les larves dévoreront de l'intérieur ; l'araignée-crabe, cachée dans une fleur, attend la butineuse et la happe par la tête. La moindre parcelle d'herbe abrite des holocaustes. Partout on se déchire, on s'entre-déchiquette. La vie n'est que dévoration. Et les créationnistes voudraient que Dieu ait combiné toute cette horreur dans le moindre détail ? Chapeau ! Quel raffinement dans l'atrocité, quel génie de la torture, quelle intelligence de la traque, du piégeage et du meurtre !

Churchill fume un churchill

Toujours Madison Avenue. Boutique Davidoff. Dans la vitrine, une photo de Churchill tirant sur un cigare. Et cette phrase de lui, *so british : « I am a man of simple tastes, easily satisfied by the best ! »*

Il pleut sur la ville

Déluge de pluie sur la ville. Un gratte-ciel aurait-il crevé un nuage ? Les grilles d'égouts débordent. Les passants s'abritent sous les auvents des fast-foods. Quelques minutes plus tard, jaillis d'on ne sait où (à la manière de ces hommes du désert qui semblent surgir du sable), des Indiens, postés aux coins des blocks, vendent des parapluies de toute taille, des chapeaux, des cirés. Le miracle américain : on fait de l'argent avec tout. Même avec la pluie.

Politique in the street

Les New-Yorkais y croient. Ils sont démocrates et soutiennent Obama. Un jeune garçon tracte sur la Cinquième Avenue des prospectus de propagande. Pourquoi Obama ? « Parce que, avec lui, le monde va changer, on entrera enfin dans le troisième millénaire. » Après ces milliers d'années d'expérience humaine, c'est fou que les vieilles lanternes de l'optimisme attirent encore des papillons.

Génie des Marvel

Dans cette architecture de la verticalité, les lignes des tours donnent le vertige. Les sommets des gratte-ciel semblent des mondes inaccessibles. La lumière sur les parois des buildings a les mêmes reflets que le soleil sur les faces himalayennes. La ville a l'air de vivre comme un être organique, autonome. Les hommes vaquent sur les trottoirs à leurs affaires misérables en laissant les puissances de la cité mener leurs destins. Les artistes américains ont exploité l'atmosphère mystérieuse de NYC et inventé une mythologie avec ses héros, ses dieux, ses tragédies et sa morale. Spiderman, Batman et le Joker : les Achille, les Ulysse et les Cyclopes de la cité de verre.

Trois rencontres

Quatrième Avenue, un obèse mange une glace. On a envie de se précipiter à son secours pour la lui arracher des mains. Après tout, c'est ce qu'on ferait s'il s'était collé un flingue sur la tempe.

À l'entrée de Central Park, un Noir en costume, avec souliers vernis et lunettes de soleil, essaie de jouer de la flûte traversière. Il doit être débutant, ne produit que des *couacs* et, comme pour se faire pardonner les fausses notes, a installé devant la sébile un cœur rouge frappé de « I Love You » !

À East Village, Sacha, antiquaire russe, vit dans le capharnaüm de sa boutique. Il ne veut pas démordre des 250 dollars auxquels il estime un buste de Tolstoï en plâtre. Son argument massue : « Si vous le rapportez à Paris il aura passé deux fois l'Atlantique ! »

Décembre 2008

Le Mandchou qui se disait français

Le village de Krasni Jar se tient dans la vallée de la Bikin au nord de la province du Primorié, dans l'Extrême-Orient russe appelé autrefois Mandchourie. À quelques centaines de kilomètres au sud est construite la ville de Terney, baptisée par La Pérouse lors d'une relâche de *L'Astrolabe* et de *La Boussole* devant le rivage sibérien. À Krasni Jar, deux cents maisons de bois se partagent une clairière. La première route de goudron se trouve à une demi-journée de piste. Les bouleaux portent déjà leurs feuilles d'automne. Nous sommes en pays oudégué, nom du peuple mandchou-toungouse autochtone. Devant un thé fumant et une coupelle d'airelles, le doyen du village, Sacha Kantchuga, raconte son histoire : « Lorsque La Pérouse a mouillé devant Terney, deux marins se sont échappés du bord. Ils ont erré sur le rivage, croisé un campement oudégué et se sont mêlés aux femmes. Il y eut des vengeances, des combats : l'ordre du clan était brisé. Les Oudégués quittèrent les berges du Pacifique, s'enfoncèrent dans la forêt et s'établirent au bord de la Bikin. C'est l'histoire de ma famille. Parmi mes ancêtres, il y eut des hommes et des femmes très grands avec les cheveux roux et les yeux clairs. Je descends d'un de ces Français. » Renseignements pris un mois plus tard au musée d'histoire de Vladivostok, l'histoire paraît improbable : rien ne fait état de la désertion de deux marins en ces parages. Par ailleurs, les vagabonds russes – barbes blondes et yeux d'azur – étaient nombreux à hanter les forêts en ces époques sauvages. Reste qu'un Oudégué au fond de sa taïga est persuadé de son ascendance française. Par la grâce des légendes familiales il a tissé un lien viscéral avec la France. Sa certitude suffit à perpétuer le mythe.

Les Rouges et les Blancs

Dans la haute vallée de la Bikin, l'automne est avancé. Des érables écarlates font des taches de sang dans la taïga rousse. Les rafales arrachent leurs feuilles d'or aux bouleaux. Parfois, un cèdre s'abat dans un craquement. Dix isbas de rondins blotties dans une large clairière constituent le hameau d'Oxotnichi. Il faut trois jours de barque à moteur pour y parvenir ou bien quatre jours à pied depuis l'océan. L'endroit servit de refuge à la secte des Vieux-Croyants russes. Les soldats de l'armée Blanche s'y replièrent. Les bolcheviks fondirent sur eux en 1921 et les fusillèrent sur la crête boisée. Une croix orthodoxe rappelle le martyre des contre-révolutionnaires. Un monument dans le village célèbre l'héroïsme des Rouges. Personne ne songerait à l'abattre : avec l'Histoire, les Russes ne font pas d'inventaire. Ils conservent tout, ne réécrivent pas le passé et préfèrent la réconciliation à la repentance.

Des rondins verticaux

À la sortie d'Oxotnichi, Sacha Grenchko habite légèrement à l'écart des autres maisons. C'est un colosse blond âgé d'une soixantaine d'années. Depuis quarante ans, il vit de pêche, de chasse et de ce que les habitants du village veulent bien lui offrir. Son carré de pommes de terre améliore l'ordinaire ; il prétend avoir découvert un système révolutionnaire de compost. « Je me suis fait renvoyer de l'école, de l'armée, puis de chacun de mes métiers. » Sacha l'ermite est un rebelle, rétif à toute discipline, allergique à l'ordre. Au temps de l'Union soviétique, il connut de graves ennuis. Régulièrement des agents de Vladivostok faisaient le déplacement en hélicoptère pour le questionner. Un jour, le KGB lui dépêcha des enquêteurs qui prirent ses empreintes. Son crime ? Il avait construit son isba différemment des autres. La tradition sibérienne veut qu'on place horizontalement les rondins. Sacha, par contradiction, les planta verticalement. « Ils m'ont interrogé pendant dix ans pour cette histoire de rondins. Ils ne pouvaient pas l'accepter, ils me demandaient très doucement : "Sacha, pourquoi places-tu tes rondins comme ça, cela ne se fait pas !" » Jusqu'où mènent l'obsession de la norme, la dictature du Même…

Février 2009

Pourquoi voyager ?

Pour échapper au désespoir. – Partir « n'importe où, n'importe où ! pourvu que ce soit hors de ce monde », suggère Baudelaire, terrassé par l'Ennui. Dégoûté des conformismes, Flaubert, lui, rêve de se réfugier dans l'Orient de sa jeunesse. Mallarmé exhorte à « Fuir, là-bas fuir ». On répugne à se l'avouer parce qu'on s'acharne toujours à trouver à ses actes de nobles justifications mais voyager revient à prendre ses jambes à son cou pour échapper à la prison des habitudes. Rien de plus : se guérir du spleen, dissoudre sa mélancolie dans le bain du monde.

Pour changer de peau. – Dans les romans du cycle arthurien, le chevalier sans peur ni reproche traverse une forêt. Il y rencontre des créatures surnaturelles, des brigands malfaisants, des ennemis redoutables. Il se bat, il se perd, il s'épuise et se désoriente, il se reprend, se remet en route, s'opiniâtre et lorsqu'il débouche du bois et entrevoit, passé l'orée, les crénelures d'un château où l'attend une fille aux yeux pâles, il n'est plus le même. La traversée l'a transformé. Si l'on revient dans des dispositions physiques et mentales identiques à celles du départ, le voyage n'a servi à rien. Le voyage offre la métamorphose. Sur la route, on mue.

Parce qu'on cherche un homme. – Au lieu de vouloir rencontrer ce monstre abstrait qu'on nomme « les autres », au lieu de désirer côtoyer « mes semblables » (lesquels ne m'intéressent pas puisque, étant le reflet de moi-même, ils partageront du Yucatan à la Tasmanie mes médiocrités et mes petitesses), je préfère confier au hasard le soin de me faire croiser un homme, un enfant, une femme unique dont le geste, l'esprit, le port, la parole, le visage, le comportement me laisseront un souvenir et me grandiront.

Pour saluer la beauté du monde. – Pensons à Walt Whitman, le poète athlète capable de célébrer un oiseau pendant dix strophes. Le voyage est une politesse rendue à la diversité de la nature et aux manifestations de la vie, de l'éruption volcanique au tremblement de la chrysalide.

Pour se simplifier la vie. – Se lever, souffler sur les braises, faire chauffer son thé, se mettre en route, guetter le prochain ruisseau, apercevoir un faon, saluer les oies qui claironnent à 1 000 pieds, décider de la halte, construire le feu du soir, couper des bardeaux de sapins pour se faire une couche, compter les étoiles, s'endormir : voici le séquençage d'une journée vagabonde. Des gestes simples, des préoccupations élémentaires, des objectifs modestes. Le voyage est une diététique de l'âme et du corps. Il dégraisse, nous débarrasse des toxines de la vie citadine, nous ramène à cette joyeuse sobriété dont les théoriciens voudraient faire un modèle de société nommée « décroissance ».

Parce qu'on ne peut pas « rester à la maison ». – Le mot est de Tchekhov dans son récit *La Steppe* : « Je me balade par la steppe, je ne puis pas rester à la maison, je ne puis pas ! » La psychanalyse s'intéresse davantage aux motifs qu'aux fins ou aux moyens. Le propre du voyageur est de répondre à l'appel (de la route, de la mer, de la forêt) sans se demander pourquoi il le fait. À trop réfléchir aux raisons qui poussent à partir, on néglige de boucler son sac. À trop se sonder l'âme, on n'ouvre plus les yeux. À trop fouailler ses replis intérieurs on oublie que l'action est une bénédiction. Cendrars à qui l'on demandait pourquoi il voyageait répondait « parce que ». Le monde serait triste s'il y avait raison à toutes choses !

Pour honorer la nature humaine. – Le philosophe, artiste et naturaliste Robert Hainard a fait un jour cet aveu : « J'ai une conscience de classe, non pas sociale, mais zoologique et je me sens assez profondément mammifère. » Le voyageur est celui qui, un jour, a pris conscience devant une glace qu'il était un animal, qu'il avait des jambes et que ces jambes-là, l'évolution ne l'en avait point doté pour qu'il passât son existence entière le cul dans un fauteuil.

Pour vaincre le temps. – Personne ne contestera que le temps ne passe pas de la même manière lorsqu'on s'agite dans le tourbillon de la vie urbaine et lorsqu'on repose alangui sous un palanquin de soie des bords du Brahmapoutre où copulent lentement les geckos bengalis. Le voyage ralentit, épaissit, densifie le cours des heures. Il piège le temps, il est le frein de nos vies.

Pour mieux percevoir le monde. – Nul doute qu'il y ait un mystérieux lien entre le mouvement physique et l'inspiration, entre l'aimable vagabondage et la réceptivité aux signes extérieurs. Ne se lève-t-on pas pour faire les cent pas lorsqu'il nous manque un mot ou qu'une idée peine à naître ?

Mars 2009

Quelques réponses trouvées dans les livres à quelques questions sur le sens des choses.

À ceux qui, sur le seuil de la porte, sac sur le dos, bâton à la main, hésitent encore à franchir le pas, rechignent, pèsent le pour et le contre, leur réciter l'injonction d'André Breton dans le journal *Littérature* du 1er avril 1922 : « Lâchez tout. Lâchez dada. Lâchez votre femme, lâchez votre maîtresse. Lâchez vos espérances et vos craintes. Semez vos enfants au coin d'un bois. Lâchez la proie pour l'ombre. Lâchez au besoin une vie aisée, ce qu'on vous donne pour une situation d'avenir. Partez sur les routes. »

À ceux qui tiennent pour une faiblesse d'avoir le cœur affamé, pour un défaut d'avoir l'esprit trop curieux et pour une dispersion de vouloir plonger dans tous les livres, goûter de tous les vins, nager dans toutes les mers, leur lire la belle phrase de Camus tirée de *L'Amour de vivre :* « Il n'y a pas de limites pour aimer et que m'importe de mal étreindre si je peux tout embrasser. »

À ceux qui rêvent de dynamiter le système (sans voir que c'est le système qui, toujours, fournit la dynamite) leur opposer l'élégante formule de Walt Whitman : « Je n'ai rien à voir avec le système, pas même pour m'y opposer. »

À ceux qui se complaisent dans la nostalgie paresseuse, demeurent sourds et aveugles à leur temps et ratiocinent sur « l'âge d'or envolé », leur donner à méditer l'étude que Joël Cornuault consacre à Élisée Reclus (*Élisée Reclus, géographe et poète,* Éditions Fédérop). La solution de Reclus pour réussir à survivre dans son époque est de ne jamais renvoyer dos à dos Nature et Culture mais plutôt de réconcilier les vérités archaïques avec les avancées du progrès afin d'arriver à « l'union plénière du civilisé avec le sauvage ». Vivre avec Internet au fond des bois par exemple, installer un télescope dans sa grotte d'ermite ou bien lire Marc Aurèle en sautant en parachute.

À ceux qui doutent du changement climatique et jugent les écologistes Cassandre, leur retourner la lapidaire réponse du biologiste E.O. Wilson (dans un entretien accordé à *La Recherche* d'août 2007) : « Il faut dramatiser. Dramatiser n'exige aucune exagération. Les faits nus ont un pouvoir dramatique suffisant. Ce n'est pas exagérer de dire que la crise actuelle de la biodiversité a des proportions apocalyptiques. »

À ceux qui prétendent transformer le monde à coups d'idéologies (« la révolution ! la révolution ! » glapissent-ils) et de discours assourdissants, leur montrer le film de James Marsh (*Le Funambule*, Diaphana Vidéo) où Philippe Petit, Pierrot lunaire des Temps modernes, accomplit en 1974 une traversée entre les tours du World Trade Center sur un fil mal (et clandestinement) tendu à 400 mètres de hauteur. La beauté de son geste (quarante-cinq minutes en équilibre et huit allers-retours sous les yeux des policiers émus aux larmes) constitue une bien plus puissante charge contre *l'esprit de lourdeur* que les professions de foi politiques ou les postures militantes. Dans le film, l'un des complices de l'auteur du *Traité du funambulisme* affirme que le funambule ne désire pas « conquérir le monde mais conquérir de belles scènes ». La séquence où l'artiste, agenouillé sur son câble, adresse un salut à la foule agglutinée au pied des tours est bouleversante. Le geste est d'une grâce inouïe, éternelle. Devant ces images, on pense à l'attentat du 11 septembre 2001. La révérence de l'homme flottant entre ciel et terre est un défi à l'ordre établi plus frappant que l'impact des deux avions détournés par de hideux barbares incapables de rien d'autre que de détruire.

À ceux qui se glorifient de leur agnosticisme, jouent les esprits forts, se moquent de l'élan vers le ciel, ne s'agenouillent devant rien et ricanent de ceux qui le font, considèrent avec sarcasme la robe du moine et ne comprennent pas que la foi est un empire où le mystère, la poésie, la magie, l'inexplicable et l'irrationnel résistent contre les forces desséchantes du matérialisme, leur rappeler cette confidence de Segalen (tirée de son *Grand fleuve*) : « Moi si anticatholique pur mais resté d'essence amoureux des châteaux dans les âmes et des secrets corridors obscurs menant vers la lumière… »

À ceux qui jamais ne se regardent en face mais trouvent que leurs semblables ne valent rien, que la vie ne vaut pas beaucoup plus et que le monde est une vallée de fiel peuplée par des médiocres, leur donner en remède ce terrible mot de John Burroughs (*L'Art de voir les choses*, Éditions Fédérop) : « Le méchant, le cœur sec, voient leurs pairs à leur image. Le ton sur lequel nous parlons au monde est celui qu'il emploie avec nous. Qui donne le meilleur reçoit le meilleur. »

À ceux qui ne font rien parce qu'ils sont trop occupés à donner leur avis sur tout, oublient d'accomplir leur destin parce qu'ils se font greffiers et critiques de l'œuvre des autres, leur seriner le bel aphorisme de Nikolaï Tchernychevski (tiré de *Que faire ?* son livre culte rédigé dans les geôles tsaristes) : « La terre est le lieu de la vie et non du jugement. »

Avril 2009

La fée

Mélusine est une fée qui tient une place à part dans le panthéon du merveilleux médiéval. On connaît le mythe : un chevalier traversant une forêt s'éprend de Mélusine et l'épouse. Elle offre à son mari la fortune matérielle et une nombreuse descendance, mais en échange il doit jurer de ne jamais chercher à la côtoyer ni la voir le samedi. Ce jour-là, en secret, la fée mi-femme, mi-animal, retrouve son apparence surnaturelle et une queue de dragon lui pousse. Grâce aux offices de Mélusine, le chevalier entretient sa fortune, agrandit ses terres, bâtit des châteaux, défriche les forêts. Un samedi, le mari rompt son serment et surprend sa femme. Le pacte est trahi, le secret percé. Mélusine pousse un hurlement, disparaît dans les airs et rejoint l'autre monde à jamais. En contemplant un paysage industriel, les parcelles de champs intensivement cultivées ou les faubourgs d'une grande ville je pense à Mélusine comme d'autres à Icare.

Le mythe de la fée-dragon ressemble à une fable écologique contemporaine. Il nous signale, par-delà les siècles, que la mélusinienne et insolente richesse, la fièvre bâtisseuse, la conquête de la Nature et la fécondité heureuse se paye parfois du prix d'une catastrophe. Il y a des dragons cachés sous les atours de la prospérité.

Le voyageur

Avant de se mettre en route à l'aurore, avant de partir pour un long voyage, avant une séparation difficile ou une courte absence, les Russes prennent l'habitude de s'asseoir quelques secondes en silence. D'où vient cette coutume ? Je n'ai jamais pu le savoir. Je me souviens d'y avoir sacrifié sur la coque d'un canot retourné, un billot de bois, une malle dans un vestibule, une chaise de cuisine. Le sac sur le dos, on n'est pas encore parti, on n'est déjà plus là, on fait la paix en soi, on se prépare à ce qui vient. Ces moments suspendus sont vitaux : parfois, on s'aperçoit qu'on a oublié quelque chose, omis de dire adieu à quelqu'un ou négligé de faire son lacet, qu'on s'apprêtait à prendre la mauvaise direction ! La précipitation est le pire ennemi du voyageur de l'aube... Souvent, lorsque je suis assis à la mode russe, je consacre les quelques secondes de silence à réciter la prière de Des Esseintes, le héros du *À rebours* de Huysmans : « Seigneur, prenez pitié du chrétien qui doute, de l'incrédule qui voudrait croire, du forçat de la vie qui s'embarque seul, dans la nuit, sous un firmament que n'éclairent plus les consolants fanaux du vieil espoir ! » Dans *Yvain,* de Chrétien de Troyes, on trouve un salut joyeux à jeter vers le ciel, les matins de départ. Le chevalier Calogrenant répond à un vilain qui lui demande ce qu'il cherche : « Des aventures, pour mettre à l'épreuve ma vaillance et mon courage. Je te prie maintenant, je t'implore et te supplie, de m'indiquer si tu le peux, quelque aventure ou quelque merveille. » Tout voyageur en instance de chemin, assis sur sa chaise, devrait prononcer ces mots-là. Les Afghans, eux, ne s'asseyent pas lorsqu'ils sont en voyage. Quand ils croisent un pèlerin, ils lui lancent en manière d'encouragement : « Ne sois pas fatigué ! »

L'homme

Le début de l'année 2009 a dû réjouir les esprits binaires. Dès les premiers jours de l'an neuf les événements nous sommaient de choisir : Gaza ou Tel-Aviv ? Royal ou Aubry ? Obama ou les conservateurs ? Davos ou le Brésil ? Et si les lignes ne passaient pas là où les manichéens veulent nous faire croire qu'elles fusent ? Et si le tracé des murs empruntait des sinuosités plus subtiles que les fossés censés séparer les camps ? Et si les frontières entre les groupes étaient moins tranchantes que les lames des poignards qu'on plante en leurs noms ? Mario Vargas Llosa formule ce refus de disposer des hommes comme des insectes dans la boîte de classification et de disséquer l'humanité en catégories figées. Dans sa préface au roman *Tirant le Blanc* écrit par Joanot Martorell à la fin du XVe siècle, le Péruvien décrit le chevalier européen comme « un homme qui ne reconnaît d'autres frontières entre les êtres humains que celles qui séparent l'honneur du déshonneur, la beauté de la laideur, le courage de la lâcheté ».

Mai 2009

Mondialisation ?

En Algérie, des Chinois construisent un aqueduc le long de la Transsaharienne pour alimenter Tamanrasset. L'eau, pompée dans la nappe fossile de la région d'In Salah, parcourra 750 kilomètres et pulsera un million de mètres cubes par jour. Officiellement ce gros œuvre est destiné aux habitants de la région mais l'eau approvisionnera aussi les compagnies aurifères australiennes installées dans le secteur. Les grands Hommes bleus regardent avec impassibilité les petits hommes jaunes occupés à souder des tubes par 45 °C à l'ombre et s'amusent, le soir, au coin du feu, sous les étoiles sahariennes, à se saluer en disant « *Ni hao, ni hao* ».

Au Yémen, malgré la fierté d'un peuple qui ne rentre qu'à reculons dans la normalisation globale, et en dépit des fiers propos de l'imam Yahya, lequel, il y a cent ans, déclarait que « nous ne goudronnons pas, car le goudron sert aux envahisseurs pour nous coloniser », un envahisseur a réussi à submerger le pays : le plastique. Les sachets jonchent le sol de l'ancien royaume, recouvrant tout – oueds, versants et ruelles – d'un hideux manteau d'Arlequin. Ces morceaux de Cellophane sont les haillons de la modernité. Le Progrès s'immisce dans les vallées reculées, imprime sa marque jusque dans les bastions héroïques, provoquant des effets pervers supérieurs à ses bienfaits. On connaissait la viande sous film transparent, le Yémen prouve qu'on peut mettre un pays sous plastique.

En Oman, le spectacle des navires voguant sur la mer d'Arabie ramène la pensée dans l'Orient de Flaubert. Mais si l'on y regarde d'un peu plus près, on s'aperçoit que boutres et sambouks d'aujourd'hui, dont la forme est identique à celle des bateaux que connut Monfreid, sont construits en fibre de verre et moulés dans des ateliers des Émirats arabes unis. À bord, en lieu et place des esclaves somaliens : des Bengalis venus de Chittagong ou de Dacca s'affairent à ravauder les filets. Ils sont là pour trois ou quatre ans et ne reverront leur pays qu'en rentrant chez eux, salaire en poche. Ils sont les représentants de ce nouveau prolétariat mondial qui traverse les océans et offre ses muscles aux labeurs les plus ingrats, dans les pires conditions, pour une poignée de roupies.

Au Yémen, un Allemand d'origine somalienne, responsable de la conservation des immeubles de pisé de la ville de Shibam, explique que, la veille au soir, un fanatique musulman a commis un attentat-suicide tuant quatre Sud-Coréens venus en touristes admirer le coucher de soleil sur la « Manhattan du désert ».

À Salalah, ville portuaire de la province du Dhofar, au sud du Sultanat d'Oman, un couple de Biélorusses originaires de Minsk chantent des airs de crooners américains pour égayer l'atmosphère sinistre du bar de l'hôtel qui les emploie. Après leur prestation, ils confient qu'ils ont moins de mal à obtenir les visas pour les pays du Golfe que pour l'Europe de Schengen et font depuis six ans la tournée des grands établissements de la péninsule Arabique. Les riches pétroliers, de Dubaï à Mascate, apprécient la blondeur d'Irina.

En plein désert d'Oman, des propriétaires de chameaux ont organisé une course pour mesurer la valeur de leurs bêtes. Mais pour éviter le danger d'une chute aux enfants qui, traditionnellement, jouaient le rôle de jockeys, on installe sur le dos des chameaux des robots radiocommandés dont le moteur actionne une cravache qui fouette les croupes. Dans leur pick-up Toyota, les Bédouins surexcités suivent la course pied au plancher et actionnent leurs télécommandes *made in China* en hurlant.

À Al-Mokalla, port de pêche sis sur l'antique route de l'encens, dans la province de l'Hadramaout yéménite, un homme d'affaires indonésien descendu dans l'hôtel Holiday Inn qui appartient à la famille de Ben Laden passe la soirée devant sa télévision où se trémoussent les Indiennes de Bollywood. Pendant ce temps, dehors, voilées de noir, des réfugiées somaliennes qui campent dans les tentes du UNHCR font la manche auprès de Yéménites qui continuent à appeler les Noirs « les esclaves ».

Toutes ces anecdotes, ces choses vues, ces instantanés saisis au gré d'un rapide voyage attestent de la globalisation du monde. Le processus de rétrécissement de la planète a gagné en magnitude et en spectaculaire. La pression démographique et l'explosion des transports modernes rendent la manifestation du phénomène plus criante, plus désordonnée, plus angoissante. Mais s'agit-il vraiment d'une nouvelle tendance ? Braudel, dans sa *Grammaire des civilisations*, parue en 1963, brossait ainsi le tableau de l'économie mondiale du IXe siècle, au temps du rayonnement des califats arabes : « *Capitalisme*, le mot n'est pas tellement anachronique. D'un bout à l'autre du domaine planétaire de l'Islam, la spéculation sur les marchandises n'a pour ainsi dire plus de limites. Un auteur arabe, Hairiri, fait dire à un négociant : "Je veux porter du safran persan à la Chine, où j'ai entendu dire qu'il a un grand prix et ensuite de la porcelaine de Chine dans la Grèce, du brocart grec dans l'Inde, de l'acier indien à Alep, du verre d'Alep dans le Yémen et des étoffes rayées du Yémen en Perse." » Rien de nouveau sous le soleil !

Juin 2009

Rimbaud Warrior

Aden, sud du Yémen, mois de mars. Quelques semaines avant que le bateau *Tanit* ne se fasse capturer par les pirates puis secourir par la Marine française, j'avise un voilier battant joyeusement pavillon tricolore. Il mouille dans les eaux du port, près de Steamer Point, à l'extrémité de la ville. Le skipper, E…, revient d'un tour du monde de treize ans. Il a gagné Aden sous l'escorte du *Floréal*, une frégate française qui lutte contre la piraterie au large des côtes de la Somalie. Moi : « Vous êtes venu à Aden pour le souvenir de Rimbaud, de Monfreid ou de Nizan ? » Lui : « Pour le gasoil. »

Bouillie pour chats

Dans un journal, je découpe cette publicité vantant les mérites d'un énorme 4 × 4 urbain (diablement utile pour guéer les oueds du sixième arrondissement ou négocier les zones de dunes de l'autoroute A1). Le slogan dit ceci : « Maximiser le positif, minimiser le négatif, humaniser la mobilité ». Non contents de nous fourguer leurs horreurs, ils nous parlent une langue de débiles mentaux.

Du temps à perdre

Un écrivain à la télévision raconte ses souvenirs. Et d'expliquer que le moment qu'il préfère c'est « demain ». Drôle de penchant que de sacrifier la joie de vivre l'instant sur l'autel de ce qui n'est pas encore advenu ! Moi, c'est le présent qui me galvanise et l'avenir que je méprise. Et je vais, répétant comme un mantra tibétain ce vers de Pindare (*Odes pythiques*) : « N'aspire pas ô mon âme à la vie éternelle, mais épuise le champ des possibles. »

Moulins à vent

Un sous-directeur du ministère des Affaires étrangères a déclaré que « c'était scandaleux de baptiser un lycée du nom de Jacques Prévert car il était alcoolique ». Quelques jours plus tard, la régie du métro parisien gomme sur une affiche la pipe de l'immortel Monsieur Hulot de Jacques Tati et la remplace par un petit moulin à vent de plastique. Peu après, sur une liste diplomatique, je lis : « Mademoiselle XX, professeure agrégée ». Trois anecdotes insignifiantes mais qui révèlent la même chose : cette obstination du personnel administratif à se tromper de combat. Leur opiniâtreté à croire qu'on change les choses en changeant les détails, les noms, les orthographes. L'obsession de maquiller la façade.

Panache du crabe

Au Yémen, à nouveau. Les crabes font la loi sur la plage. Ils vaquent sur l'estran et regagnent leur trou creusé dans le sable à la moindre alerte. Parfois cependant on réussit à couper la retraite à l'un d'eux. La petite bête cinquante fois moins grosse que vous se dresse alors sur ses pattes et fait face, pinces ouvertes, prête à l'attaque, jouant le tout pour le tout. On sent alors monter en soi une tendresse infinie devant l'animalcule qui ne doute de rien, manifeste un courage de samouraï et se prépare plein de rage à un combat perdu d'avance, exprimant en trépignant sa noble indifférence à l'inégalité du rapport de force.

Deux poids, deux mesures

Sur les fenêtres des wagons du métro parisien cette consigne : « Préparer ma sortie facilite ma descente. » Au centre culturel français d'Aden, cette pancarte qui accueille le visiteur : « Il est interdit de mâcher du qat. Il faut déposer vos armes et munitions chez le gardien. »

La différence ? Ici, l'hospice de vieillards, là-bas, une terre d'aventure.

Une question

Au paradis, combien de pages vierges attendent l'écrivain fanatique ?

L'éternel retour

Trente tortues vertes ont éclos sur une plage d'Oman. Elles doivent ramper 50 mètres pour gagner l'océan. La plage est une arène romaine. Les crabes, les renards et les oiseaux en sont les fauves. Dix touristes contemplent ce spectacle digne de l'antique. Les efforts inouïs des petites bêtes illustrent le combat pour la vie. Un scientifique explique qu'« il faut résister à la tentation de les aider en les transportant jusqu'à l'eau à la main. En franchissant la plage, elles risquent la mort, mais elles prennent les repères magnétiques qui leur permettront de revenir pondre leurs œufs au même endroit. Si on les jette aux vagues directement, la lignée s'éteindra ». Aider les autres malgré eux tue.

La spirale

Dans la falaise d'un oued yéménite, je trouve une ammonite précambrienne. Elle rejoindra ma collection. J'aime les spirales : les nébuleuses, les escargots, les soleils de Van Gogh, les toupies, l'eau qui coule dans la vidange. Parfois je regarde longuement mes ammonites sur l'étagère, bouleversé qu'un être ait vécu dans une de ces carapaces venues du fond des âges. Jünger dans son journal, à la date du 10 mai 1945, parlant des fossiles : « Un jour, nous saurons que nous nous sommes connus. » J'ai presque hâte.

Juillet 2009

Un séjour avec les chasseurs alpins du 27ᵉ BCA dans la région de la Kapissa afghane.

Visions

Lors d'une patrouille de nuit à l'entrée d'une vallée tenue par les insurgés, j'ai l'occasion d'essayer le matériel de vision nocturne des fantassins français. Nous coiffons nos casques de lunettes infrarouges qui nous permettent d'y voir comme en plein jour – mais en un jour verdâtre, aqueux, baigné d'une lumière d'aquarium chinois. Nous progressons silencieusement vers le lit d'une rivière dont les talibans se servent pour s'infiltrer près des positions de la Coalition. La marche est rendue difficile par l'architecture des cultures afghanes : il faut franchir les murets qui soutiennent les terrasses, progresser sur les rebords des champs, sauter les fossés d'irrigation. Parfois, les soldats relèvent leurs lentilles et scrutent la nuit, les yeux écarquillés. Lorsque je passe près d'eux, sans débrancher mon système de vision, je distingue parfaitement les visages hagards de mes camarades, leurs pupilles dilatées ; je m'approche à quelques centimètres, sans être vu. C'est une très étrange sensation et l'on pense à la cohabitation du monde sensible avec les arrière-plans.

147

Des spectres, des êtres incorporels, des entités vibrant à des fréquences situées bien au-delà de l'infrarouge peuplent peut-être notre propre monde. Et peut-être nous frôlent-ils et nous observent-ils nuit et jour sans que nous n'en sachions rien. Dans les champs de seigle de Kapissa, sous le nez des soldats de la section de combat, je me suis pris, pendant quelques secondes, pour un visiteur d'outre-tombe, en visite dans les cercles d'en haut...

Goût

Lorsque les deux hélicoptères américains Chinooks décollent de la base, il est trois heures et demie du matin. À bord, une trentaine d'hommes : une section de chasseurs alpins et des légionnaires du Génie dont la mission est de détruire une bombe nord-américaine de 250 kilogrammes qui gît, non explosée, sur des replis granitiques parcourus par des bergers. Il ne faut pas que les insurgés s'emparent de l'engin. Les hélicoptères posent les soldats et disparaissent dans le fracas des turbines. Nous prenons position derrière un relief pour attendre le jour. Le calme revient. Aussitôt, les parfums de l'asphodèle et des cytises en fleur affluent, entêtants. L'odeur de l'Asie centrale envahit l'obscurité. C'est ce goût mentholé et doucereux qui emplit toute l'atmosphère du Turkestan, des monts Célestes au Séistan. Cette nuit, il aura fallu que le silence se fasse et que chacun se tienne immobile à son poste pour bien le percevoir.

Bruits

Un membre du « groupement commando montagne » s'entraîne au tir dans la base de Tagab. Pendant une heure, il vide des chargeurs de 5.56, des bandes de 7.62 et des rubans de plus gros calibre avec la 12.7 de son véhicule blindé. Encore quelques coups au pistolet

Glock puis c'est l'heure d'aller se coucher. Un grillon stridule sous une poutre du baraquement. Le soldat : « Je ne vais pas pouvoir dormir avec ce boucan ! »

Pensées

Au sommet de la montagne schisteuse qui surplombe la base de combat et que des soldats roumains ont coiffé de leur drapeau tricolore, un jeune capitaine, adjoint du chef de la compagnie de chasseurs alpins contemple la vallée de Kapissa. À l'horizon, les sommets sont des diamants interdits : tant que le pays ne sera pas pacifié, l'alpinisme en Afghanistan demeurera une affaire de frustration. Des talus de rocaille s'enracinent dans des glacis arides qui s'amollissent jusqu'à la ligne de pente d'une auge glaciaire cultivée par la patience afghane. La rivière sinue en courbes très vives, pareilles aux torsions du serpent blessé. Le capitaine pointe le paysage du doigt. « Ici, au pied de l'escarpement, trois soldats de l'armée nationale afghane sont morts ; ici, un Hummer américain a sauté ; là-bas c'est l'endroit où l'un de mes amis a pris une balle dans la tête. » Lorsque l'on contemple un paysage à travers le calque des souvenirs, on pratique la « géographie intérieure ». Dans une ville, chacun d'entre nous possède une cartographie tissée sur le métier de sa propre expérience. Il y a la *géographie affective* (la carte des appartements des êtres aimés), la *géographie amicale* (la localisation des endroits où l'on sera toujours reçu pour vider un verre ou enterrer un remords), la *géographie d'enfance* (la constellation des lieux où l'incroyable intérêt du monde extérieur nous est apparu violemment). Le capitaine, lui, me déroulait devant les yeux la carte de sa *géographie tragique*.

Odeur

Exercices à l'armement léger sur le pas de tir. Les Famas, les « Minimis », les Glock des commandos fument. Il règne la joyeuse excitation du déchaînement des forces. Les douilles brûlantes pleuvent. Les voyageurs ressemblent aux projectiles. Ils tiennent serrée, contenue, bridée en eux leur réserve d'énergie. Soudain, un choc met le feu aux poudres et ils fusent, droit devant, jusqu'à ce qu'un coup du sort, une lassitude ou le sentiment d'accomplissement ne leur imposent la halte. De Paul Morand dans *Le Voyage* : « Partir, ce rêve de tout projectile. »

Le vagabond sent toujours le soufre.

Août 2009

Une attitude

Un écrivain, le jour de son arrivée en Inde, se désha-billa sur une plage pour plonger dans les vagues, revint sur le sable, se rendit compte qu'on l'avait dévalisé et loua alors les dieux d'éprouver sa capacité à la bienheureuse indifférence. Il faut se mettre à l'école de l'acceptation du sort, de l'*amor fati* nietzschéen ou du désabusement pyrrhonien. Dans *L'Art de la guerre*, Sun Tzu nous persuade que tout ce qui nous advient – en bien ou en mal – n'est qu'une poussière dans la roue de la destinée : « Sur les cinq éléments, aucun ne prédomine constamment ; sur les quatre saisons, aucune ne dure éternellement ; parmi les jours, les uns sont longs et les autres courts ; et la lune croît et décroît. » En afghan, pour signifier cela, on dit : « *Inizme gozarat* », tout passe !

Un chantier

L'homme moderne apporte un soin inouï à son logis. Un trajet à travers une banlieue pavillonnaire le confirme. Jardins et maisonnettes s'alignent, offrant le spectacle de haies taillées, de gazons rasés, de nains de jardin briqués, de rideaux tirés. Faisons un rêve :

les hommes s'occuperaient de la Terre comme de leurs intérieurs, et voueraient l'énergie consacrée à l'entretien de leur *home sweet home* à conserver les espaces naturels. L'une des causes de la crise écologique réside dans le second terme de la formule de l'anarchiste Babeuf : « Les fruits sont à tout le monde, la terre à personne. » (Olivier Besancenot, lui, a professé un slogan encore plus monstrueux : « *tout est à nous* »)... Babeuf croyait que l'interdiction de s'approprier l'espace amènerait les hommes à le mieux protéger. Son angélisme lui occultait que les copropriétaires d'un immeuble négligent davantage les parties communes que privatives. Il eût mieux fallu que la superficie de la Terre appartînt tout entière à quelqu'un. Elle aurait été mieux traitée. Filer ainsi la métaphore entre la planète et la résidence domestique n'a rien d'un artifice. D'abord parce que l'écologie est la « science de l'habitat ». Ensuite parce que l'écologie commence chez soi. C'est Christine Brusson qui le professe dans *La Maison en chantier* (Éditions des Équateurs). Cette héritière d'esprit des Compagnons édifie une philosophie légère des gravats et de la truelle, maillant sa réflexion de conseils techniques (ce qui ne gâche rien). Insistant sur la puissante satisfaction de se savoir en vie dans l'endroit qu'on a bâti, elle expose la dimension écologique des heures de chantier. Le bâtisseur est soucieux de la noblesse des matériaux, entretient un rapport charnel à la matière et spirituel au temps, opte pour la simplicité, arrache sa vie à la laideur du monde, tire sur le spectacle d'une société bruyante le rideau de la solitude et, refusant les diktats d'un système utilitariste, se déclare autonome, libre. Alors, couvert de plâtre et empestant la colle, l'artisan se découvre heureux. On referme ce livre en se disant que la Terre, cette « maison en chantier », gagnerait à avoir pareils contremaîtres.

Une technique

Nietzsche dans *Le Crépuscule des idoles* : « De tout temps, les plus sages ont porté le même jugement sur la vie : *elle ne vaut rien...* Toujours et partout, on a entendu les mêmes accents sortir de leur bouche – des accents chargés de doute, chargés de mélancolie, chargés de lassitude à l'égard de la vie, chargés de résistance envers la vie. » C'est vrai qu'ils commencent à nous fatiguer drôlement, les nostalgiques de tout poil, les sectateurs de l'âge d'or et autres tristes sires qui ne jurent que par le monde passé. Comme ils sont prompts à déplorer la « fin de l'histoire », la « fin de la géographie », la « fin des voyages ». Et prompts aussi à expliquer que la Terre a rendu gorge de ses dernières beautés, que toutes les routes sont goudronnées, toutes les populations globalisées, tous les paysages aménagés et que le monde ne vaut plus qu'on le sillonne ! J'ai un conseil pour ces neurasthéniques. Qu'ils s'intéressent aux insectes ! Lorsqu'on observe ces minuscules sujets avec amour (hannetons, réduves, phasmes, dytiques, fourmis et papillons...) le monde s'agrandit et s'ensauvage aussitôt. À l'échelle des petits êtres, un roncier est une jungle, un ruisseau l'Amazone, un tas de sable le mont Méru.

Un conseil

Jules Renard dans son journal à la date d'avril 1898 : « N'écris que lassé d'observer. » Que de mauvaises pages les écrivains s'épargneraient-ils s'ils gravaient cette maxime dans l'encadrement de leur fenêtre.

Une histoire

Ce militaire au garde-à-vous avec sa section. Il est plongé dans ses tourments. Sa femme ne l'aime plus et lui-même sent bien que la passion s'est envolée. Que faire ? La quitter ? Rester ? Il lui faut prendre une décision, il est incapable de se résoudre. Soudain le hurlement de l'adjudant : « Rompez ! »

Novembre 2009

Permanence des mutations

Sommes-nous dans un monde en mutation ? Pour nous, qui ne croyons pas une nanoseconde aux évolutions des mœurs, ni au Progrès, ni aux *désirs d'avenir*, ni à l'éveil des consciences, ni au prétendu « sens de l'Histoire », ni à la linéarité du temps, ni aux promesses du futur mais préférons la douloureuse et lumineuse consolation de l'éternel recommencement des choses, la théorie d'un « monde en mutation » ressemble à une tarte à la crème tièdement resservie à chaque génération depuis le Magdalénien par des penseurs en mal de pensées (dont les bégaiements, de siècle en siècle, contredisent d'ailleurs l'opinion qu'ils se font du changement) ! Rien ne meurt, rien ne change, mais tout passe.

Sur quoi se fondent-ils, ces analystes clamant que notre temps vit des bouleversements ?

Sur la révolution Internet ? – Mais Internet n'est rien d'autre que l'amélioration poussée à un degré extrême d'un principe existant déjà : celui de l'encyclopédie ou plus exactement de la bibliothèque. Il n'est pas certain que l'invention de l'imprimerie n'entraînât pas dans l'humanité occidentale une onde de choc supérieure à celle provoquée par Internet aujourd'hui autour du monde.

Sur la conquête spatiale ? – Mais les marins d'Henri le Navigateur cinglèrent au XVe siècle vers des latitudes encore plus méconnues que les immensités qui nous séparent de Mars.

Sur l'émergence d'une pensée globale ? – Sentons-nous libres de penser que le bouleversement spirituel planétaire entraîné par la poésie génésique hindoue, la révolutionnaire parole christique ou la doctrine compassionnelle bouddhiste retentissent avec plus d'écho à la surface de la Terre que les analyses des « nouveaux philosophes de la globalité » touillant leur bouillie dans des « hyperlivres ».

Sur l'hégémonie américaine, sur l'expansion du cancer islamiste ? – Mais des espaces comme l'Eurasie n'ont-ils pas déjà été soumis à la loi d'un empire unique, par exemple lorsque la *pax mongolica* s'étendait du Japon à Moscou ?

Sur la révolution nucléaire et la biogénétique ? – Certes il y a là deux sciences dont le projet est la réécriture des lois naturelles (la première se propose de changer la matière en atteignant l'atome, la seconde travaille à réinterpréter et maîtriser les codes du gène). Il pourrait y avoir là l'occasion de vraies mutations, d'une réécriture de notre monde, si nous laissions libre bride aux chercheurs. Mais par frilosité ou par sagesse, nos sociétés préfèrent corseter ces domaines scientifiques derrière les parapets de l'éthique. Pas de mutation de ce côté-là donc (sauf, de temps en temps, une mutation génétique lorsqu'une fuite d'uranium provoque la naissance d'un lapin à cinq pattes ou d'un enfant à trois poumons).

On pourrait multiplier l'énumération de phénomènes passés prouvant que chaque siècle a vécu son content de bouleversements et que chaque génération s'imagine le témoin de mutations inégalées. Les clercs de l'an mil étaient persuadés de l'imminence de la fin du monde. Après tout, le chasseur-cueilleur de la dernière glaciation était en droit lui aussi de se dire que son monde mutait au moment où la révolution néolithique s'apprêtait à faire basculer l'humanité dans l'Histoire. En réalité, rien ne change sous notre soleil.

Rien ? Si, tout de même. En 2008, sur Terre, la proportion d'urbains a atteint celle des ruraux. C'est la première fois que l'espèce humaine est confrontée aux *limites* de la biosphère, la première fois que la dégradation des ressources, le pillage des réserves énergétiques la soumettent à une *échéance*. Le monde est peuplé de sept milliards d'êtres humains avides de consommer ce que la Terre ne peut mathématiquement pas fournir. En 2030, il y en aura neuf. Pendant ce temps les signes avant-coureurs d'un dérèglement naturel aux conséquences insoupçonnables se précisent. La seule mutation, c'est que nous entrons dans l'ère de l'incertitude.

Tintin au Congo

On parle d'interdire la publication du livre d'Hergé. Bien. On préfère injurier le public en le jugeant incapable de distinguer ce qui appartient à la propagande, à l'esprit, aux décombres d'une époque révolue. On ne lui laisse pas l'honneur de discerner soi-même ce qui est faisandé de ce ne l'est pas. L'Hergé des années 1930, conforme à son époque, tenait les Noirs pour des enfants. Ses censeurs nous prennent pour des demeurés.

Vautours

Déforestation, désertification, recul des littoraux, avancée du béton : partout le monde sauvage rend les armes, comme un Vercingétorix chevelu aux pieds du César incarnant la modernité. Pendant ce temps, une marque de vêtements techniques s'illustre en étalant sur les murs ce slogan cynique : « pour la réintroduction de l'homme dans la nature ». À quand l'extinction des pubs dans la ville ?

Le monde que l'on mérite

Autrefois, un rebelle, c'était un voleur de grand chemin qui redistribuait l'argent aux pauvres ou bien une sainte qui levait une armée ou un marquis libertin qui bravait la censure au risque de la prison ou encore un funambule clandestin marchant au-dessus d'une ville monstrueuse. Aujourd'hui, c'est un type qui allume une clope dans un bistro, embrasse une fille sous son masque anti-grippe A, boit trois verres de vin au lieu de deux et démarre sans mettre sa ceinture.

Décembre 2009

Quelle époque hippique !

Tout est politique, même le cheval ! C'est la thèse de
Jean-Louis Gouraud à qui rien de ce qui est équestre
n'est étranger. Dans son livre *Le Cheval, animal politique*, le pape des équidés démontre que le cheval est
un piédestal de chair qui a toujours attiré les hommes
de pouvoir en quête de stature. Selon Hegel, Napoléon
incarnait « l'esprit du monde à cheval », pour Gouraud,
la vanité pousse les grands du monde en selle. Politiquement, analyse finement Gouraud, « les chevaux ont
bon dos ». En témoigne le florilège photographique où
satrapes, despotes dictateurs et présidents se font tirer
le portrait, pied à l'étrier. Au fil des pages, on verra
Hitler, qui craignait les chevaux, manifester devant la
propagandastaffel « son infinie tendresse » en offrant
du sucre à un cheval, du bout des doigts. On appren-
dra que Staline laissa au maréchal Joukov le soin de
mener à cheval le défilé de la victoire de 1945 et que
Benito Mussolini se prenait pour le haut d'une statue
équestre et promenait ses bottes impeccables contre
les flancs étrillés de ses chevaux de parade. On com-
prendra que Vladimir Poutine, monté sur un kirghize,
confond l'exhibition de la puissance de la Russie avec

celle de ses biscotos. On découvrira que le grand Ata-
türk présentait mieux à cheval qu'Erdogan et que Mao
menait sa monture moins cruellement que son peuple.
On s'apercevra devant les photos de Saddam Hussein
et du colonel Kadhafi combien le cheval est précieux
dans le culte arabe de l'apparence. On s'attardera sur
la décontraction de Ben Laden en selle et sur l'image
d'Ariel Sharon rompant avec la vieille suspicion
hébraïque à l'endroit des chevaux. On s'émouvra de
la beauté du cheval de l'empereur Hirohito... À ces
dizaines d'images rares, Gouraud joint une étude sur le
rapport entre l'équitation et la politique. Il cite un texte
de Gustave Le Bon comparant la foule à un cheval et le
dirigeant à un cavalier. L'écuyer Baucher alla plus loin
dans l'allégorie et soutenait que l'avant-main du cheval
(la tête et l'encolure) représentait l'élite cependant que
la puissante croupe incarnait le peuple laborieux. Gouraud explore cette grave question des liens unissant
l'Histoire et le cheval (l'épique et l'hippique) et que
Plutarque, pour sa part, synthétisait ainsi : « L'équitation est ce qu'un jeune prince peut apprendre de mieux
car jamais son cheval ne le flattera. » Il conclut son
ouvrage sur une note dubitative : est-ce bon signe que
l'actuel maître du monde, le président Obama, ne sache
rien de la chose équestre ?

Le temps, ce cheval au galop

La grande angoisse, c'est la fuite du temps. Comment le ralentir ? Le déplacement est une bonne
technique, sous toutes ses formes : l'alpinisme, la navigation, la marche à pied, la chevauchée. En route, les
heures ralentissent parce que le corps est à la peine.
Elles s'épaississent parce que l'expérience s'enrichit
de découvertes inédites. Le voyage piège le temps.

Morand, dans *Éloge du repos* : « Voyager c'est demander d'un coup à la distance ce que le temps ne pourrait nous donner que peu à peu. »

L'étude silencieuse, solitaire, la nuit, est un densifiant de la durée : les heures enrichissent leur substance, le temps s'étire. La fumée du cigare, le reflet de la lampe, le crissement du crayon attestent de leur murmure la dilatation du temps. Jünger aimait travailler devant des sabliers : « On pouvait voir dans ce monticule d'instants perdus, un signe consolant de ce que le temps s'enfuit sans disparaître. Il s'enrichit des profondeurs » (*Le Traité du sablier*). La prise de notes quotidienne a grande valeur dans ce combat. On écrit ce que l'on a fait, ce que l'on a éprouvé au long du jour et l'on triomphe du désagrégement des pensées et des actes. Archiver sa vie c'est vaincre le néant. Le secret est de ne pas se projeter en dehors de l'instant vécu. Les nostalgiques se penchent au balcon du passé. Les dynamiques se tendent vers le lendemain. Pendant ce temps, le temps se passe d'eux. Maintenir l'aiguille sismographique de sa conscience et de sa sensibilité dans l'intervalle de *l'instant présent* permet d'en éprouver, d'en accueillir toute la valeur. « Faire l'expérience de l'infini dans la finitude de l'instant », disait le sage japonais. Vivre *hic et nunc*, en somme. Avec, en prime, la certitude stoïcienne que chaque instant vécu pourrait être le dernier. La répétition de petits actes quotidiens apaise la douloureuse conscience de la fuite des jours. Il s'agit par exemple de courir une heure chaque matin ou de répéter la même promenade toute sa vie, à heure fixe, à la manière de Kant, bref de s'enraciner dans un rituel qui dispense un bonheur limité mais fidèle à sa promesse.

Février 2010

Nécessité de la main

Les autorités sanitaires préconisent d'arborer sur le revers de sa veste un badge frappé d'un slogan invitant nos interlocuteurs à un salut de la main afin d'éviter « les contacts directs » et la transmission des pandémies. L'État se préoccupe de nous, l'intention est aimable – merci. Symboliquement, cette campagne relève du penchant de notre monde moderne à dématérialiser les relations entre les êtres. Nous ne nous écrivons presque plus de lettres, le *sms* et la conversation téléphonique représentent l'essentiel de nos entretiens, le virtuel triomphe, les écrans ont pris le pouvoir. Et soudain, la poignée de main est menacée ! Elle trahissait l'archaïque souci de *prendre contact* avec l'autre en lui touchant la paume (topons là !) doublé du besoin immémorial de manifester ses pacifiques intentions. Plus de poignées de main, bientôt plus de baisers : *Noli me tangere,* camarades ! L'expression « Ne pas toucher » est pourtant une injonction de boutiquier soucieux de sa camelote. L'appliquer à l'homme, c'est faire l'aveu que le monde est devenu un supermarché. Comment croire que les cœurs continueront à être touchés par quoi que ce soit si les mains n'ont plus le droit de toucher à rien ? Heureusement, il y a résistance. Des irréductibles savent que la main est faite pour empoigner la vie et non pour distribuer de mesquins petits *Hi !* en agitant les doigts comme on se débarrasse des mouches.

Les grimpeurs de rochers n'ont pas peur, eux, d'étreindre le réel. C'est qu'ils ont la vie au bout des doigts ! Leur joie quand ils trouvent une prise solide ! L'escalade est l'hommage que la fragilité de la chair rend à l'impavidité de la pierre et celui que les grimpeurs rendent à la main. Regardons-les s'élever : leur main se tend vers la prise, les doigts furètent, palpent le rocher et soudain trouvent la réglette. Ils s'y crispent, ils « arquent », comme on dit dans le jargon. Sauvés ! C'est à croire qu'à l'extrémité de la pulpe digitale, de minuscules yeux, pareils à ceux de l'huître, scrutent les aspérités. Grâce à Claudel, on savait que l'œil écoutait. Et si la main voyait ? Pelotez le grès de Fontainebleau, ou celui d'Angkor dans lequel les sculpteurs accouchèrent des *apsaras* : il est aussi doux que la peau des pêches. Passez la paume sur le granit de Bretagne ou du Sidobre : son âpreté rappelle les viscosités du magma avant les refroidissements telluriques. Caressez les parapets de calcaire : les moellons comme les fruits se gorgent de soleil et restituent l'énergie photonique. Dans les églises, les académies ou sous les coupoles des sociétés savantes, promenez vos doigts sur les murs : les pierres en ont tant entendu, elles ont absorbé de si beaux discours, on sent frémir leur mémoire !

Modeste contribution au débat

Être français, c'est vivre dans un paradis peuplé de gens qui se croient en enfer.

Début d'argumentation contre la chasse au gros gibier

Moi, cela ne me gêne pas que des êtres plus nobles, plus beaux, mieux découplés et plus puissants que nous vaquent en liberté dans les sous-bois.

Maxime pour les jours solitaires

« L'homme obligé de renoncer aux habitudes de ses contemporains pour parvenir à être heureux ressemble à celui qui, à cette fin, a recours à l'opium. » C'est par cette phrase que Stevenson commence son essai critique sur H.D. Thoreau intitulé *Un roi barbare* (Éditions Finitude). Voilà, pour se garder de tout orgueil, une belle sentence à graver au couteau sur le fronton de sa cabane le jour où l'on décide de vivre en ermite dans les bois. Afin de se rappeler que toute tour d'ivoire est un paradis artificiel.

Réflexions sous le sapin de Noël

Avoir fait de l'anniversaire de la naissance de l'homme qui nous a enjoints de nous débarrasser de nos biens et de partir sur les routes à la recherche de l'amour, une fête où l'on s'ensevelit les uns les autres sous un tombereau de cadeaux dans la chaleur du foyer familial, c'est l'un des plus habiles détournements de message de l'histoire de l'Occident.

Une pensée en passant dans une auberge helvète

Je n'aime pas les coucous suisses parce que avoir fait de l'oiseau un comptable est une insulte à la Nature.

Mars 2010

Gens

Dersou Ouzala, le chasseur de l'Extrême-Orient russe, immortalisé par l'écrivain russe Vladimir Arséniev, appelait les bêtes de la forêt des « gens ». Ses compagnons russes se moquaient : « Quoi ? Des *gens,* ces loups, ces ours et ces chevrotins ? » Le petit homme de la taïga voyait un individu dans la bête ; les Cosaques orthodoxes n'y voyaient qu'une proie. Pour Dersou, chaque animal est une *personne* et non l'élément indifférencié d'un ensemble statistique. Nous-mêmes, à part au moment où nous prodiguons nos caresses à nos chiens et nos chats, quand tenons-nous les bêtes pour des personnes ? Même le plus vertueux des écologistes soutiendra que la mort des bêtes n'est pas une tragédie si l'avenir de l'espèce n'est pas menacé et l'équilibre des populations animales préservé. Penser ainsi reviendrait à dire que les centaines de milliers de morts d'Haïti ne pèsent pas grand-chose puisque d'autres centaines de milliers d'humains sont nés dans les mois suivant le séisme.

Monstre

Est-ce un monstre celui qui avoue que la mort de son chat bien aimé l'affecte davantage que celle de milliers de ses semblables, inconnus, sous les décombres de Port-au-Prince ? Ce qu'on lui reprochera alors, ce n'est pas de hiérarchiser les destinataires de sa peine, ni d'afficher son indifférence à l'égard d'une souffrance lointaine et abstraite, ni de soutenir que la mort d'un seul être peut chagriner davantage que celle de milliers d'autres. Non ! le crime qui lui sera retenu c'est de mettre sur le pied d'égalité affectif l'homme et la bête.

Œil

Colonnes de fourmis. Elles ruissellent du monticule d'aiguilles de pins. Les écheveaux mouvants ondulent comme des cheveux sur la tête d'une gorgone. Je contemple cet écoulement de vie hors de la matrice. Les longues et inquiètes coulées mercurielles hérissées d'antennes se dispersent en faisceaux. Que se disent les fourmis ? Qu'espèrent-elles ? Sont-elles animées, simplement programmées ? Ont-elles connaissance de cette masse qui les regarde, fascinée ? Y a-t-il pareillement au-dessus de moi-même, au moment où je les observe, un œil qui me scrute, sans que je le perçoive ? En fait, nous ne savons rien. Nous ne savons même pas si un jour nous saurons enfin.

Droits

Je suis pour une déclaration des droits de l'animal qui leur garantirait de ne pas disparaître, de n'être pas tués sans raison, ni atteints dans leur intégrité physique. Les contradicteurs répondront que doter les animaux de droits dont ils n'ont même pas idée est paradoxal et revient à les maintenir sous la tutelle qu'une pareille déclaration prétendait abolir. Ils ironiseront sur l'interventionnisme de ceux qui prétendent protéger les êtres malgré eux. Ils diront qu'il faut imposer à l'homme des devoirs de respect envers les bêtes au lieu d'exiger des droits pour celles-ci. On répondra que les nourrissons, les vieillards séniles et les débiles mentaux sont protégés par des droits qu'ils ignorent. L'état de souffrance dans lequel nous maintenons les bêtes dure depuis si longtemps qu'il est temps de faire feu de tout bois : des droits pour les uns, des devoirs pour les autres, des lois, des règles, des actes. Afin que cesse la guerre de l'homme contre le *Vivant*.

Avril 2010

Sur la chasse

Il y avait le trappeur du Grand Nord, pistant le cervidé dans le silence des bois par des températures mortelles alors que les aurores boréales irradient dans le ciel leurs tourments. Celui-là, je l'admire. Il y avait le Masaï, marchant vers le lion, sagaie au poing, le feu du sang aux joues, allant vers son destin, vers la gloire ou la mort, sous un soleil indifférent. Celui-là, je le contemple, fasciné. Il y avait le Sibérien traquant l'ours et le tirant au fusil à un coup et sachant que, de lui ou de la bête, l'un des deux serait mort après la détonation. Celui-là, je le salue.

Mais il y a ces chasseurs « sportifs » qui font de la chasse un loisir, partent tirer le sanglier le dimanche, vident les forêts, les savanes, collectionnent les trophées, gonflent les listes des espèces en voie de disparition, déclarent la guerre au règne animal et, par-dessus tout, vous servent la soupe infâme d'un discours où il est question de régulation d'espaces (déjà totalement dénaturés), de beauté du geste, d'amour des traditions, et de renouement avec le sentiment tragique de la vie et la proximité de la mort. Comme si plomber le cul des canards permettait de lutter

168

contre l'affadissement culturel de la société, comme si exploser la tête des biches faisait de vous l'héritier d'un héros grec. On n'est pas Prométhée parce qu'on farcit les bécasses ! « Certains hommes doivent faire souffrir d'autres êtres pour moins sentir la douleur en eux-mêmes », écrit Gérard Donovan à propos des chasseurs, dans le roman *Julius Winsome*, où il met en scène un ermite des bois attaché à la nature par de profonds liens (Éditions du Seuil). L'autre jour, j'essayais de traduire cette phrase à Sergu, un ami russe, garde d'une réserve naturelle qui s'étend sur les flancs du lac Baïkal. Il me confiait que, sans ses efforts pour prémunir la réserve des raids des chasseurs, « elle deviendrait bientôt un désert ». Il me racontait aussi que, l'an passé, le gouverneur d'Irkoutsk trouva la mort dans un accident d'hélicoptère. L'homme chassait l'ours, du ciel, par la portière de l'appareil. Le pilote perdit le contrôle et écrasa la machine contre un versant de la montagne. Aucun des passagers ne survécut. Ah ! Il fut joyeux le toast de vodka que nous portâmes, Serguïe et moi, aux ours que nous imaginions danser la polka autour du brasier d'un MI8 affrété par des hommes qui n'ont qu'une volée de plomb à offrir à la grandeur du monde.

Éloge de l'infiniment petit

Pour qui aime les notions d'unité, d'harmonie, de totalité et d'indifférencié, les bactéries et les micro-organismes, les entités monocellulaires sont dignes de fascination. Rien ne s'est spécialisé en eux. Toutes leurs fonctions sont réduites, précipitées dans l'infinie simplicité de leur être monomorphe. Pas d'organes, pas de membres, rien qui soit une dérivation, une dispersion ou une extension du principe premier.

Si j'étais animiste, je vouerais un culte à ces êtres microscopiques qui semblent contenir en eux toute l'équation du vivant avant que les forces biologiques ne se lancent dans l'exploration des diverses pistes évolutives. Le serpent, déjà très évolué par rapport à eux, partage cette simplicité. Il fait l'économie des membres, il se réduit à une forme parfaite. Sur les bords du Baïkal, on trouve des gens qui savent ce qu'ils doivent aux bactéries. Ce sont elles qui nettoient le lac de ses impuretés. Sans leur œuvre invisible, les eaux baïkaliennes n'auraient pas cette propreté légendaire. Le plus petit être vivant vient ainsi au secours de la plus grande réserve d'eau douce libre du monde.

En partant

Ce moment où l'avion s'arrache du sol. On vient de quitter pour de longs mois les êtres que l'on aime. Les *terminaux* des aéroports sont des endroits qui portent bien leurs noms : les histoires s'y achèvent, chaque départ est une petite mort. Et l'on songe alors que Barentsz avait raison : il choisissait ses équipages en fonction d'une règle immuable. Il refusait les hommes mariés ou fiancés, sachant ainsi que les embarquements seraient moins douloureux et les retours moins impérieux.

Cabane dans les bois

Je gagne une petite cabane dans les taïgas de Sibérie. Je veux y passer en ermite quelques mois. Morand disait que le voyage, c'est demander à l'espace ce que le temps ne peut vous apporter. Moi, je viens demander à la distance physique ce que la hauteur morale ne peut m'offrir.

Falaise

Pas loin de mon ermitage, il y a une paroi abrupte. Je viens passer quelques heures sur son bord deux ou trois fois par semaines. Et je me dis que bien des désespérés s'approchent des hautes falaises afin de prendre du recul.

Une coutume

En arrivant dans une maison où l'on emménage, les Russes de Sibérie recommandent de jeter quelques bouteilles de vodka pleines dans la neige. On sera heureux de les retrouver au printemps, à la fonte. Les goulots pointeront, annonciateurs des longs jours, telles des fleurs de la belle saison. On pourra alors vider la bouteille à la gloire de l'éternel retour. Qui a dit que les Russes étaient imprévoyants ?

Mai 2010

La Nature

Il est entendu que la technique n'a fait, en bien des cas, que s'inspirer de la Nature. Il y a même une science, la bionique, chargée d'étudier ce que les géniales prouesses de l'Évolution peuvent apporter aux recherches. On sait que les combinaisons de plongée s'inspirent des structures de pores de la peau du requin, que bien des concepteurs d'avions ont louché sur les compétences aviaires de l'albatros, que les écholocations de la chauve-souris ont donné à réfléchir à beaucoup de concepteurs de radars et que plus d'un génie a dû recevoir l'intuition du vol de l'hélicoptère en contemplant la délicate chute en spirale des fruits du tilleul à l'automne. Même les artistes reconnaissent que toutes les formes sont dans la Nature. La spirale ? C'est l'ammonite qui l'incarne le mieux. La colonne ? Les stalactites en architecturent de splendides. Le triangle ? Il en est de naturels pour lesquels on se damnerait. La sphère ? Les salmonidés en pondent de parfaites. Mais il est quelque chose de plus mystérieux que la présence de ces méthodes, de ces dessins, de ces structures que les hommes croient inventer alors qu'ils sont contenus dans le poème de

172

l'univers. Même les images psychédéliques que l'on pense jaillies de notre conscience enivrée ou altérée se retrouvent dans les motifs naturels. Je m'en faisais la réflexion en marchant cinq jours durant, sur la glace du lac Baïkal. Épaisse de près de 1,20 mètre, elle est feuilletée de fractures et de fissures qui se rétractent, se rejoignent et s'écartent à nouveau en un réseau d'écheveau nerveux. La glace se convulse et sa surface où se propagent les radiales fait penser à ces vitres constellées de coups de marteau. Ces millions de stries dessinent des nœuds qui ressemblent aux agrandissements des tissus neuronaux ou aux représentations des champs de poussière stellaire. L'image de ces fibres se déploie en d'hallucinantes volutes psychédéliques. Sans drogue, sans vin, sans substance, la tête s'accorde aux dimensions de l'univers. Le monde laisse entrevoir une écriture inconnue. Les reflets optiques de la glace défilent, comme sortis d'une fumée d'opium. En plus d'avoir tout inventé techniquement et artistiquement, la Nature ne nous laisse même pas la consolation de pouvoir projeter des images inédites sur l'écran de notre psyché.

Juin 2010

Un trou dans l'urne

Je suis en Russie. Nous avons débouché une bouteille de vodka au poivre et au miel, recette imaginée selon le principe héraclitéen de la conjonction des contraires, m'assure le pope qui me sert. La conversation roule sur les élections avant que nous-mêmes ne roulions sous la table. Il paraît que les Français n'ont pas beaucoup voté aux dernières régionales. J'avoue à mes interlocuteurs que j'ignorais qu'il se tenait des élections. On se récrie, on me donne du « traître à la patrie », on me traite d'irresponsable. On me raconte même cette vieille blague de l'époque soviétique : « Les apparatchiks communistes proposent un référendum au peuple. Question : êtes-vous oui ou non pour un trou dans l'urne ? » L'abstention, en France comme en Russie, est tenue par les esprits sérieux pour un des grands maux de nos sociétés. Les temps changent. Furent des époques où s'abstenir était une vertu. Les stoïciens recommandaient de ne jamais se prononcer, de ne pas juger, de ne point laisser les scories charriées par le flot de la vie quotidienne vous entacher le pelage. Sénèque en fait l'un des principes de sa *Vie heureuse*. Épictète tient la capacité d'acceptation de toute chose pour l'une des plus belles conquêtes

174

du sage. Jean Climaque dans son *Échelle* conseille le « silence des lèvres ». Les ermites de l'Égypte chrétienne dans les pas de saint Antoine enduraient les pires privations au cœur des déserts de Thébaïde, du Sinaï ou du Wadi an-Natrun pour atteindre à l'*Hésychia*, cette bienheureuse tranquillité de l'âme et du cœur qui oppose au tumulte du monde l'indifférence à tout ce qui peut advenir. Les moines chinois firent du détachement le principe de la philosophie du non-agir. Qu'importent les élections à l'ermite assis au bord de la falaise qui attend son ami pour partager un poisson et boire une tasse de thé ? Même les adeptes libertins du tao de l'art d'aimer savaient que la retenue est le plus sûr chemin vers l'absolu plaisir. Bref, comment reprocher à nos concitoyens de n'avoir pas mis leur bulletin dans l'urne alors qu'il y a tant d'autres choses à mettre : ses chaussures de marche, ses skis, un mousqueton dans le spit, un cierge devant l'icône, du grain pour l'oiseau au bord de la fenêtre, l'écoute du foc sur le winch, sa tournée, un billet d'amour dans la boîte aux lettres de celle que l'on aime, le nez au vent, les voiles, les bouts, de la musique. C'est-à-dire, comme Nietzsche l'écrivait : « mettre entre soi et l'époque l'épaisseur de trois siècles ».

L'or des livres

Les livres sont des rivières aurifères. La lecture est le tamis qui permet de remonter les pépites. En voici quelques-unes trouvées ce mois-ci.

Dans le *Robinson Crusoé* de Defoe, le discours du père de Robinson à son fils pour le dissuader de courir le monde et de partir à l'aventure est un modèle du genre, une ode à la vie bourgeoise, un manifeste de la tiédeur de vivre, une exhortation à tuer tous les rêves en soi : « La condition moyenne s'accommode le mieux de toutes les vertus et de toutes les jouissances […] La tempérance, la modération, la tranquillité, la santé, la société, tous les agréables divertissements et tous les plaisirs désirables sont réservés à ce rang. » On comprend qu'après l'avoir entendu le jeune Robinson ait pris ses jambes à son cou et sauté derechef dans le premier navire.

Dans *Histoire de ma vie*, Casanova use d'une périphrase délicieuse pour exprimer les délices d'une nuit d'amour au cours de laquelle il parvient à une « volupté qui ne cessa que quand elle se trouva dans l'impossibilité de devenir plus grande ».

Dans *La Philosophie dans le boudoir*, le marquis de Sade apporte un concours inattendu bien que scabreux à tous ceux qui pensent que l'explosion démographique et l'expansion de l'espèce humaine à la surface du globe sont les principales causes des dérèglements écologiques dont nous vivons les prémices : « Nous avons cru que la nature périrait si notre merveilleuse espèce venait à s'anéantir sur le globe, tandis que l'entière destruction de cette espèce, en rendant à la nature la faculté créatrice qu'elle nous cède, lui redonnerait une énergie que nous lui enlevons en nous propageant… »

Le génie des lieux

Les lieux ont une mémoire. Les plaines de Beauce se souviennent de l'angélus que sonnaient les clochers, les steppes mongoles des charges cavalières, les vieux quartiers des villes des époques populeuses, les prairies fleuries des amours enfantines, les futaies de hêtres de la chanson des chevaliers. D'où notre sentiment, lorsque nous les traversons, que certains lieux sont peuplés, habités. Ils résonnent encore de ce dont ils furent témoins. Nous percevons l'écho de ce qui s'y passa. On parle alors de leur « génie ». Mais il y a des bois, des montagnes, des déserts, vierges de tout souvenir. L'Histoire n'y a rien inscrit. Les hommes y sont à peine passés. Il y règne un silence de sépulcre, une austérité glaçante. La Nature s'y épanouit pour elle-même. En pareils endroits, les poètes ne chantent pas les gestes de la souvenance. Ils se font philosophes et explorent de nouvelles pistes.

Une troupe en ordre (de marche)

Il y a un théâtre de plein-vent qui se distingue d'un théâtre antipoétique, porteur de messages, fermé sur sa propre parole. Entre les deux, la différence qui sépare la steppe mongole d'un parking souterrain. Lassé des productions de ce théâtre autiste post-brechtien qui ne s'adresse plus qu'à lui-même, de ces intermittents déchirés entre le besoin de liberté et celui des points retraite, de ces metteurs en scène qui ont mis les textes au service de leurs arrangements personnels et de ces artistes idéologisés qui confondent représentations et meeting, Philippe Fenwick a pris la route, avec sa troupe. Depuis dix ans, la Compagnie de l'Étreinte, sous son commandement et celui du metteur en scène William Mesguich, sillonne les routes de France, à pied, « par les grèves et par les champs », comme disait Flaubert, c'est-à-dire par les campagnes et les terroirs ou, pour causer moderne : par les surfaces agricoles utiles et les zones pavillonnaires urbanisées. Chaque jour, les comédiens marchent 10, 20, 30 kilomètres et, le soir venu, installent le décor sur la place, branchent les projecteurs, ajustent les masques, empoignent les tambourins et mènent la parade dans les rues pour inviter les gens au spectacle et réveiller le peuple des campagnes qui a oublié la vie communautaire et s'est assoupi devant la télévision depuis que les Trente Glorieuses lui ont fait croire que le but de l'existence était d'acquérir une machine à café automatique et un écran aussi plat que ce qu'il diffuse. Fenwick vient de précipiter dix années de souvenirs nomades et théâtraux dans *Un théâtre qui marche* (Actes Sud). On y rencontre des villageois un peu troublés par le débarquement de cette troupe de comédiens dont l'énergie brise l'hibernation. Mais toujours, du Rouergue à l'Essonne, de la Lozère à l'Ardenne et même en Seine-Saint-Denis le public s'avoue heureux d'être venu. La soirée a été transfigurée par l'art de la scène, l'expression des visages, la beauté des textes et la joie du jeu. Et l'on poursuit la lecture du livre, un peu effaré de cette campagne française « abandonnée par l'art et la culture », cette campagne qui a rompu le lien social, le lien naturel et le lien spatial au point qu'il fallait une troupe venue à pied de Paris pour que se rallument les feux de la vie et que résonne jusqu'à l'aube le foutoir de la fête, dans l'odeur chaude des blés fauchés.

Le spectacle du monstre

Devant le café noir, lecture des journaux. Un robinet de pétrole fuit devant les côtes de Floride, des pays sont ruinés d'avoir cru à la virtualité de la richesse, des avions tombent, des gouvernements aussi, des pipelines avancent dans les toundras arctiques, des islamistes très pieux essaient de tuer des gens à NYC, dans les banlieues de France, comme dans celles de Karachi, les filles n'ont pas le droit d'être jolies sans être menacées. On devrait inventer les journaux imprimés sur du papier mouchoir pour éponger la sueur froide. La presse quotidienne, littéralement, c'est ce qui, chaque jour, vous écrase.

Si vous ouvrez la fenêtre, vous prenez la porte

Un rendez-vous chez un éditeur parisien. L'immeuble est un grand bâtiment de verre prétentieux et fragile. L'architecte devait penser qu'il œuvrait pour une compagnie d'assurances. Il fait chaud à l'intérieur. Je demande à ouvrir la fenêtre. On se récrie : « C'est interdit » ! Je réfléchis aux endroits du monde qui étaient jusqu'à ce jour soumis à cette loi : les prisons, les sous-marins, les avions et les stations spatiales. À présent, les bureaux modernes. On me donne l'explication : l'immeuble est régulé par un système de climatisation et de renouvellement de l'air, comme un organisme. Et si la vraie raison d'interdire l'ouverture c'était pour que les employés ne s'y jetassent point par détresse de vivre dans un monde où l'on empêche les gens de respirer le ciel ?

Septembre 2010

Le risque

Si l'on reproche à ce bloc-notes d'être décousu, je brandirai les notes du poète belge Norge : « On lui a demandé de remettre de l'ordre dans ses idées. À présent il a beaucoup d'ordre, mais plus aucune idée. » Ce à quoi on pourrait rétorquer qu'à force de se creuser la tête, on finit par y enterrer toute pensée.

Le sable

Le nombre de livres sur le sable des plages, l'été. Le livre est un instrument indispensable au bronzage : il peut servir d'appuie-tête, de pare-soleil, de lest pour les serviettes de plage ou de table de chevet pour ranger les crèmes solaires. Parfois, on croise quelqu'un qui lit vraiment son livre – un original ou un frimeur. Dans un bon livre, on se projette comme sur une toile de cinéma. Le livre, cet écran total. Du coin de l'œil, j'aime bien regarder les titres. Sur les plages, on appelle cela « mater ». Parfois on se fait attraper : « Monsieur, cessez de regarder mes titres ! » En général, ce sont des thrillers scandinaves ou des policiers américains que les gens dévorent sous les soleils brûlants. Moi, cela m'ennuierait un peu de rester allongé pendant que l'inspecteur

Trucmuche essaie de savoir pourquoi Tuture a découpé Tatave au couteau à beurre, ou comment la jeune héroïne sous cocaïne va démanteler le réseau d'extrême droite qui s'est emparé de la recette de l'anthrax. Un jour, à Biarritz, par 30 °C à l'ombre, j'ai vu quelqu'un qui lisait *Technique du ski-alpinisme*, scène aussi improbable qu'une jolie juillettiste aux seins dorés plongée dans l'encyclique de saint Pie V. On voit peu d'estivants (ce mot horrible ! parle-t-on d'hivernants ?) lisant des ouvrages de philosophie. C'est que toute lecture difficile requiert la concentration, le silence et la pénombre – ces choses étrangères à l'atmosphère des plages. On croisera donc rarement Nietzsche *on the beach*, Démocrite près des baraques à frites ou Hegel sous les ombrelles. Pour ma part, j'ai trouvé quoi lire au bord de la mer : j'emporte un livre sur les oiseaux, les plantes et les insectes littoraux. Ceux de la collection des « Guides du naturaliste » de Delachaux et Niestlé sont merveilleusement édités. Ne pas confondre naturiste et naturaliste : le naturiste n'a rien à cacher, le naturaliste a tout à découvrir. L'un incarne l'ennui et l'autre la joie. L'intérêt de rêvasser devant des guides zoologiques ? D'abord, observer les animaux et les plantes est l'une des plus belles sources de joie, une occupation simple et apaisante, un élixir de jouvence. Jamais les bêtes ne vous reprocheront de les contempler d'un regard aimant. Voit-on le pétrel, la guêpe fouisseuse ou la simple cicindèle perchée sur un genêt se retourner pour vous cracher : « *Kesse t'as toi, à m'regarder comme ça ?* » Ensuite la moindre des politesses, quand on s'avachit quelque part, est de connaître l'identité des hôtes que l'on envahit. Si des milliers de types luisant de Piz Buin déboulaient chez moi pour étendre leur serviette dans ma chambre à coucher, j'aimerais qu'ils m'appelassent par mon prénom. Enfin s'intéresser au petit peuple qui vaque dans le sable, aux oiseaux qui planent dans l'air et aux plantes qui retiennent les dunes est une manière de s'amender de cette indifférence avec laquelle la plupart d'entre nous considèrent les animaux, les foulent aux pieds ou les maltraite.

Le feu

Le matin, au bivouac. Les braises se sont éteintes pendant la nuit. Encore à demi enfoncé dans le sac de couchage, je m'agenouille et rallume le feu pour le thé du matin. Il s'agit de construire une belle petite pyramide de brindilles puis lui donner vie par le contact de l'allumette. Ensuite, je me lève pour aller chercher du gros bois. Il s'est écoulé une minute pendant laquelle, en faisant mon feu et en me mettant debout, j'ai accompli les deux actes qui ont fait de l'hominidé un homme.

L'herbe

Les Bleus se sont très mal comportés pendant la Coupe du monde de football, c'est entendu. Mais, franchement, qu'attendre de gens qui marchent sur les pelouses avec des crampons ?

Le doute

Au moment de s'engager dans la Légion étrangère à l'âge de seize ans, Ernst Jünger est étreint par le doute. Faut-il vraiment sauter le pas, saborder l'avenir, partir vers l'inconnu alors que derrière soi le fourneau du foyer familial vous réserve sa bonne chaleur ? Le jeune Allemand, pour écarter la tentation du demi-tour, jette à l'égout ses dernières pièces de monnaie. Alors, plus de retour possible. Il aurait aussi pu se pénétrer du beau vers shakespearien que Roméo murmure : « Il faut vivre et partir ou rester et mourir. »

Octobre 2010

Des clowns dans l'arène

La *recortadores* est une course tauromachique, ressemblant aux courses landaises. Le jeu consiste à esquiver les coups de cornes de la bête en sautant sur le côté ou par-dessus son encolure. Cet été, en Espagne, à Tafalla, un taureau affolé a fait un bond de 6 mètres et s'est écrasé dans les gradins. Plus de trente personnes ont été blessées. Nouvelle réjouissante pour tous ceux qui aiment voir de temps en temps le *règne* animal donner une leçon à la *racaille* humaine. On se prendrait à danser comme les petits lapins que dessinait Siné dans *Charlie Hebdo* lorsqu'un entrefilet de presse rapportait qu'un chasseur plus aviné que les autres avait dézingué un collègue de battue. Le journaliste du *Parisien* qui rapporte l'affaire de Tafalla ne manque pas de bassesse : il parle de la bête comme d'un « indésirable ». Certes dans les *recortadores*, le taureau n'est pas mis à mort, mais ces épreuves participent à la perpétuation de l'« esprit tauromachique », mixte de beaufitude macho, de lâcheté et de plouquerie beuglante que Christian Laborde a démonté à la kalachnikov dans son pamphlet *Corrida basta !* Les aficionados rétorquent aux détracteurs de la corrida qu'il ne faut pas toucher aux traditions. Mais à ce compte, les galères, le bagne, le duel, l'exécution publique, l'excision, la lapidation islamiste, la ségrégation raciale : pourquoi s'en insurger ? Ernst Jünger confiait à Felipe Gonzàlez : « Si j'étais taureau, pour sûr j'aimerais mourir dans l'arène. » (Le propos est rapporté dans le somptueux *Voyage d'Allemagne* écrit par Philippe Barthelet et Éric Heitz.) À la confidence de Jünger, je préfère la pique de Morand, tirée du *Journal inutile* à la date du 13 octobre 1974 : « Je n'aime pas le cirque ; je souffre de la beauté des bêtes, de leur éloquent silence, de leur impassibilité dans le malheur de la cage, en face de la bestialité des hommes, qui ont tous l'air de clowns. » Pour sûr, le petit taureau de Tafalla n'aimait pas les clowns.

Des gens autour du berceau

Est-il vrai que les fées se penchent sur le berceau des enfants ? Quand un nouveau-né repose, nombreux sont les gens à se presser autour de lui pour le regarder dormir. Penchés sur le couffin, ceux-ci ressemblent à des fauves autour du marigot. Le spectacle les captive parce qu'il les régénère. Du visage du nourrisson émanent un rayonnement magique, une force douce, des ondes apaisantes. Contempler un tout-petit est une jouvence.

Des voiles dans la mer

Séjour dans le pays Basque (cette région au relief jurassien, lavée par un climat breton, et peuplée de gens aussi irréductibles que les Corses). C'est le cœur de l'été : dans l'eau, les surfeurs attendent la vague. La houle est molle mais de temps en temps, l'un d'eux se lève sur le dos de l'océan. Soudain surgit une famille pakistanaise. Sur la morne étendue de sable où cuisent les corps (la plage, cette friteuse), ils semblent les seuls à s'amuser. Les hommes jouent avec les enfants dans les vagues : hurlements de joie, énergie vitale, spontanéité. Puis les femmes arrivent, vêtues de noir. Elles se trempent, timides, engoncées dans leurs robes de nuit. Les types, eux, exultent en slip de bain. C'est quand même un drôle de gâchis : deux mille cinq cents ans pour cheminer de la beauté nue des torses en marbre grec à ces corps pris dans leurs camisoles de deuil.

Et des Roms, nulle part...

Feuilleton de l'été : le gouvernement lève la voix, il s'agit de régler le problème des Roms. On trouve une idée formidable : les chasser. On croit que les années changent le cours de la politique, que l'Histoire progresse (certains, paraît-il, pensent qu'elle a « un sens »). La réalité est que rien ne change jamais sous le soleil, sauf le soleil qui s'épuise doucement. Les Roms, aujourd'hui pas plus qu'il y a mille ans, sous la démocratie comme sous la dictature, au temps de leurs migrations indo-iraniennes comme à l'époque actuelle, en régime libéral comme en pays socialiste, subissent leur fatalité. Le destin des « peuples en souffrance » (Cendrars) est une force contre laquelle la politique, les sentiments, la bonne volonté et les principes ne font rien.

Novembre 2010

Un séjour à bord du Ventôse, frégate de surveillance de la Marine nationale en mission dans la mer des Caraïbes. Le Ventôse, chargé de la lutte contre les narcotrafiquants, a fait escale en Haïti pour apporter aux victimes du séisme de janvier 2010 une cargaison de fret humanitaire.

Une mer

Haïti approche. Sur la carte marine, la baie a la forme d'une pince de crabe. Port-au-Prince est tapi dans le creux. La frégate pénètre dans la baie. À deux miles des côtes, l'étrave fend une nappe de bouteilles et de bidons. Pour dissuader les gens de jeter leurs ordures dans les canaux de drainage de la ville, le gouvernement placarde ce slogan créole : « *Kanalpa-poubel.* » L'efficacité de ces panonceaux est discutable. Les déchets s'accumulent sur une épaisseur de plusieurs mètres. L'orage les balaie, les déverse à la mer. Et les bateaux fendent la nappe de plastique dans un froissement de soie morte.

187

Des gravats

On connaît les images des villes bombardées : Dresde brûlée par le phosphore ; le quartier hazara de Kaboul rasé par Massoud ; Cologne aux ruines fumantes desquelles émergeaient les deux flèches de la cathédrale gothique. Dans Port-au-Prince, à l'épicentre du séisme, les décombres couvrent des hectares. Les hommes sont revenus dans les ruines. Ils ont réinvesti les gravats, installé commerces et grabats sous les colonnades et les balcons branlants. La nuit, on roule dans l'obscurité, le long d'axes privés d'éclairage. Des groupes se pressent autour de feux allumés avec un pneu et quelques débris de bois. De jeunes garçons dansent devant les flammes, une bouteille de rhum à la main. Leurs ombres projettent d'effrayants sabbats sur les murs écroulés.

Des strates

Il y a une géologie du séisme. Avec ses couches et ses strates. En dessous, sous les ruines, il y a les morts. Entre deux cent et trois cent mille selon les estimations. Par-dessus les gravats, on trouve les tentes des survivants. Tournoyant dans le ciel, les oiseaux charognards. Et couronnant le tout, des nuages tropicaux, gros comme des citadelles, qui s'écrouleront eux-mêmes en cataracte lorsque la chaleur leur crèvera la panse.

Une vision

Le palais présidentiel s'est effondré. Ses coupoles blanches gisent, renversées sur le bâtiment central. Sur les pelouses parfaitement entretenues, la police nationale se livre à une prise d'armes. Les couleurs sont levées en fanfare. Les policiers ressemblent à des figurines animées jouant au petit soldat devant une pâtisserie enfoncée d'un coup de pelle à tarte.

Des mots

Ici, on écrit ce que l'on a sur le cœur. Pas un mur qui ne porte son graffiti. Les taxis collectifs sont couverts d'inscriptions : « Qu'il est doux d'attendre en silence le secours de l'Éternel », « Je me réfugie dans la foi en mon Dieu », « Croyons en l'immaculée conception », « Authenticité de la foi ». Un camion fonce à travers l'embouteillage, Klaxon enfoncé. Sur sa vitre, s'étale en lettres d'or : « APOCALYPSE ». Et sur le pan de mur défoncé d'une ruine, un grand Noir, tout maigre, le seau de peinture à la main, achève de tracer en bleu : « MERCI JÉSUS ».

Une terre

« Les forêts précèdent les hommes, les déserts leur succèdent. » On connaît la formule des *Mémoires d'outre-tombe*. Quelques décennies de dictature, d'impéritie et de catastrophes ont déboisé Hispanolia. Des ravines creusées par les trombes orageuses emportent les sols dénudés. Les flancs de la montagne sont lacérés de *lavakas*, terme malgache qui désigne les coups de griffe de l'érosion. Le lavement du sol parachève la litanie des souffrances haïtiennes. L'île à laquelle le secours du ciel semble se refuser finit par perdre sa couverture de terre. À 8 000 kilomètres de là, en France, les détracteurs de l'écologie écrivent d'une plume allègre que la protection de l'environnement est une lubie de bobos, une préoccupation de nantis.

Un léger étonnement

Le ministre haïtien de la Santé explique la situation.
Les ONG se comportent mal. Certaines d'entre elles
travaillent trop vite, ne se plient pas aux règlements,
ne respectent pas les étapes de lancement des chantiers.
L'État se sent insulté par ces expatriés trop pressés.
Et le ministre de se féliciter d'avoir réussi à fermer
un hôpital de sept cents lits construit par une ONG
qui n'avait pas sacrifié au protocole administratif…

Des livres

Les Écrivains de Marine ont envoyé quelques caisses
de livres à la petite bibliothèque de la Croix des Bou-
quets. Le bâtiment, situé dans un quartier périphérique
de Port-au-Prince, a été restauré par les services d'action civilo-militaires de l'armée française. On se dit
que tout cela est vain : quoi ! apporter des livres dans
ce chaos ? Geste dérisoire ! Le soir, sur la terrasse de
l'hôtel Olofson, je trouve consolation dans *L'Énigme
du retour*, somptueux récit de Dany Laferrière. L'écrivain haïtien exilé évoque un étudiant qui appelle à
l'aide après un cyclone et qui implore, en plus du
pain, une cargaison de livres.

Décembre 2010

La retraite de la jeunesse

Loin de nous tout mépris à l'égard de ces lycéens qui manifestaient cette année, par les belles journées de l'automne naissant, contre la réforme des retraites. Leurs angoisses sont certainement sincères, et l'avenir pas très rassurant. Le spectacle n'en est pas moins étrange d'un adolescent s'inquiétant pour ses lendemains, à l'âge où l'avenir ne devrait inspirer qu'un souverain mépris. Voit-on James Dean militer pour une vie pépère, Arthur Rimbaud pour la Sécurité sociale, Janis Joplin pour des repas équilibrés et Rupert Brooke pour un monde plus sûr ? Au même moment, une association savoyarde recevait des élèves mongols dans le cadre d'un échange linguistique. Les enfants des steppes venaient passer quelques semaines dans les alpages pour perfectionner leur français puis rentraient chez eux, sous la yourte. Question du journaliste à l'un des enfants, le jour du retour en Mongolie : « Qu'est-ce qui t'a manqué le plus pendant ton séjour en France ? » Réponse du gamin : « Mon cheval et ma liberté ! » Pendant ce temps-là, d'autres enfants défilaient pour leur sécurité.

Les pouvoirs publics vous parlent

Depuis un moment, je soupçonnais que les administrations prenaient les administrés pour des faibles d'esprit. Sur la pancarte du château de Maisons-Laffitte, cette recommandation pour les visiteurs : « Ne rien laisser de vivant à l'intérieur de votre véhicule. » Pourquoi ne pas inscrire sur la porte des frigidaires : « Prière de ne pas mettre dans le congélateur le bébé que vous auriez oublié dans la voiture » ?

Les mineurs du Chili

Tout de même, Dieu est très fort. Après deux mois passés au fond de la galerie où ils étaient coincés par plus de 30 °C de température, les trente-trois mineurs chiliens sont extraits du piège. Les secouristes ont creusé jour et nuit à l'aide de machines à forer d'origine australienne. L'opération ? Un exploit technique, une réussite logistique et diplomatique, un record de vitesse, une page historique, un sommet de compétences réunies.

En sortant du boyau d'extraction, le deuxième mineur déclare : « J'ai toujours su que Dieu nous sauverait. »

La métamorphose du voyageur

Le voyage est la plus efficace technique de métamorphose de l'homme. Les chevaliers arthuriens traversaient des forêts peuplées de créatures, vivaient mille aventures et regagnaient la cour, changés au profond de leur être. Je mets au défi quiconque de soutenir qu'il a traversé une jungle, parcouru le Yémen ou séjourné dans un ashram sans ressentir un bouleversement. Ah si ! il y a tout de même une catégorie de gens que rien ne transforme. Ce sont ces voyageurs qui partent pour vérifier que les pays correspondent aux idées qu'ils en ont. Une fois sur place, ils déplorent que les choses ne fonctionnent pas comme chez eux et, sitôt revenus, ils regrettent d'être rentrés. Les poissons volants sont plus méritoires que ces gens. Ces petites bêtes fusent hors de l'eau, nageoires tendues, dans la lumière. Elles se raidissent de tout leur être, rêvent de se faire oiseaux mais, inexorablement, replongent à l'océan. Elles appartiennent à l'eau et n'y échappent pas.

Février 2011

Résolutions d'un voyageur pour 2011

— Mâcher le qat à Al-Mukalla, dans la douceur du soir, allongé sur les dunes que lèche le ressac de la mer d'Oman, labourée de pirates.

— Acheter des pains d'épice flamands lorsqu'on éprouve la nostalgie de la vieille ville de Sanaa : ils ressemblent aux immeubles yéménites avec leurs glaçures de sucre et leurs ocres croustillantes.

— Ivre de mauvais rhum et de Prestige fraîche, pleurer au bar de l'hôtel Olofson de Port-au-Prince sur les pages que Dany Laferrière consacre à l'exil dans *L'Énigme du retour* (Grasset).

— Écouter le *Concerto n° 1 pour piano* de Tchaïkovski avec une attachée d'ambassade à la Philharmonie de Berlin en pensant à l'interprétation qu'en donnèrent jadis Karajan et Kissin.

— Se jurer de prendre, l'année prochaine, des résolutions moins snob.

— Toujours saluer les bêtes quand on en croise une : on se sent moins seul.

— Ne plus jamais manger une viande d'élevage industriel qui contient davantage de souffrance que de calories.

— Relire Bossuet.

— Cesser de dire qu'il faut relire les choses jamais lues.

— Dire « non » lorsque l'on pense « peut-être » : cela dégage du temps.

— Demander qu'on inscrive « Lire tue » sur la couverture des textes religieux.

— Associer la devise du maréchal de Lattre à la recommandation des stoïciens : « ne pas nuire » mais « ne pas subir ».

— N'être avare que de son temps.

— Ne pas s'imaginer qu'on change le monde en changeant les mots. Un clochard noir ne se consolera pas d'apprendre qu'il est un *sans-domicile fixe issu de la diversité*. Lui offrir plutôt un billet avec un sourire.

— Réciter au diplomate dépressif d'une satrapie oubliée, l'une des *Cartes postales* d'Henry J.-M. Levet (Poésies-Gallimard) :

Ni les attraits des plus aimables Argentines
Ni les courses à cheval dans la pampa
N'ont le pouvoir de distraire de son spleen
Le consul général de France à La Plata

On raconte tout bas l'histoire du pauvre homme
Sa vie fut traversée d'un fatal amour
Et il prit la funeste manie de l'opium
Il occupait alors le poste à Singapoore...

— Cesser de s'offusquer des atteintes aux Droits de l'homme en Afghanistan sans considérer les milliers d'excisions annuelles perpétrées dans l'Hexagone.

— Cesser de dire l'Hexagone : pourquoi donner des gages à la géométrie au détriment de l'Histoire ?

— Boire plus pour manger moins.

— Forcer les architectes du verre, les bâtisseurs

de ronds-points et les promoteurs de tours à lire *Les Cathédrales de France* d'Auguste Rodin.

— Lire à en oublier de dormir.

— Tenir son journal chaque soir pour se persuader qu'il n'était pas inutile d'avoir vécu une journée de plus.

— Se détourner des écrans et ouvrir les fenêtres. – Fermer les postes, ouvrir les rideaux.

— Raccrocher et s'écrire des lettres.

— Ne pas écraser les insectes : qui sait s'il n'y a pas une main levée en ce moment au-dessus de nous ?

— Ne rien attendre d'un autobus.

— Apprendre à dire dans chaque langue « il paraît que votre peuple tient mal l'alcool » : fête garantie.

— Ne jamais regretter de n'avoir rien promis mais ne jamais promettre de ne rien regretter.

— S'adonner à ce jeu : lire la biographie de Phoolan Devi et de Gengis Khan et essayer ensuite d'ouvrir un journal aux pages de politique intérieure.

— Toujours être aimable avec les chats : on n'est pas des chiens tout de même.

— En croisant des chasseurs, dire : « Merci d'œuvrer à la régulation des espèces invasives. » Si vous demandez : « C'était jouissif ? », ils se vexent.

— Se réformer soi-même avant de vouloir changer le monde. En cela, imiter la Terre : quand elle fait la révolution elle accomplit d'abord une rotation sur elle-même.

— Toujours se sentir dans une foule comme une poupée de porcelaine dans un magasin d'éléphants.

— Tourner sept fois sa langue dans la bouche de quelqu'un avant de dire qu'on l'aime.

— Nlvr ls vylls.

— Remettre les voyelles.

— Ne faire que passer.

— Partir.
— Se taire.
— Savoir mettre un point final à ses élucubrations.
— Ne pas hésiter à le faire.
— Reconnaître que c'est dur.
— Mais le faire tout de même.

Mars 2011

CDLT

On demandait à Topor, dans les années 1980, ce qu'il fallait faire pour aider les Polonais. Il répondait : « Envoyez-leur des voyelles. » Certaines gens, pour signifier combien leur temps est précieux, concluent leurs e-mails d'un *cdlt,* abréviation du « cordialement » qu'ils n'ont pas eu le temps d'orthographier entièrement. Souvenez-vous de Topor et répondez à ces messages en envoyant les voyelles qui manquent : *oiaee.*

CQFD

On sait que les religieux pakistanais ont récemment fait voter une loi contre le blasphème. Cette loi est un blasphème contre l'intelligence. Or l'intelligence est l'outil par lequel l'homme se représente Dieu. Donc la loi islamique contre le blasphème devrait s'autodétruire.

INRI

D'un côté les Saoudiens qui veulent construire une mosquée en Norvège au-delà du Cercle polaire pour avoir la satisfaction de bander leurs minarets sous toutes les latitudes du monde (projet refusé par les

Norvégiens). De l'autre, les Polonais qui érigent une statue du Christ d'un mauvais goût redoutable et se gargarisent qu'elle soit la plus haute du monde. Ces surenchères de cour d'école – « c'est-moi-qu'a-la-plus-grosse » – nous rappellent qu'on a connu des débats religieux plus intéressants (Ankara 1391, par exemple). Le XXIe siècle sera consternant ou ne sera pas.

OUIN

L'année 2011 est à marquer d'une pierre noire puisque, selon les démographes, c'est l'année où naîtra le sept milliardième humain. Des voix s'élèvent pour affirmer qu'il y a dans la réduction du taux de natalité planétaire le principal enjeu écologique. Dans le même temps, nos hommes politiques se réjouissent de la forte natalité de la France : notre dynamique démographique résiste à l'érosion européenne ! Ce satisfecit, c'est un peu l'histoire du type en train de s'attaquer à la branche sur laquelle il est assis et qui se félicite d'avoir acheté une scie qui coupe si bien.

SNIF

Le pessimiste est celui qui dit : « Cela ne peut pas être pire. » L'optimiste est celui qui répond : « Mais si ! » Au début de l'an neuf, des gens ont été interrogés dans cinquante-trois pays par l'institut BVA-GALLUP sur leur degré de pessimisme. Les Français arrivent en tête ! Quand j'ai lu la nouvelle, je me suis réjoui, avant de déchanter. Dans cette étude, il ne s'agit pas, contrairement à ce que l'on pense de prime élan, du beau pessimisme philosophique gréco-romain. Rien du scepticisme de Pyrrhon qui raffermit l'âme et permet d'aller le cœur léger sous le soleil. Ni de la noirceur d'un Léautaud ou d'un Céline, tache qui irrigue l'inspiration. Ni de la résignation stoïcienne qui encourage à se moquer de l'adversité au prétexte que tout ce qui doit advenir adviendra. Ni du désespoir pudique que Gramsci intègre dans son équation du « pessimisme de la pensée conjugué à l'optimisme de l'action ». Ni du fatalisme karmique qui conduit l'être à ne rien demander à l'existence puisque son destin est tracé dans les constellations. Non, il s'agit du pessimisme des boutiquiers, cramponnés à leur avoir et qui comprennent que la fête est finie, qu'on va leur reprendre les jouets et que la gueule de bois menace.

PLOUF

Il est plus facile à un fleuve qu'à un homme de réussir en naissant dans le ruisseau.

SAKHA

Séjour au mois de janvier dans la capitale de la république Sakha, Yakoutsk. Il fait – 50 degrés. La ville ressemble à un congélateur plein de dames en manteaux de fourrure. Quand le thermomètre descend à – 30, les gens disent : « Aujourd'hui, il fait chaud. » Dans la rue, pas un seul manifestant ni le moindre clochard. Ne pas en conclure que le froid extrême résout tous les problèmes sociaux.

COUIC

Pudiquement on appelle *abattage rituel* l'habitude des juifs et des musulmans d'égorger une bête pour la laisser se vider de son sang. Et s'ouvrir les veines dans sa baignoire, à la romaine, ou bien se percer le flanc comme Caton l'Ancien, est-ce du *suicide rituel* ?

Avril 2011

Andreï Makine

« Reste ce paradis fugace dont l'éternité n'a pas besoin de doctrines. » Qu'est-ce qui dansera le sabbat sur les décombres des idéologies, qu'est-ce qui aide à ne pas mourir quand on a connu la déportation, qu'est-ce qui reste à l'enfant « qui s'est senti dupé » ? La réponse, Andreï Makine l'a donnée dans tous ses livres. Ils sont traversés par la préoccupation de l'amour absolu. Au début de l'année 2011, en publiant *Le Livre des brèves amours éternelles* (Le Seuil), il réussit sa plus magistrale démonstration : l'amour survit aux citadelles de mensonges. Parfois, c'est même lui qui les abat.

À travers sept ou huit somptueuses tapisseries, Makine paye sa dette à l'enfant qu'il fut et adresse un salut à l'écolier cagneux qui se doutait déjà de ceci : contempler la neige et admirer le monde vaut mieux que s'enivrer à l'opium des promesses politiques. Un jour, le petit garçon s'aperçoit que le barnum idéologique dont on l'assomme n'est qu'un « simple décor, une façade colorée derrière laquelle il n'y avait rien ». Les communistes avaient « tout prévu dans la société idéale… Tout, absolument tout sauf l'amour ». Makine se tient peut-être entier dans cet enfant dessillé. Un petit être s'aperçoit qu'on l'a trompé. Deux voies s'offrent alors à lui : le nihilisme ou l'amour. L'amour selon Makine n'est pas ce sentiment qu'un sujet destine à un objet mais un état intérieur dont quelques êtres irradient. Toute personne, toute chose qui croise à travers les rayons de cette incandescence se trouvent illuminées, à la manière des moucherons allumés par un rai de lumière. Un vieux tracteur peut bénéficier de l'averse : « J'étais amoureux même de ce vieil engin agricole aux pneus crevés, je le devinais absolument nécessaire à l'harmonie qui venait de se créer sous mes yeux… » Pourtant du fond des souvenirs makiniens, surgit cette vieille nostalgie que tous les Russes portent en eux. Non pas la nostalgie du régime mais de cette flamme qui se maintenait chez les êtres malgré le joug. Dans la grisaille affreuse, il y avait le recours aux forêts intérieures : « Nous disposions d'un bonheur infiniment plus riche, celui des choses imaginées. » Et aussi : « La joie de vivre qui nous habitait semblait illogique, presque surnaturelle. » Les enfants savent magnifiquement parler de l'amour. Et Makine.

Kadhafi

« La vie sans drapeaux verts n'a pas de valeur. La Libye deviendra une flamme ardente. Dansez, chantez et préparez-vous. » Ces vers échevelés ne sont pas tirés de *Richard III* mais du discours que le colonel Khadafi prononça le 25 février. Ces tirades belles comme du Néron devant la Rome en feu ravivent la figure du despote. Qu'est-ce qu'un despote ? Un adolescent malade qui aurait trop assimilé la théorie de la représentation de Schopenhauer et voudrait que le monde disparaisse avec lui.

Aron Ralston

Dans *Plus fort qu'un roc*, publié en 2005 chez Michel Lafon, Aron Ralston raconte l'accident qui lui a coûté un bras. Aron se retrouva un jour dans un canyon reculé de l'Utah sous un bloc de pierre qui lui avait roulé sur le bras. Il survécut six jours et finit par se résoudre à l'impensable : se couper le bras avec un couteau de fabrication chinoise (à déconseiller : très mauvaise qualité). Danny Boyle vient d'adapter l'histoire au cinéma dans un film intitulé *127 heures* qui choisit d'une manière pas totalement inepte d'évoquer l'éternité de ces moments dans un rythme effréné (que de plans de coupe !). On pourrait penser que Tarkovski s'en serait mieux sorti, lui qui étirait la durée des plans jusqu'à les diluer dans la lumière mais l'idée de Boyle n'est pas vaine de procéder par un jaillissement perpétuel d'imprévisibles nouveautés. L'histoire est magnifique. Elle symbolise l'instinct, *la volonté de vivre*. Elle constitue un refus allégorique de la tentation nihiliste : le nihilisme c'est le canyon humide. La tentation serait de s'y laisser mourir. Le vitalisme, au contraire, consiste à endurer toutes les souffrances et à sacrifier une part de soi afin de regagner la lumière. Elle nous rappelle que des millions d'animaux subissent chaque jour le sort de ce pauvre garçon piégé dans son trou : ce qui nous bouleverse chez le jeune héros devrait nous émouvoir chez les bêtes captives. Elle nous renseigne sur un vieux ressort des comportements humains : pour s'amputer, Ralston a attendu six jours. Tant que la mort ne lui soufflait pas son haleine au visage, il était incapable d'agir. Rien n'est jamais perdu tant que l'on n'a pas franchi son Rubicon intérieur. Mais il faut, pour prendre la décision vitale, attendre ce moment d'inflexion, ce point de rupture où se joignent toutes les forces. Les Grecs désignaient sous le nom de *Kairos* cet infléchissement du cours des choses où la tension de vie afflue. Mishima décrit ainsi son *Kairos* dans *Le Pavillon d'or* : « Je me tenais sur le seuil de mon acte. » Enfin, l'histoire illustre une pensée vieille comme l'idée du *fatum* : cette pierre attendait depuis des millions d'années de tomber sur le bras d'Aron. Lorsque les deux destinées se rencontrent, celle de la pierre et celle du garçon, il faut que celui-ci souffre et choisisse : définition de la tragédie. Tout est peut-être écrit dans le livre des destinées. Mais l'aventure du jeune homme prouve qu'on peut toujours corriger la partition.

Mai 2011

Le répons

Un tsunami a ravagé les côtes du Japon au mois de mars. À la catastrophe physique a succédé un raz de marée médiatique. La déferlante a envahi tous les champs. Le monde s'est trouvé submergé d'images. Le séisme sous-marin a provoqué un autre séisme, d'ordre psychologique celui-là. L'humanité a été ébranlée. La confiance placée par les gouvernements et les peuples dans l'option nucléaire s'est fissurée. En somme, chaque épisode du cataclysme réel a trouvé un écho, un effet de miroir dans le monde immatériel.

Le courage

Les commentateurs de presse ont beaucoup glosé sur le courage des Japonais. Les plus admiratifs parlaient de leur stoïcisme, les plus approximatifs se contentaient de pointer leur « fatalisme ». Les connaisseurs soulignaient autre chose. Les Japonais n'ont nulle part où s'enfuir. Ils vivent sur un archipel aux dimensions réduites. Ils n'ont pas d'échappatoire. Ils habitent au-dessus du volcan sur une terre sans issue. Et si leur flegme, comme celui des Anglais (qui le manifestèrent lors des bombardements hitlériens), procédait du caractère insulaire de leur habitat ? Le déterminisme géographique est peut-être l'explication du calme japonais : quand on ne peut pas faire autrement, quand il n'y a nul endroit où se précipiter, on ne panique pas.

L'essentiel

Aussitôt, notre naturel à nous autres Français est revenu au galop. Alors que des milliers de gens agonisaient sous les décombres, nous nous préoccupions de l'essentiel : et nos centrales ? Tiennent-elles le coup ? Et le nuage, va-t-il nous passer dessus ? Fut un temps où nous avions quelque chose à dire au monde, à présent nous n'avons plus qu'un joli petit jardin à conserver.

La sortie

Après le drame de Fukushima, les écolos, tambour battant : « Il faut sortir du nucléaire. » Soit. Personne ne veut mourir d'un cancer de la thyroïde et l'idée de ces centrales qui se muent en Frankenstein est passablement effrayante. Mais on devrait poser une question préalable à celle du nucléaire. Sommes-nous prêts à consommer moins ? À changer de mode de vie ? À mener une existence moins rapide, moins confortable ? Car nous nous sommes drôlement accoutumés à cette énergie depuis que le général de Gaulle nous a dotés de notre indépendance atomique ! C'est l'offre qui a créé notre appétit. Puisque l'énergie était si peu coûteuse pourquoi nous en serions-nous privés ? Pour sortir du nucléaire, il faudrait abolir nos mauvaises habitudes. On croit le problème technique, il est culturel.

La finesse

Elena Janvier a écrit un délicieux manuel de savoir-vivre au pays du Soleil-Levant, intitulé *Au Japon ceux qui s'aiment ne disent pas je t'aime* (Éditions Arléa). Il s'agit d'une promenade amoureuse dans les us et coutumes nippons sous la forme d'un abécédaire (d'*Amour* à *Zazen* en passant par *Ciseaux*, *Esquive*, *Musique* ou *Solitude*) destiné à exprimer tout ce que le peuple japonais recèle de raffinement, de délicatesse, de complexité et d'esprit de contournement. Par de menues descriptions, des évocations poétiques, des souvenirs réduits à des haïkus ou des descriptions de situations imperceptibles, l'auteur tisse la toile d'une tapisserie rayonnant d'étrangeté. Finalement, si une culture n'était que cela : l'agrégat de mille particularités, de mille détails insignifiants dont le chatoiement finirait par former un tout ? Une civilisation ne serait qu'un ensemble de formes… On sent grandir en soi à l'égard de ces hommes et de ces femmes un sentiment d'admiration, mêlé d'un peu de honte (« quand on a vu faire un Japonais on se sent tout simplement barbare », écrit Elena Janvier à l'article *Wisigoth*, à propos de l'art d'éplucher les fruits). Le livre nous en dit beaucoup sur les raisons pour lesquelles les Japonais se résignent devant les drames d'aujourd'hui. Dans l'archipel, on préférera toujours la retenue à l'impulsivité.

Les Japonais prennent d'infinies précautions avec le réel. Ils n'aiment pas dire « non » frontalement. « C'est presque impossible au Japon, écrit Elena Janvier. On préfère grimacer à la place : *muzukashii*… [c'est difficile], qui veut dire exactement la même chose. » Quand on demandera aux ingénieurs atomistes japonais s'ils vont bientôt venir à bout des fuites de la centrale de Fukushima, on saura désormais ce qu'il faut comprendre s'ils répondent « cela va être difficile ».

L'incantation

Gyâ Gyâ. Gyâki Gyâki. Unnun. Shifûra Shifûra. Harashifûra Harashifûra... D'après Yukio Mishima (au chapitre II du *Pavillon d'or*), ceci est la transcription exacte de la « formule pour l'extinction des Calamités ». Dans le roman, le narrateur compare les stridulations des cigales sur la colline à cette prière que réciteraient « une multitude de bonzes invisibles ». On devrait tous ânonner ces versets magiques.

Juin 2011

Désinvolture

> Il se fit tout à coup le plus profond silence
> Quand Georgina Smolen se leva pour chanter.

Ces deux vers d'Alfred de Musset, tirés du *Saule*, sont splendides parce que d'apparence banals, comme tombés de la conversation. Cinquante années plus tard, Henry J.-M. Levet compose des vers pareillement désinvoltes, fondés sur l'illusion de la simplicité, alors que leur métrique est claquante :

> L'*Armand-Béhic* (des Messageries Maritimes)
> File quatorze nœuds sur l'océan Indien.

Voilà le dandysme : produire de l'élégance, l'air de rien.

Alcoolisme

Au début de *La Puissance et la Gloire*, M. Tench regarde son fond de verre dans la chaleur épaisse de la pièce. Graham Greene en profite pour donner l'une des plus moites définitions de l'alcoolisme de toute l'histoire de la littérature : « Il examinait le peu d'alcool qui était dans son verre avec circonspection, comme on regarde un animal à qui on donne un abri, mais pas sa confiance. »

Y a pas photon

Bertrand Piccard, aventurier suisse qui s'illustra par un tour du monde en ballon, fait un peu peur aux Français. On lui trouve les yeux trop bleus, le regard trop acéré, le verbe trop parfait, la pensée trop limpide, le parcours trop brillant et la lignée trop prestigieuse. En France, cela fait beaucoup. Chez nous l'excellence est suspecte. Piccard est frappé du sceau d'une infamie qui le privera à jamais du plébiscite français : il réussit ce qu'il touche. En témoigne son dernier projet, *Solar Impulse*. Après son tour du monde en ballon effectué il y a plus de dix ans à bord du *Breitling Orbiter*, Piccard songea que dans un monde au bord de la crise énergétique, il n'était plus possible de brûler deux tonnes de propane pour accomplir une circumambulation. Germa en lui l'idée d'un avion propulsé à l'énergie solaire. Ce qui avait abattu Icare allait servir Piccard. Le projet *Solar Impulse* était né. Henri de Gerlache (lui-même issu d'une antique lignée d'explorateurs polaires belges) a réalisé le film, *Les Ailes du soleil*, qui raconte les quatre années de préparation de l'équipe de Piccard, les doutes et les avancées techniques, les premiers essais de vol jusqu'à la consécration, ce jour où l'avion solaire réussit à voler pendant vingt-six heures d'affilée, consommant pendant la nuit l'énergie photonique emmagasinée dans des batteries. À présent, l'équipe songe à un tour du monde. À ceux qui ricanent en opposant à Piccard que les rendements de l'énergie solaire sont trop faibles pour songer à une utilisation à grande échelle, Piccard brandit le souvenir des frères Wright : la plupart des gens ne prédisaient pas grand avenir aux engins « plus lourds que l'air ». Les sceptiques ont toujours pensé que ce qui n'existe pas encore n'existera jamais.

Fuite

Ah ! quel beau spectacle que les événements d'avril dernier liés à l'exposition de *Piss Christ*. Rappel des faits : un artiste expose à Avignon la photo d'un crucifix plongé dans du pipi. Quelques jours plus tard un commando catholique casse le cadre à coups de marteau. Qu'Andres Serrano imagine faire une œuvre, avec sa photo laide comme un linoléum de bistro moldave, passe encore. Tout artiste rêve sa crotte en Acropole. Qu'il pense provoquer le bourgeois est pathétique. On devrait lui offrir le livre d'Auguste Rodin et Gérard Rondeau (édition RMN-Grand Palais) consacré à la cathédrale de Reims. En voilà du scandale ! Il y verrait un bestiaire de *freaks*, un peuple de cauchemar agglutiné aux flancs du vaisseau de pierre, une faune de diables à tête d'ours, d'hommes dégueulant des batraciens, de trolls grimaçants et de sirènes bandantes côtoyant des anges. Que des gens, à gueule de croque-morts, défendent la mémoire de leur « Dieu-d'amour-et-de-pardon » à coups de masse est déprimant.

Juillet 2011

La masse des touristes

Même les aventuriers les plus purs, les explorateurs les plus exigeants lisent des guides de voyage. Ils ne l'avoueront pas, prétendront qu'ils ont frayé à travers les steppes, le nez dans les chroniques des moines du XIVe siècle et traversé le Brésil en dévorant Bernanos. Le guide de voyage est le hamburger du gastronome : on le dévore en cachette. Il faudrait dresser une chapelle votive à Vincent Noyoux pour deux raisons. La première est que le garçon (trente-quatre ans) a passé des années à écrire des dizaines de guides dans l'anonymat et la menace de l'indigestion. La deuxième est que ce « petit soldat de l'information touristique » vient de commettre un livre drolatique, joyeusement troussé, un « anti-guide de voyage » : *Touriste professionnel* (Stock). Il y dévoile les grandeurs et les misères du métier. Partir, c'est revenir de tout et écrire un guide consiste à peindre le monde non pas tel qu'il est mais tel que le touriste souhaite le découvrir. Noyoux décrit la tentation de céder aux propositions des tôliers malhonnêtes qui circonviennent les jeunes écrivains pour obtenir leurs étoiles. Il ne cache rien de la désillusion, des minuscules compromis, de l'ennui qui s'installe. Il détaille l'art de décrire une banlieue sidérurgique biélorusse comme une « ville qui se mérite, une bourgade hors du temps » et la manière de faire d'un écomusée soporifique une « initiative à encourager ». Parfois il confie son fantasme : crier la vérité, avouer que ce « pays décevant » n'offre que des « bouis-bouis immondes » et que les habitants abrutis par le labeur vous reçoivent d'un « accueil mou ». Mais vite, il se ressaisit et décoche ses adjectifs – « sympathique », « hors du commun » et « fantastique » – sans lesquels une description touristique ne vaudrait rien. *Touriste professionnel* constitue la critique du tourisme de masse, ce déplacement des foules occidentales à mesure que le Marché convertit les notions d'exotisme et d'altérité en valeur monnayable.

L'honneur de l'écrivain

Julien Gracq a fait la campagne de 1940. La drôle de guerre, d'abord. Les troupes errent dans des campagnes désertes à la recherche d'un ennemi fantôme. Gracq tient son journal. Il écrit partout, sur le bord des fossés, à l'abri des granges. L'éditeur, José Corti, a reproduit les fac-similés de son cahier. Pas de ratures, lignes nerveuses, graphie limpide, premier jet impeccable. Dans ces *Écrits de guerre*, Gracq se demande comment on peut réussir à s'entretuer par un temps si agréable, dans une lumière si douce. Heures délicieuses, le nez dans l'herbe. Se préfigure le thème gracquien de l'attente face à une géographie incarnée et vaguement menaçante : l'atmosphère languide du *Balcon en forêt*. Un jour c'est la confrontation. Les Allemands arrivent. Contact. Reflux. Le journal devient réquisitoire. L'armée française se délite. Les troupes se débandent, les hommes désertent, les officiers pérorent, les généraux se croient en 1914. Les Français parlent beaucoup, se saoulent et se gardent d'agir. Le pays capitule moralement sous le coup de boutoir prussien. Gracq est aux premières loges de la déréliction. Devant lui, la lâcheté, la médiocrité, l'incompétence. L'écrivain se cabre, refuse la honte, fait face, réunit des hommes et oppose à l'avancée des troupes teutones le maigre feu d'une riposte pour l'honneur. Il se fait arrêter le 1er juin, armes à la main ; les pages du carnet s'interrompent net. La France criera grâce, trois semaines plus tard. Quelques âmes nobles auront *résisté* avant même que le mot ne prenne son sens politique.

L'immanence des demoiselles

Alain Cugno est philosophe. Mais de ceux qui préfèrent les insectes aux concepts, les belles libellules aux pesants libellés. Dans *La Libellule et le philosophe* (Éditions de l'Iconoclaste), l'écrivain élève une stèle d'une extrême sensibilité à la gloire des odonates – le nom savant de ces bêtes. Ce poète, émerveillé par la pesanteur et la grâce des carnassières déguisées en fées, mène une méditation sur l'être, le temps, la mort, la fragilité de la vie, la tressaillante joie des rencontres éphémères. Conduit par l'idée que les insectes tissent dans le ciel et sous nos pieds un canevas de messages symboliques, Alain Cugno bat la campagne, de marais en sous-bois, faisant de la contemplation des demoiselles un exercice philosophique. Citant Maître Eckhart pour qui « la vie est sans pourquoi », Cugno admire l'immanence des insectes. « Ils avancent leurs formes et leurs couleurs comme des évidences irréfutables. » Chaque apparition est une révélation, mieux ! la confirmation de la beauté du monde. Comme le mont Blanc devant les yeux de Hegel, les bêtes se contentent d'être. Et le philosophe n'a qu'à cueillir, d'un regard, le surgissement de l'une d'entre elles pour saluer la profondeur de la *présence*. L'abandon des bêtes à la simple nécessité d'être finit par transcender le paysage. Alors, « même un pylône électrique devient poétique si un rapace s'y perche ». Cugno vénère l'inaccessibilité des odonates dont l'œil humain ne peut saisir les séquences – trop rapides – du vol. Les libellules évoluent dans une autre dimension. L'écrivain, finalement, s'incline devant l'élégance de ces bolides aux ailes de tulle. Les libellules ne s'imposent jamais. Elles ne laissent d'autres traces sur la Terre que le souvenir d'un émerveillement dans les yeux des contemplateurs : « Elles ne tiennent à rien, si ce n'est à s'en aller. Elles habitent leur départ, indéfiniment. » Le lecteur de ce livre ne pourra plus jamais écraser une bestiole sans se dire qu'il contribue à la destruction du monde.

Août 2011

La jungle

Chaque jour, il disparaît une parcelle de jungle primaire équivalant à la superficie de Paris. Dans dix ans, ces forêts des origines n'existeront plus. Rayées de la carte par la voracité humaine. Les enfants qui naissent (deux cent vingt mille nouveau-nés par jour) ne connaîtront pas ce qu'il y a de mystère à contempler le balancement des houppiers géants au-dessus de la canopée. Luc Jacquet, réalisateur de *La Marche de l'empereur,* a décidé de consacrer son énergie à la réalisation d'un film sur la forêt pluvieuse. Une œuvre qui sera à la fois un salut à la beauté menacée, une célébration de la noblesse des arbres, une fresque patrimoniale, un testament légué aux générations à venir et un manifeste pour la nature blessée. Son intention est de se laisser guider dans les hautes futaies par le botaniste Francis Hallé, auteur de *Plaidoyer pour l'arbre* (Actes Sud). Hallé sait lire dans la forêt comme nous, pauvres innocents, déchiffrons un livre. Lorsqu'il pénètre sous la voûte *sempervirens* son œil détecte des drames végétaux, surprend des miracles biologiques et perçoit des subtilités chimiques invisibles au regard profane. Dans le petit film de présentation

216

du projet, tourné par Jacquet en Amazonie, on voit le vieux savant, pensif, abîmé dans la contemplation de la jungle. D'une voix nouée, il avoue son chagrin devant le tronçonnage d'un grand arbre et affirme son dégoût du traitement que l'espèce humaine réserve aux forêts. Et d'ajouter : « C'est du machisme. » Ô la bonne expression ! C'est exactement cela. L'espèce humaine se conduit avec la Nature comme les beaufs devant les femmes : avec vulgarité, manque de sérieux et vanité.

Erratum

D'Antoine Blondin, cette légère correction apportée aux assertions darwiniennes : « L'homme descend du songe. »

Proverbe turc

« Quand le bûcheron rentre dans la forêt avec sa cognée, les arbres se disent : courage, le manche est des nôtres. » Pas sûr que ce proverbe console Francis Hallé.

Surpopulation

Réjouissons-nous. Cette année, selon les démographes, l'humanité va passer le seuil des sept milliards d'individus. Depuis 1999, en douze ans, la population mondiale se sera accrue d'un milliard d'humains. D'après les projections de l'ONU, nous devrions être neuf milliards en 2050. Certains analystes s'emploient à désamorcer toute crainte. Pour eux, la bombe démographique n'a pas explosé et n'explosera pas. Ces esprits en paix affirment que la Terre est capable de supporter le poids d'autant de milliards d'êtres humains que les ventres voudront bien en produire. Ces anti-Cassandre pro-natalistes se répartissent en trois catégories :

— monothéistes à tendance iréniste qui ne voudraient pour rien au monde entraver le projet divin de propagation du genre humain ;

— natalistes agressifs de type poutinien confondant leur nation avec une armée et persuadés qu'on mesure la puissance d'un pays à l'importance de son peuplement ;

— socialistes à tendance marxiste qui réduisent tout phénomène à sa seule dimension sociale.

Aux yeux de ces derniers, l'unique problème de l'humanité est la répartition inégale des richesses entre les êtres. L'égalité résoudrait tout. Peu importerait la pression dans le clapier pourvu que chacun ait la même ration de carottes. Proudhon (qui vivait dans un monde d'un milliard d'habitants) fondait sa critique des thèses malthusiennes sur les mêmes arguments. On voit par là que la pensée est neuve. Gérard-François Dumont, professeur à la Sorbonne désireux de désamorcer tout alarmisme, affirme ainsi dans un dossier du *Monde diplomatique* (juin 2011) que « si ces neuf milliards [d'humains] migraient en totalité aux États-Unis, laissant tout le reste de la Terre désert, la densité des États-Unis serait encore inférieure à celle de la région Île-de-France ». Ah ! comme nous voilà rassurés ! Et comme la statistique est une science agréable ! Ajoutons que si la moitié de ces neuf milliards montaient sur les épaules de l'autre moitié, la densité se réduirait de 50 % ! La seule qui soit absente de ces démonstrations arithmétiques, c'est la planète, chargée de nourrir tout le monde. La pression démographique a un prix : ce sont les sociétés humaines qui le payent. Elle a aussi un coût : c'est la Terre qui le supporte.

On pourrait avancer un autre argument pour apaiser les inquiétudes des écologistes : puisque Francis Hallé nous affirme qu'il n'y aura plus de forêts primaires dans dix ans, pourquoi s'en faire ? On pourra loger sur les terrains déboisés des millions d'hommes en plus. Vivement demain.

Septembre 2011

TGV

On est dans le TGV, on regarde défiler le Mâconnais, le Gâtinais ou les Dombes à 300 kilomètres à l'heure. Cela n'est pas ennuyeux, la campagne, quand ça fuse. Un château passe, un lac, un hangar, un village s'efface aussitôt qu'apparu. On n'a même pas le temps de voir les vaches qui, par voie de conséquence, ne peuvent plus regarder les trains. On essaie de se rappeler les vers de Cendrars sur les lignes télégraphiques dont le poète suit le fil à travers la fenêtre du Transsibérien. On songe avec excitation à ce qui nous attend à l'arrivée. On réfléchit avec nostalgie à ce que l'on vient de quitter. On est dans ses pensées ou bien plongé dans un bon livre (récemment, l'excellente autobiographie de Chris Bonington aux Éditions Nevicata). Bref, on est content d'être dans le train. Et puis, soudain, une sonnerie déchire le silence du wagon et un type qui ne s'est pas rendu compte de la présence d'autres habitants sur la planète se lance dans une énumération des pièces de bagnole qu'il vient de changer. Ou alors c'est une fille qui décrit le sac qu'elle va acheter. Ou bien une « petite vieille ratatinée » qui peine à épeler le numéro de son train à sa petite-fille. Et l'on se prend à regretter que jamais, ni sur la ligne de Marseille, ni sur celle de Bordeaux, ni sur celle de Brest, jamais, au grand jamais, on ne tombe sur un astrophysicien téléphonant à son ami théologien spécialiste de Maître Eckhart, ni sur François Cheng dictant à sa secrétaire sa dernière méditation sur la beauté, ni sur une violoniste s'entretenant de Mozart avec un ami autrichien.

Dans les arbres

Jacques Delamain, mort en 1953, était ornithologue. Jacques Lacarrière le surnommait « l'Homère des oiseaux ». Cet homme consacra sa vie à écouter le peuple du ciel, à percer le mystère de leur langage. Rien ne pouvait le distraire de sa passion. Rien. Pas même la guerre de 1914. La dernière partie de son livre *Pourquoi les oiseaux chantent* (publié en 1930 et réédité cette année par les Éditions des Équateurs), est constituée du *Journal de guerre d'un ornithologue*. Nous sommes avec les poilus, dans la tranchée. Pendant que le canon gronde et que les obus fusent, Delamain écoute la grive et le pinson. L'artillerie tonne. Lui tend l'oreille pour saisir le trille des friquets. Les seuls combats qu'il décrit sont les joutes des freux et des crécerelles. L'année de Verdun, l'homme parle de « journées magnifiques », observe les ramiers et note que « la draine chante régulièrement pendant quelques minutes au lever du soleil ». Rien ne le distrayait de sa passion. Socrate à l'instant de mourir rêvait d'apprendre à jouer de la lyre. Il y a des êtres comme cela, insolents, désinvoltes, étrangers aux circonstances. La grotesque agitation de leurs semblables les ennuie au suprême. Ils savent le chant d'un oiseau ou le vers d'un poète plus importants que les affaires des hommes.

À l'humanité empêtrée dans ses guerres, ils semblent dire : « Un peu de silence s'il vous plaît ! » C'est vrai quoi, dans ce monde, on n'entend plus les rossignols.

Dans la forme

Olympe de Gouges avait résumé la situation : « Dans l'Ancien Régime, les femmes étaient méprisables mais respectées. Dans les temps modernes, elles sont devenues respectables mais méprisées. » Voilà pourquoi il y a de plus en plus de Nafissatou Diallo alors même que les discours bien-pensants sont de plus en plus assourdissants.

Dans le fond

Dieu est tellement grand qu'il ne doit pas nous voir.

Octobre 2011

Ces lieux où ne souffle pas l'esprit

Alors que la jeunesse arabe se révolte – ne supportant plus que l'on juge l'Orient *moyen* – princes et banquiers poursuivent leurs menées grotesques. À Djedda, en Arabie Saoudite, on se prépare à édifier la Kingdom Tower, un gratte-ciel de 1 000 mètres. Le bâtiment sera inauguré dans cinq ans et détrônera, sur l'échelle de la prétention, la Burj Khalifa Tower de Dubaï (828 mètres). Ces tours sont des monuments de mauvais goût, des aberrations écologiques, des épines dans le cœur des villes. Paris est affligé de son étron : la tour Montparnasse. Seule satisfaction : ces monuments servent aux exploits d'Alain Robert, le grimpeur de buildings. Mais attention ! La hauteur de vue spirituelle ne procède pas forcément de la hauteur de la position. Les tours n'élèvent pas l'esprit. À Dubaï, des mollahs ont forcé les occupants des gratte-ciel à attendre quelques minutes de plus avant de rompre le jeûne du ramadan au prétexte qu'ils recevaient la lumière du soleil un peu plus longtemps que les autres.

Ces lieux où le soleil ne se couche pas

Bertrand Delanoë, après avoir versé puis enlevé du sable sur les quais de la Seine, a décidé de fêter la rupture du jeûne du ramadan. Des gens se sont émus ! Ont protesté contre cette atteinte à la laïcité. On devrait plutôt se réjouir que le maire d'une capitale d'Europe accomplisse un beau geste de savoir-vivre en saluant une religion dont les adeptes seraient incapables de rendre la réciproque. Les grincheux, d'ailleurs, n'ont qu'à s'installer au-delà du Cercle polaire : l'islam n'a aucun avenir en ces latitudes. Comment suivre le ramadan dans l'été arctique ou antarctique, lorsque le soleil ne se couche jamais. À ce propos, question théologique : pourquoi Dieu a-t-il créé des coins sur la Terre dont les habitants sont astronomiquement empêchés de suivre Ses commandements ?

Ces lieux où l'on trouve encore des vierges

Au sommet du Petit Dru, dans le massif de Chamonix, il y a une Vierge Marie en aluminium. Elle regarde vers le couchant. L'alpiniste qui arrive au sommet – passablement épuisé – se porte vers elle instinctivement, la touche, la caresse et la photographie. Il lui murmure quelques mots de gratitude. Le crâne de la statue est constellé d'impacts qui ont fait fondre le métal. Une vierge n'est pas à l'abri des coups de foudre.

Ce lieu inaccessible aux bourreaux

Consolation : ce que l'on a vécu ne peut nous être retiré. Cette idée a certainement soutenu nombre de prisonniers dans leur cellule. Les bourreaux, les dictateurs peuvent nous couper la main, prendre notre liberté, voler notre vie même, ils ne peuvent nous ravir notre moisson de connaissances, de souvenirs, d'expériences. Celle-ci constitue un trésor, serré dans le crâne – cette *boîte en os*. Un trésor que l'on emporte même au cœur de l'adversité. Celui qui dispose d'une mémoire océanique où plonger, comme dans les stocks d'un magasin, souffrira moins de l'isolement qu'un autre. Jankélévitch dans *L'Irréversible et la nostalgie* : « Celui qui a été ne peut pas désormais ne pas avoir été : ce fait mystérieux et profondément obscur d'avoir vécu est son viatique pour l'éternité. » Les peuples ont exprimé par des proverbes cette joie de rafler ici et là des moments d'éternité : « Encore un repas que les Prussiens n'auront pas ! » se réjouissait-on dans la France du début du XXᵉ siècle. Et les Cubains : « *Nadie me quita lo bailado* » (Personne ne m'enlèvera ce que j'ai dansé). A contrario, on vit avec le poids de ses fautes. Le terroriste s'inflige à lui-même des blessures irrémédiables. L'absolution, la remise des péchés, la prescription sont des coups d'éponge, des exercices d'écriture administrative, des tours de passe-passe religieux. Personne ne peut alléger un salaud du vrai fardeau de ses fautes.

Ces lieux que l'on ne retrouvera plus

Les saumons, les papillons retrouvent le lieu de leur naissance après des milliers de kilomètres de migration : et si c'était le mal du pays natal qui les guidait plutôt que la température des courants ou les champs magnétiques, comme s'opiniâtrent à le penser les scientifiques ? Pour les hommes, la nostalgie est moins bénéfique. L'homme est nostalgique de ce qu'il est sûr de ne pouvoir atteindre : l'enfance, un lieu utopique, un Âge révolu. Les nostalgiques, en général, ne sont pas de bonne compagnie. Ils « s'absentent sur place », selon la formule de Jankélévitch. Ils sont là physiquement, mais ils errent en pensée dans les ruines de citadelles inaccessibles, qu'ils s'imaginent avoir hantées, qu'ils ne verront jamais. Ils sont aussi infréquentables que les excités nourris d'espoir. La seule compagnie vivable : les chiens, les plantes, les enfants, les vieillards, les alcooliques, les êtres capables d'accepter l'inéluctabilité du temps sans vouloir le retenir ni le presser de passer.

Ce lieu mystérieux qu'on appelle la vie

C'est un espace mouvant. On s'y déplace à tâtons. On s'y débat, on s'y agite, on y cueille un peu de plaisir. Tout y est absurde et important. On est forcé d'avancer sans savoir où mènent tant d'efforts. On ne peut s'arrêter pour souffler un peu. On a l'impression de traverser un cours d'eau. On ne sait pas quand on parviendra sur l'autre rive. Y a-t-il une autre rive ? Jacques Chardonne dans *Le Ciel par la fenêtre* donne un conseil précieux pour ce voyage bizarre : « Il faut vivre dignement dans l'incertain. »

Ces lieux qui n'en ont plus pour longtemps

Dans la calanque de Ginac, près de Marseille, le maire a interdit l'accès aux criques surplombées de falaises de grès pourri en promulguant un arrêté d'« effondrement imminent ». Parfois, triste ou saoul, je me sens comme les falaises de Ginac.

Novembre 2011

Tellement bêtes

Les services de communication de la RATP ont encore frappé. Il y a peu, ils avaient ôté la pipe de Monsieur Hulot, la remplaçant par un moulin à vent afin de ne pas heurter les passagers. Cette année, dans une campagne contre la muflerie envahissante (les « incivilités-voyageurs » en novlangue) les communicants souterrains ont décidé d'illustrer des scènes du sans-gêne ordinaire en recourant à l'imagerie animalière. S'étalent sur les affiches un buffle bousculant les passagers, une poule caquetant dans un téléphone, une grenouille qui saute par-dessus un tourniquet et un paresseux prélassé sur un strapontin aux heures de pointe. Le tout accompagné de ce charabia affreux (« restons civils sur toute la ligne ») dont Philippe Muray s'était fait l'impitoyable analyste. Tout cela est parfaitement inutile. Un peu agaçant aussi. Quand La Fontaine utilisait – en moraliste – les animaux pour camper des caractères, c'était pour en dire davantage avec les bêtes qu'on ne l'eût laissé en exprimer avec les hommes. Le mode allégorique des fables ne trompait personne. Et cela donnait des poèmes universels qui ont traversé les siècles. Avec la RATP, c'est autre chose.

Attribuer aux animaux l'expression des misérables bassesses humaines, afin de ne pas heurter ceux-là même auxquels on reproche leur conduite, est une technique de chacal. Pardon, une ruse pas très fair-play.

Tellement hommes

Tous les ans, même rengaine. Nous devons nous taper les élucubrations d'un penseur stigmatisant l'écologie radicale. L'argumentation est simple : la pensée décroissante cacherait une haine de soi. Les protecteurs de l'environnement dissimuleraient sous leurs vertes diatribes une haine de l'Homme, du progrès et de la science. Ils pécheraient par pessimisme et refuseraient de considérer que l'humanité a toujours convoqué son génie propre quand il fallait relever un défi. Bref, les défenseurs de la nature seraient des « *Khmers verts* » (expression contribuant à la banalisation des vrais sanguinaires – les éponymes rouges). Trois catégories de gens se félicitent de ce genre de livres : les catholiques propagateurs pour qui la Terre est une couveuse à ne jamais désemplir, les industriels pour qui la Terre est un vaisseau à arraisonner et enfin ceux qui veulent sauver la planète mais sans réformer leur mode de vie. Cette année c'est Pascal Bruckner à l'exercice dans *Le Fanatisme de l'apocalypse* (Grasset). Oh ! le beau diamant humaniste dans le brouillard vert. Oh ! la savante célébration de la culture et du savoir-vivre. Son livre sort au mois d'octobre. Au moment où l'effectif humain planétaire passe à sept milliards et où l'on enregistre en France des records de chaleur. C'est ce qui s'appelle le sens de l'à-propos.

Décembre 2011

Une histoire

Istanbul en automne. L'aube est faiblarde, au-dessus de la ville asiatique. Le soleil comme les Huns seljoukides a voyagé au-dessus des steppes anatoliennes avant d'atteindre aux rivages de la mer de Marmara. Je monte sur la terrasse du plus haut immeuble du quartier de Galata pour regarder s'ouvrir au jour la cité plantée de minarets (les banderilles de Dieu). Déjà le ballet des tankers agite le Bosphore. Aujourd'hui, ils vont vers la mer Noire, du sud vers le nord. Demain, les autorités inverseront le sens de circulation. Si l'on considérait la géographie comme une anatomie de la Terre, il faudrait voir la mer Noire comme un fœtus et le Bosphore comme le col d'un utérus où les bateaux tiendraient le rôle des gamètes. Sur le toit de l'immeuble, je suis accueilli par une chorale lugubre : des centaines de freux croassent. Les bêtes tournoient au-dessus du building. On croirait le début de l'attaque des oiseaux hitchcockiens. La fille turque qui m'accompagne : « Je n'aime pas quand les oiseaux sont enragés, cela veut dire qu'il va y avoir un tremblement de terre… » Elle a raison : cette auréole de corvidés tient du présage funeste. Soudain nous comprenons la raison de la concentration : un freux gît, pendu par la tête à la terrasse du dessous, au 20ᵉ étage. Il s'est encastré contre un parapet en Plexiglas et sa tête s'est logée dans la rainure qui sépare les plaques transparentes. Il bat des ailes en vain, tentant de s'extirper du piège, griffant des serres les parois lisses comme du verre. Parfois, un congénère se porte à sa hauteur et, du bec, essaie de le tirer vers le haut. Je désescalade en m'aidant de poutrelles apparentes du 21ᵉ au 20ᵉ étage, délivre l'oiseau et le jette dans le vide où il reprend son vol. Alors, du nuage tout entier monte une clameur assourdissante. Leur ami est délivré. Les oiseaux décrivent une dernière boucle et s'enfuient vers le nord, emportant l'écho de leurs cris. Un retardataire nous frôle, lâche un croassement et j'ai plaisir à penser que c'est un remerciement.

Des hommes doubles

Le Bosphore est animé par un double courant aux directions contradictoires. Le premier flux amène en surface les eaux de la mer Noire à la mer de Marmara. L'explication tient dans le fait que la mer Noire est située légèrement plus haut que son bassin déversant. Le deuxième courant convoie en profondeur les eaux salées de Marmara vers le bassin du Pont-Euxin. La mer Noire doit sa salinité à ce mouvement. Autrefois, les pêcheurs qui remontaient le Bosphore vers le nord laissaient pendre leurs filets dans l'eau pour qu'ils se prennent dans le courant de fond et facilitent la nage des rameurs. Il y a beaucoup d'êtres humains qui agissent d'une façon et pensent d'une autre. Ils suivent des pentes qui ne correspondent pas à leur inclinaison intime. Ils sont traversés par des courants intérieurs contraires à leurs comportements de surface. Ce sont des êtres dangereux. Comme le Bosphore.

Les illusions perdues

Les révolutions arabes nous avaient enthousiasmés. Qui resterait indifférent au soulèvement de la jeunesse ? Mais les belles couleurs du printemps ont terni. Partout, en Égypte, en Tunisie, en Libye, les élans s'enlisent, les rêves se brisent. L'homme ne se refait jamais. Qu'est-ce que l'espoir ? Le mot que l'on donne à l'illusion avant que la réalité n'abatte les masques. Les révolutions ne sont que des séquences de l'Histoire destinées à mettre en place des régimes qui requerront eux-mêmes de promptes révolutions pour en venir à bout. Ernst Jünger dans *Les Nombres et les dieux* : « Les révolutions, lors même qu'elles mettent tout cul par-dessus tête, modifient dans le cadre du système. Ce qui maintient un air de famille dans la succession. » Les révolutions ? Un changement de propriétaire.

Un motif de voyage

J'aime écouter les voyageurs dérouler leurs motifs de départ. Il s'agit toujours de nobles raisons. L'amour, la découverte, la soif de connaissance, le perfectionnement des langues, l'étude de mœurs étranges. Il n'y a que les écrivains à oser avancer des motivations misérables et sincères. Jules Verne imagine un négociant de tabac de Constantinople qui préfère accomplir le tour complet de la mer Noire plutôt que s'acquitter de la taxe que les bateliers exigent pour faire traverser le Bosphore aux voyageurs : « Ce n'est point un voyage, écrit Jules Verne, c'est tout simplement un autre chemin que prend mon ami Kéraban pour rentrer dîner chez lui. »

Janvier 2012

Les Titans

Scène de la vie quotidienne. Je suis à la poste pour retirer un paquet qui m'est destiné. J'ai oublié mon avis de livraison. Moi, naïf : « Si je vous donne mon nom et la date cela ne suffit pas ? » Réponse : « Non ! il faut un numéro, on a simplifié le système. » La réduction de toute chose aux chiffres sonne le glas des dieux et l'avènement de temps bien sombres.

Les absents

Quand vous partez seul, vos proches ne vous manquent pas ?

À la question qui m'est posée, j'ai trouvé la réponse dans le livre de Georges Perros, *Papiers collés* (tome III) : « Je suis plus sensible aux êtres quand j'y pense que quand je les vois. »

Les gitans

Alexandre Romanès est un gitan. Il a fondé un cirque. Quand on assiste à son spectacle, on est emporté par la gaieté légèrement désespérée de la troupe. Les numéros s'enchaînent, pas vraiment désordonnés, pas toujours bien réglés, mais vifs, énergiques, simples et vrais. La musique de l'orchestre tzigane vous empoigne l'âme, vous tord le ventre. On a envie de se lever, d'embrasser un ours, de casser des bouteilles et de foutre le camp. Romanès est un poète. Il ne le savait pas. Il a connu Jean Genet (l'amoureux des cirques, l'auteur du *Funambule*) et Jean Genet l'a incité à écrire. Et lui, le fils des routes, qui ne savait ni lire ni écrire et qui venait d'un monde où les livres n'existent que pour caler les tables, il a couché sur le papier les phrases qui flottaient sous le chapiteau de sa tête. Trois recueils de Romanès existent (chez Gallimard) : *Paroles perdues*, *Sur l'épaule de l'ange* et le dernier, *Un peuple de promeneurs* qui vient de sortir. Ce sont des bijoux pour nos temps de laideur. Des bréviaires de la pensée gitane, des évangiles de la liberté. Des pages traversées de tendresse, de tristesse, de violence. De temps en temps, il y a un éclair d'amour ou de colère qui fuse, comme un coup de couteau. Ce haïku romano par exemple : « Devant, la route, derrière, les femmes et les enfants. Autour, l'implacabilité du monde. Ici ou ailleurs, est-ce que ce n'est pas pareil ? » Et encore : « Pour les gitans deux choses sont importantes : le sang et l'or. » Et ce dernier : « Dans les tribus gitane et tzigane, le nomadisme est très fort. Il y a sûrement plusieurs explications, mais moi j'en vois surtout une : dans l'univers tout bouge. »

Le géant

Wilfred Thesiger, notre dieu, géant de l'exploration. Les Anglais l'appelaient « l'explorateur en costume trois pièces ». Il pratiquait l'aventure comme un exercice spirituel. De lui, on eût pu dire ce qu'écrit Conrad de son héros dans *Au cœur des ténèbres* :

« Son besoin, c'était d'exister, et d'aller de l'avant au plus grand risque possible et avec un maximum de privations. » Thesiger, pur produit de l'éducation britannique (Eton !), nous a donné des récits brûlants de séjours dans les ergs du sud de la péninsule saoudienne. Il y chante les vertus de l'ascétisme, de la camaraderie bédouine, de la fièvre guerrière, contre les valeurs viciées d'un Occident marchand. Dans *Le Désert des déserts*, le documentaire que lui a consacré en 1991 le cinéaste Jean-Claude Luyat (produit par Les films d'ici et reprenant le titre du plus célèbre ouvrage de Thesiger), on suit le vieil explorateur sur ses propres traces dans le Rub-al-Khali. Il retrouve ses compagnons de caravane, plusieurs décennies après son expédition dans le royaume du vide... À la fin du film, Thesiger, après avoir déploré que la modernité ait conduit « inévitablement les qualités les plus rares des Bédouins à s'éteindre », résume les vertus autrefois admirées chez ses amis : « la générosité, le courage, l'endurance et la gaieté ». Je tiens là mes résolutions pour l'année prochaine !

L'embêtant

Entendu dans une conférence : « Il faut se méfier des énumérations pour beaucoup de raisons qui sont les suivantes... »

L'affligeant

Vu dans le train cette publicité : « Être joignable, quoi qu'il se passe. » Cet impératif d'être partout joignable ne devrait-il pas s'adresser uniquement aux détenus en liberté conditionnelle, ces condamnés qui portent des bracelets électroniques et dont l'Autorité doit pouvoir trouver trace à tout instant ? Il paraît que la technologie permettant de recevoir toutes les sortes de médias sur son téléphone portable s'appelle la « 3G ». Après la lecture du formidable ouvrage de Nicholas Carr, *Internet rend-il bête ?* (Éditions Robert Laffont), on comprend le sigle des trois G : Gâtisme, sans-Gêne et Guimauve.

Les piquants

Avec toutes ces nouvelles églises, ces minarets, ces clochers, ces croix et ces croissants qui se hérissent vers le ciel, Dieu va finir par se faire mal s'il revient sur Terre.

Février 2012

Lire de la poésie

Rien ne sert de s'agiter derrière les fenêtres de l'existence puisque toute chose est aussi absurde que la buée sur un carreau. La preuve :

> Et qu'est-ce que la vie ?
> Un réveil d'un moment,
> De naître et de mourir un court étonnement.

Alphonse de Lamartine,
Harmonies poétiques et religieuses.

L'homme est le rêve d'une ombre.

Pindare, *VIIIe Pythique.*

Se poser des questions

1. J'observe deux éphémères qui se frottent les antennes : font-elles des projets ?

2. S'il y a des mauvaises herbes, c'est peut-être que l'on a enterré des hommes en dessous ?

3. Je me demande si la « théorie du complot » n'a pas été fomentée, en secret et dans la clandestinité, par un petit groupe d'hommes.

Assister au naufrage

Après le naufrage du *Costa Concordia* au large des côtes italiennes, le capitaine du navire, M. Schettino, fut accusé d'avoir déserté les lieux sans prêter aux malheureux les secours que lui dictait l'honneur et que lui imposait son grade. Le marin fut sacré par la presse « homme le plus haï d'Italie ». Mussolini avait déjà reçu ce titre (après avoir été porté au pinacle par le même peuple qui le pendit à un croc de boucherie, quelques décennies plus tard). La vindicte de tout un pays s'est déchaînée contre un marin. Les rats quittent le navire, les loups, eux, hurlent en meute.

Étrange qu'aucune de ces voix indignées ne se soit élevée, *avant* la catastrophe, contre le principe même de ces paquebots monstrueux qui barrent l'horizon de leurs empilements.

Regarder des cartes

À la fin de l'année, nous sommes trois à traverser le Vercors sur nos skis de randonnée. Nous allons dans le silence des forêts de Vassieux et sur les étendues du plateau d'Ambiel. Un chien nous accompagne, un border collie du nom d'Adèle. La pauvre bête est fatiguée de caracoler dans la poudreuse et nous la juchons sur la *pulka* que nous tirons à tour de rôle. Nous inventons une version du chien de traîneau qui enchanterait les membres des ligues de défense de l'animal : c'est nous qui tirons le chien ! Le soir, nous nous écroulons dans les cabanes de bois ou de pierre laissées à la bonne garde des promeneurs. Je me perds dans la contemplation de la carte au 1/25 000. Pas un pli du terrain qui ne porte un nom, pas une bergerie, pas le moindre thalweg qui n'aient reçu un acte de baptême. Les toponymes témoignent d'une anecdote, révèlent une tragédie ou gardent la mémoire de l'existence d'un personnage qui marqua l'endroit. Je me souviens de ces cartes d'état-major russes ou mongoles au 1/50 000 ou au 1/100 000. Certaines feuilles consistaient en un grand à-plat de couleur figurant la taïga ou la steppe sans la moindre indication toponymique. Ces cartes-là ressemblaient aux déserts qu'elles représentaient. Des zones qui avalent tout, même l'écho des paroles…

S'apitoyer sur soi

Réfléchir à ses blessures : penser ses plaies.

Plonger dans les zones grises

Gaïdz Minassian vient de publier un essai sur les *Zones grises* (Éditions Autrement). Il ne s'agit pas d'un ouvrage sur le cerveau humain mais d'une tentative de décrire les processus qui entraînent des étendues géographiques entières à se soustraire au contrôle des États centraux. Déplorant que l'expression soit devenue « fourre-tout », le chercheur explique que trois principes conditionnent l'identification d'une zone grise. Pour prétendre à l'appellation, il faut qu'un espace souffre d'une « concurrence d'autorité, d'une dérégulation sociale et de la privatisation du territoire ». Quand la déréliction politique, économique et sociale a suffisamment gangrené le territoire, celui-ci se détache alors, tel un membre pourri. Il est mûr pour abriter tous les trafics, et prospérer au rythme d'une économie parallèle et d'un droit mafieux. Minassian accompagne son étude d'une description typologique de différentes zones grises comme Gaza, les territoires sous l'autorité des FARC, la Somalie et aussi… les « cités à risques » des banlieues françaises. Reporters ! Voyageurs ! Aventuriers ! Pourquoi vous obstinez-vous à arpenter les franges en déshérence du Baloutchistan, de la mer de Chine ou de la Colombie alors que les « poches abandonnées ou retranchées » des ghettos de vos banlieues s'offrent à vos aspirations, à quelques pas de chez vous.

Mars 2012

Chroniques des agacements

Je suis convoqué à la police. Au commissariat, le gardien de la paix : « On n'arrive pas à vous joindre. » Moi : « Je n'ai pas de répondeur, pas de portable et je ne réponds pas au téléphone. » Lui : « Il va falloir arranger ça. » Les nouvelles technologies sont les alliées de la police. Grâce à elles, nous sommes localisables, sommés d'accourir à l'appel. Répondre au téléphone est la façon moderne de se mettre au garde-à-vous. Les petits engins que nous trimbalons conservent trace de nos conversations, gardent en mémoire la chronologie de nos coups de fil, le nom de nos correspondants, la durée de nos conversations, leur teneur peut-être ? On comprend que les policiers nous encouragent à nous connecter. Les téléphones portables sont des flics de poche.

Chronique de l'indifférence

« Rien ne préoccupe plus [les masses] que leur bien-être, et en même temps, elles ont coupé tout lien de solidarité avec les causes de ce bien-être. Comme elles ne voient pas dans la civilisation une invention et une construction prodigieuses qui ne peuvent se maintenir qu'avec de grands et prudents efforts, elles croient que leur rôle se réduit à les exiger péremptoirement, comme si c'étaient des droits de naissance. » Profession de foi écologiste ? Non, fin du sixième chapitre de *La Révolte des masses* de José Ortega y Gasset (Les Belles Lettres).

Chronique de l'illusion

Benjamin Constant en 1829 dans *De la perfectibilité de l'espèce humaine :* « Il existe dans la nature humaine une disposition qui lui donne perpétuellement la force d'immoler le présent à l'avenir. » Quand votre interlocuteur répond au téléphone alors que vous êtes occupé à lui parler, il manifeste cette *disposition*. Il zigouille sa conversation au prétexte que – comme les valets de Molière – on le sonne. Je préfère les gens qui renversent la proposition de Constant et ne laissent pas les illusions de l'avenir, les mensonges de l'espoir, les impostures de l'attente, les fausses promesses du changement et les coups de téléphone intempestifs s'infiltrer dans la citadelle de l'instant.

Chronique de l'inégalité

Claude Guéant a raison : « Toutes les civilisations ne se valent pas. » Par exemple, une civilisation qui produit une réflexion sur la hiérarchie des civilisations est moins valable qu'une civilisation qui ne la produit pas.

Chronique du crépuscule

La cinéaste Marianne Chaud sort un nouveau film. Une fresque belle, lente et sombre de la vie des nomades du Ladakh. Marianne compose une subtile tapisserie où se déploient les débats intérieurs et les questionnements sur la destinée, les choix de vie. La question se pose aux nomades : faut-il continuer cette existence rude ou bien tenter sa chance dans le monde des sédentaires ? À 4 500 mètres d'altitude, un père et son fils résistent aux sirènes. Pour combien de temps ? Un jeune couple décide de jeter l'éponge. C'en est fini de la vie des alpages, ils vendent leurs chèvres et partent dans la plaine. Le plan du camion qui les emporte à la ville où ils seront maçons est poignant. Là-haut, ils étaient des seigneurs pauvres. En bas, ils deviendront des prolétaires mondialisés. Le Moloch économique a besoin de chair fraîche. Marianne a intitulé son film *La Nuit nomade*. On lui sait gré de son timbre mélancolique, de sa lucidité. Le pessimisme est l'hommage que rend l'honnêteté à la réalité. L'optimisme est le nom satisfait que donnent les autruches à leur cécité.

Chronique de la destruction de soi

L'éditeur Oliver Gallmeister, chantre du *nature writing* américain, est interviewé à la radio l'autre nuit : « Il y a deux choses qui tuent les écrivains : l'alcool et la religion. » Il parle d'or : ouvrir une bouteille ou un missel revient au même : on pense que ça ira mieux plus tard.

Chronique de la déshumanisation

Nous sommes soumis à l'administration. C'est même elle qui décide, dans les affaires judiciaires, qui a « qualité d'agir ». Je pensais que c'était le fait de naître qui nous donnait cette prérogative.

Chronique de la vengeance

L'indicateur est un oiseau d'Afrique qui, par son chant, guide les mustélidés et même l'homme vers les nids d'abeilles afin que soit défoncé l'essaim et ouvert l'accès au miel. Le petit être atteste que, dans les temps immémoriaux, des bêtes au phylum très éloigné se sont rencontrées, connues, comprises. On raconte qu'un jour, un indicateur dont la femelle avait été tuée par un chasseur guida le meurtrier vers un nid de serpents. Et que l'homme fut mordu à mort.

Avril 2012

Toulouse

À Toulouse, en ce mois de mars, une tuerie dans une école. Le massacre des innocents. Aussitôt, les candidats à l'élection présidentielle d'avril 2012 d'accourir pour livrer leurs commentaires, régler les comptes, désavouer leurs concurrents. Les corps fument encore, les prétendants nous accablent de paroles. Chacun appelle au silence. En les écoutant me revient la phrase de Jacques Benoist-Méchin dans *Cléopâtre ou le rêve évanoui* : « Autant de valets qui avaient pris goût au métier de ministre. » Et celle de Marx, tirée de sa préface à l'édition allemande du *Capital* critiquant : « Les passions les plus vives, les plus mesquines et les plus haïssables du cœur humain, toutes les furies de l'intérêt privé. »

Les Landes

Longue marche l'autre jour sur la grève de la côte sauvage, au sud de la dune du Pyla. Un dauphin est échoué, mutilé. Il a probablement été pris dans les filets de pêcheurs qui, pour s'en débarrasser, lui ont sectionné la queue. Des renards ont creusé un trou sous son ventre pour se goberger des tripes. Les dents du mammifère marin dessinent un large sourire qui fend son bec, le sourire de la mort. Pendant ce temps, l'océan baratte lentement l'écume. La vie continue, solfiée par la houle. Chaque vague est comme un écroulement sans conséquence. La musique du ressac : requiem pour le dauphin mort.

Indochine

Pierre Schoendoerffer est mort le 14 mars 2012. Le romancier et cinéaste était parvenu à travers des films simples, claquants et esthétiques (*Le Crabe-Tambour*, *Diên Biên Phu*, ou l'inoubliable *317e Section*) à nous faire entrevoir ce qu'il y a de romantique et de grandiose non pas dans la guerre, bien entendu, mais dans l'engagement du soldat. Schoendoerffer avait inventé un cinéma où l'honneur, le souvenir, la fidélité et le panache suffisaient à alimenter un scénario. Les causes perdues tenaient lieu d'effets spéciaux à ce cinéma-là. Schoendoerffer livre après livre, film après film sculptait des stèles à la mémoire d'une France disparue qui se rêvait un destin.

Cap Canaille

Nous bivouaquons dans une grotte creusée à flanc de la formidable falaise du cap Canaille. Il est toujours émouvant de se glisser dans ces niches surplombées par des centaines de mètres d'entassements de grès et de pudding : on a l'impression de se réfugier dans une matrice. Soudain, au milieu de la nuit, un petit éboulement. Des coulées de poussière et de sable ruissellent dans les sacs de couchage. On devrait paniquer. Pourtant on se rendort, rassuré par cette idée simple : si cette paroi âgée de millions d'années doit s'écrouler précisément le jour où je dors en ses flancs, c'est mon destin, inutile d'essayer de s'y soustraire.

Paris

· J'arrive très en retard à un dîner. En guise d'excuses, ce mot de Blondin : « Pardon, je n'ai pas trouvé un seul bistro fermé. »

Univers

Cent milliards de galaxies dans l'univers et chacune d'entre elles compte des milliards d'étoiles. Et il y a des gens qui continuent à se rendre malades du recul de la francophonie dans les territoires de l'ancien Empire français.

Wadi Rum

Je m'envole pour la Jordanie. Au moment de boucler mes affaires, soudain, une hésitation : ces livres que je m'apprête à fourrer dans mon sac, faut-il vraiment s'en encombrer ? Il y a quelque chose d'absurde à partir pour le désert avec *Les Belles Endormies* de Kawabata, les *Confessions* de saint Augustin et *Esquisse d'une morale sans obligation ni sanction* de Jean-Marie Guyau. Se charger de livres, c'est l'aveu que le pays où l'on s'apprête à plonger ne suffira pas. Que l'on redoute l'ennui à l'aube de son voyage. Bernard de Clairvaux a écrit qu'« il y [avait] plus de sagesse dans un arbre que dans tous les livres des hommes » : je dois donc, une fois dans le Wadi Rum, me satisfaire de la contemplation des buissons rachitiques. Du coup, je défais le sac et en retire les trois volumes. Puis, comme on ne se refait pas, en attendant le taxi qui doit me mener à l'aéroport, j'ouvre *La terre est l'oreille de l'ours* de Jil Silberstein (Éditions Noir sur Blanc). Et, au milieu de cette somptueuse ode à la nature, au vivant, à l'esprit de la forêt et au génie des peuples du Grand Nord je trouve cette pensée : « Tout de même, les choses ont évolué depuis le temps où l'ancien Parisien que j'étais, depuis peu établi en Suisse, ne pouvait se résoudre à suivre en forêt sa compagne sans emporter en poche deux ou trois livres de poésie. »

Mai 2012

Une devise

Une phrase de Gustave Thibon à épingler au portrait du président de la République récemment élu : « Tenir, une fois dégrisé, ses serments d'ivrogne. »

Une chanson

Il y a dix ans, dans les boîtes de nuit russes, une *bimbo* chantait cette chanson en français avec un accent de kolkhozienne :

Tu m'as promis le soleil en hiver et j'ai reçu carte postale
Tu m'as promis et je t'ai cru… Je suis mademoiselle
Pas de chance.

J'ai oublié le titre de la chanson. Elle aurait pu s'appeler : « Le peuple français s'adresse aux candidats à la présidence de la République. »

Quarante ans

Ce n'est pas tellement drôle d'avoir quarante ans. On a l'impression d'une injustice. Surtout si l'on se penche sur la pyramide des âges des pays du Sud. Tous

ces Africains et ces Indiens de moins de vingt ans !
Ils ont la vie devant eux. On prend un coup au moral.
Si l'on s'intéresse à l'histoire, c'est pire. Alexandre le
Grand fut maître du monde à vingt-deux ans. César à
trente. La littérature n'offre pas plus de consolation.
Rimbaud, génie de dix-sept ans. Huguenin mort avant
trente ans, fracassé au volant de sa bagnole. L'histoire
de la musique achève de vous abattre. Mozart : comète
de trente-six ans. On se dit : « Et moi ? » Et l'on se
prend à dresser un bilan désastreux : à quarante ans,
je n'ai ni voiture ni enfants, pas de maison et les
ménisques en charpie… Non, le jour de ses quarante
ans, il faut boire un verre de vodka à la santé de
Nina Berberova qui publia son premier livre à plus de
quatre-vingts ans. Et se dire que Théodore Monod par-
courait les ergs d'Arabie à quatre-vingt-dix ans passés.

Wadi Rum

Nous sommes trois à faire de l'escalade dans le
massif du Wadi Rum jordanien. Un soir, nous attei-
gnons le sommet du massif de Nassrani au terme d'une
longue voie. C'est un plateau entouré de falaises, une
table géologique pareille aux *tepuys* de l'Amérique du
Sud. On n'y peut accéder qu'au terme de difficiles
grimpées. Le photographe qui nous accompagne est
fatigué. Il crie grâce. « Redescendez sans moi, je ne
veux point faire les rappels. Vous remonterez demain
pour me chercher et nous repartirons tous ensemble. »
Nous lui donnons un litre d'eau, une veste polaire
et une poignée de cacahuètes et dégringolons dans
la longue série de rappels au terme de laquelle,
300 mètres plus bas, nous attend un bivouac confortable. Devant le feu, je pense à notre ami, là-haut,
piégé sur son plateau. Si nous ne venons pas le délivrer

demain, il mourra en quelques jours. Mais la beauté des constellations du Wadi Rum le consolera ! Va-t-il, à la manière d'Ernest Renan qui passa une nuit sur l'Acropole athénienne, connaître une illumination de l'esprit ? Je me souviens que, dans *Terre des Hommes*, Saint-Exupéry raconte avoir posé son avion endommagé sur une mesa du Nord saharien. Une rapide exploration lui confirma qu'il ne pouvait descendre à pied de ce plateau protégé par des remparts verticaux. Personne n'en avait foulé le sommet. Cette dent de roche était vierge. Soudain, l'écrivain bute sur un caillou dont la structure géologique n'appartient pas à celle de la montagne. Saint-Exupéry comprend que le caillou est tombé du ciel. Devant ce joli présent des espaces sidéraux, l'auteur du *Petit Prince* écrit l'une de ses plus belles méditations. Le lendemain, nous rejoignons notre camarade. Au sommet, il n'a pas trouvé de météorites, mais a fait une découverte non moins vertigineuse : des traces et des crottes de bouquetins. Comment les bêtes ont-elles pu se jucher ici ? Toute la nuit, comme Saint-Exupéry, l'étreinte du mystère l'a empêché de dormir...

Une disparition

Le Village oublié de Theodor Kröger est publié chez Phébus et préfacé par Jean Raspail. Au moment de la Révolution bolchevique, en Sibérie, les membres d'un village de la taïga décident de se retirer du siècle. Ils effacent les pistes, ils coupent toute communication, ils s'évanouissent dans la nature et, adoptant une rigoureuse autarcie, protégés par l'épaisse forêt, laissent le monde continuer sa course sans eux. Ah, la tentation de disparaître ! Comme j'en ressens la morsure... Le discours commun nous serine que se replier sur soi est stérile, que « l'ouverture aux autres » est gage de fécondité. Et les moines chinois, alors, et les ermites bouddhistes, les tribus amérindiennes et les artistes autistes ? Thoreau, saint Augustin et Flaubert ? Trouvez-vous qu'ils ont perdu grand-chose à se barricader ? Dans le roman de Pascal Quignard, *Villa Amalia,* une femme trompée décide de mourir à elle-même. Elle mue. Elle quitte son enveloppe civile, change de nom, de look, vend ses biens, rompt avec ses amis et, sans prévenir personne, brouillant toutes les pistes, s'installe au bord de la mer pour se dissoudre et renaître. Au moment où je réfléchis à tout cela, le téléphone sonne. C'est ma sœur. Elle m'apprend que le banquier me cherche, que j'ai oublié le rendez-vous du dentiste, que la douche fuit chez la voisine du dessous. En outre je dois venir prendre le thé chez la vieille amie russe de notre grand-tante. Ach ! Theodor Kröger, venez à mon secours ! Montrez-moi le chemin du Village oublié…

Juin 2012

Méfiez-vous du premier mouvement, c'est souvent le bon

Quel voyageur n'a un jour ressenti l'étrange afflux de sentiments, de réflexions au premier pas dans un pays inconnu ? Sur la toile vierge, s'esquisse le motif. Il semble que tous les sens, toutes les facultés, stimulés par l'inconnu, fouettés d'excitation, se tendent à l'extrême pour accueillir de neuves impressions. Le comble, c'est que ces sensations naissantes se révèlent souvent vraies ! Après un long séjour dans le pays, on s'apercevra avec bonheur de leur justesse. Jean Cocteau dans les *Entretiens* accordés à André Fraigneau : « Je crois beaucoup au coup d'œil rapide. Ensuite on se trompe. »

Les petites histoires de la grande Histoire

Cocteau dans les *Entretiens* raconte que, pendant la Deuxième Guerre mondiale, certaines vieilles Bretonnes, désespérées de l'occupation allemande, fleurissaient la statue de Jeanne d'Arc en implorant le retour de l'Anglais.

La race des saigneurs n'est pas une race de seigneurs

La fascination que le monde de la pègre suscite chez les élites médiatiques et intellectuelles françaises me plonge dans l'étonnement. J'entends bien qu'avoir les yeux de Chimène pour les voyous, les criminels ou les casseurs – on dit *la racaille* aujourd'hui – donne un agréable frisson et que célébrer Mesrine sur les plateaux de télévision, c'est s'encanailler à compte facile avant de regagner ses (beaux) quartiers. Varlam Chalamov, dans ses *Récits de la Kolyma,* dénonce cette attraction de l'artiste bourgeois pour le monde des bas-fonds. L'écrivain russe qualifie ce penchant d'« erreur de la littérature mondiale ». Il ne comprend pas les indulgences d'Hugo ou du poète Essenine envers les détenus de droit commun. Il faut dire qu'après avoir passé quinze ans dans les goulags communistes, il avait eu le temps de découvrir le visage de la pègre. Il ne décelait nul romantisme, nulle noblesse, nul esthétisme chez ces hommes guidés par la violence, la cupidité, l'égoïsme. N'est pas Robin des Bois qui veut. Quant au prétendu « code d'honneur » des voyous, qui inspire tant les cinéastes et les romanciers, Chalamov n'a pas de mal à montrer qu'il se réduit à un arrangement avec la morale, destiné à servir les intérêts des crapules tout en leur donnant l'occasion de singer les chevaliers (voir à ce propos le film d'Olivier Marchal, *Les Lyonnais,* où le spectateur subit les vendettas d'une bande de brutes incultes et pathétiques présentée en confrérie de rebelles loyaux). À la rescousse de Chalamov, George Orwell a produit après-guerre deux essais majeurs : *Decline of the English Murder* et *Raffles and Miss Blanchard* qui feront passer toute envie au lecteur de romantiser le crime. Karl Marx, au siècle précédent, dans son essai *Les Luttes de classes en France, 1848-1850,* stigmatise « les criminels de toute espèce, vivant des déchets de la société... capables des actes de banditisme les plus crapuleux et de la vénalité la plus infâme » et les distingue des prolétaires *décents* seulement soucieux de l'amélioration de leur sort. Ne jamais oublier que la seule divinité devant laquelle s'agenouille une racaille est Mammon, l'ange du fric.

Très court addendum à ce qui vient d'être dit plus haut

« L'intelligence, c'est de se retirer du mal. » (Jean Giono, *Lettre aux paysans sur la pauvreté et la paix.*)

Ô mon Dieu, passe-toi de moi pour la vie éternelle

Les uns espèrent la vie éternelle, les yeux tournés vers le ciel. Les autres salivent à l'idée des petites pépées vierges qui les attendent dans les jardins célestes derrière les bosquets de jusquiame et les fontaines d'eau de rose. Les autres espèrent sortir du cycle maudit pour flotter enfin dans le néant, libérés de toute attache. Ne considérant pas cette existence terrestre comme une salle d'attente, je préfère, à ces espérances, la profession de foi d'André Breton : « Tout l'au-delà est dans cette vie » ou celle de Pindare : « Ô mon âme, n'aspire pas à la vie éternelle mais épuise le champ des possibles. » Ces principes cardinaux ont guidé la vie de Patrice Franceschi. Dans *La Dernière Ligne droite* (Éditions Arthaud), l'écrivain se confie et revient sur les épisodes saillants de sa vie. De sa vie ? De ses neuf vies, devrait-on écrire. Celui qui fut tour à tour capitaine de navire, pilote d'ULM, volontaire dans l'armée des moudjahidin afghans, explorateur de vallées méconnues, romancier, féru de philosophie et d'arts martiaux, amateur d'ethnologie nous fait le bonheur de n'avoir pas cru que la vie éternelle valait davantage qu'une existence éphémère, brûlante, passionnée.

Déclaration de l'ivrogne lassé des remontrances

Que celui qui n'a jamais bu me jette la première bière.

Juillet 2012

Danger de la femelle

Lu dans la presse : « Les concerts de Lady Gaga en Indonésie et de Katty Perry en Inde soulèvent des vagues de protestation. » Je n'ai aucune dilection pour les musiques post-acnéiques d'adolescentes sourdes. Aucun goût pour l'esthétique des gourgandines pop. Mais le spectacle des zélotes de tout poil – bigots d'abbaye ou mamelouks hirsutes – qui défilent, poing brandi et barbe dehors, pour vouer aux gémonies les lolitas de latex me hérisse. Ces excités de la piété hurlent à l'« indécence » et à l'« obscénité » à la vue d'une croupe. Pour moi, l'indécence et l'obscénité c'est le sort réservé aux filles en ces latitudes, un sort qui n'émeut jamais nos hérauts de la morale. Je me méfie beaucoup de l'indignation : de toutes les vertus, c'est celle qui se trompe le plus souvent de cible.

Sagesse de l'ours

« Rêver, peut-être », se dit Hamlet. Les ours ont tout compris. Au lieu de s'agiter vainement, ils consacrent six mois de leur vie à rêver en famille, au fond d'un trou.

Génie de la pluie

La pluie, sans jamais avoir répété, joue parfaitement du clavecin à la surface des étangs.

Étrangeté de l'homme

Paris, début juillet. Passe une manifestation de soutien aux rebelles syriens. Je regarde le cortège conspuer Bachar. Loin de moi l'idée de grincher dans ces lignes. Mais tout de même, ces gens étaient étranges. Ils lançaient leurs slogans devant un pauvre clodo qui ne recueillait rien, assis sur sa grille. Pas un regard, pas un sourire, pas la moindre piécette. Et bien entendu, dans mon esprit racorni, hermétique à toute générosité, s'insinua le mot de Rousseau : « Tel philosophe aime les Tartares pour être dispensé d'aimer ses voisins » (*Émile ou de l'Éducation*).

Logique du jeune

Au mois de juillet dernier, un malheureux surfeur a été mangé par un requin qui croisait sur les côtes de la Réunion. Sur la plage ensanglantée, les journalistes ont recueilli les larmes des proches et les imprécations de la population. Les gens levaient les poings vers l'océan, contre ces squales qui se croient tout permis. Un témoin sur la plage risqua ce mot immense (*Paris-Match*) : « Jusqu'à quand va-t-on laisser les requins attaquer les gens comme ça ? » Nous associons nos pensées à la peine des amis du défunt mais nous ne pouvons nous empêcher de poser les questions suivantes : laissera-t-on encore la pluie emporter les terres que nous déboisons ? Supporterons-nous longtemps que la marée monte ? Que les moustiques aient soif

257

du sang des nouveau-nés, que les océans soient si profonds, les crocs des chiens si pointus, l'hiver si froid, que le verglas glisse, que l'ortie pique, que les femmes partent et que les crânes se fendent au moindre pot de fleur basculant d'un balcon ? Indignons-nous !

Grandeur du gaulliste

Les Éditions Guérin (Chamonix) publient une biographie de Pierre Mazeaud, rédigée par un jeune juriste, Olivier Guillaumont, qui a côtoyé le vieux lion et compulsé les archives familiales et officielles. La vie de Pierre Mazeaud n'a pas facilité la tâche du biographe. Il aurait été plus aisé pour Guillaumont de traiter d'un philatéliste monomaniaque. Car Mazeaud a vécu neuf vies. Il fut juriste, alpiniste, professeur, député, président du Conseil constitutionnel, écrivain, secrétaire d'État, vice-président de l'Assemblée nationale, vainqueur de l'Everest, et même cascadeur. Mazeaud vécut ces aventures concomitamment, troquant le passe-montagne pour le complet veston dans la même semaine. Il parvint à l'excellence dans des domaines aussi antipodiques que le plantage du piton et l'amendement des lois. Entre les tragédies et les joies, sous les lambris ou sous l'orage, du pilier du Frêney à la fondation De Gaulle, Mazeaud a vécu aux sommets. Au sommet des montagnes et au sommet de l'État. Dans la pureté du premier, il chercha sans doute à se purifier de l'air vicié qu'on respire sous les ors du second. On découvre dans *Mazeaud, l'insoumis* un homme droit mais indiscipliné, rebelle aux conventions mais allergique au désordre, violent mais généreux, une de ces natures que la social-démocratie peine à générer, toute pénétrée qu'elle est de normalité. D'ailleurs, « le vieux grognard de la République » incarne un type d'homme que la France n'a jamais su produire en série : un individu se refusant à trancher entre ce qui se déroule dans l'ordre de l'esprit et ce qui se déploie dans l'ordre de l'action. Les Anglo-Saxons, de Lawrence à Hemingway, sont moins avares que nous de ces hommes de corps et d'esprit. La grandeur et l'originalité de Pierre Mazeaud c'est de n'avoir pas pris de ventre malgré la vie politique et d'être capable d'avoir de la conversation à 8 000 mètres d'altitude.

Août 2012

Le ressac

Le spectacle hypnotique des vagues. Cette hargne de la mer à l'encontre de la terre. Sa rage à mordre le rivage. En viendra-t-elle à bout ? Assis devant la passe de l'Hermitage, sur la côte ouest de l'île de la Réunion, je fixe le ressac. La mer bouillonne, mugit. La houle lance ses attaques avec l'énergie du désespoir. Charles Baudelaire, en septembre 1841, accoste sur les rivages de l'île Bourbon où il va séjourner deux mois. Dans « La vie antérieure », il décrit les vagues :

> Les houles, en roulant les images des cieux,
> Mêlaient d'une façon solennelle et mystique
> Les tout-puissants accords de leur riche musique
> Aux couleurs du couchant reflété par mes yeux.

Un autre poète, Evariste de Parny (1753-1814), tombé dans l'oubli, s'est essayé à peindre ce fracassement maritime :

> Dans ses antres l'onde profonde
> S'émeut, s'enfle, mugit et gronde
> Au loin sur la voûte des mers
> On voit des montagnes liquides

> S'élever, s'approcher, s'élancer dans les airs,
> Retomber et courir sur les sables humides.

Parny, c'est tout de même moins écumant que le grand Charles ! Je reviens à ma contemplation. Impossible de détourner les yeux des avalanches de mousse blanche. On dirait des citadelles de nuages qui s'effondrent dans le reflet du ciel. Ou des explosions de lait sur une nappe en soie. Ou de la mousseline écrue que des mains de couturière feraient bouffer dans le soleil. Les vagues naissent, elles se gonflent d'une vigueur renouvelée, elles se dressent pleines d'espoir et soudain, elles s'écroulent en bavant : tout à fait moi quand je suis ivre.

Les requins

Cinq attaques de squales enregistrées l'an passé sur les côtes de l'île. Deux morts. Depuis, c'est la psychose. L'homme ne supporte pas l'idée d'être déclassé du sommet de la chaîne alimentaire. Depuis les événements, les touristes rechignent à se baigner. Les patrons des clubs de surf et de plongée désespèrent. Les journalistes de la Métropole débarquent pour tourner des reportages style « Dents de la mer » qui alimentent la panique. Les esprits rationnels rappellent que statistiquement on a moins de chances de mourir d'une attaque de requin que de se casser la colonne vertébrale en glissant sur une peau de banane. Les scientifiques, eux, tentent d'avancer des explications posées. Selon eux, les requins seraient attirés par la pollution des ports. Ils proliféreraient à cause du retour des tortues échappées d'une ferme d'élevage, il y a vingt ans, et qui reviendraient cette année pour pondre sur les rivages. Ils seraient également excités par les abats sanglants d'espadons ou de thons que les pêcheurs au gros balancent impunément par-dessus leurs bastingages. Ou bien, victimes indirectes de la pêche industrielle, affamés par la diminution des poissons, ils se rabattraient sur les hommes. Je propose autre chose : et si les requins avaient décidé, lors d'un conclave sous-marin, de se venger du sort affreux que leur réserve une humanité qui a décrété qu'une bête si monstrueuse, à la bouche hérissée de poignards, n'avait pas le droit de vivre dans l'océan et méritait d'être impitoyablement massacrée ?

L'apnée

On prend une longue coulée d'air et on plonge. Pendant quelques poignées de secondes, défilent devant les yeux des poissons aux livrées carnavalesques et des coraux oniriques. Les espèces se distribuent le long de la muraille corallienne, les plus colorés vers le haut, les plus sombres vers le bas. Plus on descend en profondeur, vers les zones moins éclairées, et plus les yeux des poissons s'agrandissent. Parfois on croise une tortue qui palme gracieusement. On a le sentiment de flotter dans un rêve éveillé. L'apnée est plus qu'un sport, c'est une action de grâce qui consiste à retenir son souffle devant la beauté.

Les pêcheurs

Je regarde les pêcheurs au gros peser leurs proies. Ce matin, sur le port de Saint-Gilles, un marlin de 110 kilogrammes, encore luisant d'énergie. Le sang, presque noir, coule sur le goudron du quai. Leur truc, à ces types en bermuda à fleurs, c'est de lutter contre un animal qui va mettre des heures à mourir. Les bêtes méritent-elles cela ? Le pêcheur, son gros cul calé dans le fauteuil (avec une caisse de bière pas loin), doit avoir l'illusion d'être un brave. Ils sont nombreux ces gens qui ont besoin de la mort d'un être pour se sentir vivants… Le temps d'une après-midi, Dugland s'est pris pour Ernest Hemingway. Au moins Hemingway a-t-il eu, un jour, la décence de se foutre une balle dans la tête « avec le fusil de chasse qu'il n'avait plus entre les jambes » (Patrick Besson).

Les créoles

Assis sous un goyavier, ils regardent, impassibles, les parapentistes, les grimpeurs, les joggeurs, les randonneurs et les plongeurs s'affairer sur le chemin. Ils doivent se demander à partir de quand les Occidentaux ont considéré le monde comme une salle de sports.

Le présent

Devant soi, l'océan, furieux. Derrière, un volcan, actif. C'est drôle, mais si j'habitais à la Réunion, je ne ferais pas trop de projets d'avenir.

Septembre 2012

Stratégie de l'urgence

Depuis plus de trente ans, le capitaine Paul Watson, à la tête de son organisation Sea Shepherd, écume les océans à la poursuite des pêcheurs de cétacés, des massacreurs de phoques, des pilleurs de la mer. Il coule les chalutiers, détruit les pêcheries, sabote les filets, harcèle les baleiniers. À bord de ses bateaux battant pavillon noir, il incarne le cauchemar de l'industrie baleinière mondiale. Les Norvégiens le haïssent, les Japonais le voient en terroriste, les Soviétiques ont failli l'envoyer au goulag et les chasseurs canadiens rêveraient de l'expédier sous la banquise avec une pierre au cou. On ne saurait en revanche trouver « aucune baleine qui désapprouve ses actions ». Neptune doit veiller sur lui car il a échappé à la mort plus d'une fois. Ce Canadien, qui se rêve en pirate, déroule un raisonnement de choc, dans un excellent livre d'entretiens menés par Lamya Essemlali. Premier axiome, « si les océans meurent, nous allons tous mourir ». Les protéger relève donc de l'urgence. Deuxièmement, les organisations écologistes traditionnelles sont des moulins à pieux discours. Troisièmement, les progrès de l'humanité n'ont jamais été le fait des masses ni des gouvernements. Seuls la détermination, la folie et le courage de quelques individus ont pesé sur le gouvernail du monde. Conclusion : rien ne sert de gloser, il faut embarquer, charger sabre au clair et répondre à la folie carnassière des ennemis de l'océan par une « agressivité non violente ». Le génie de la stratégie watsonienne : ne s'attaquer qu'aux navires illégaux violant les lois de protection environnementale. Watson, en somme, fait le boulot dont devraient s'acquitter les forces navales des États de droit. Entre deux campagnes, Watson a développé une pensée qui lui ressemble : sauvage, iodée, joyeusement anarchiste. Une pensée de plein vent. Les passages de ses *Entretiens* sur la bombe démographique, la glaçante stérilité des monothéismes, la cruauté intrinsèque de l'humanité, l'imposture de l'humanisme, la collusion entre les États et les majors pétrolières devraient lui valoir une condamnation à être pendu haut et court au mât de misaine du vaisseau du politiquement correct. Mais comme le rappelle le capitaine en bon disciple d'Oscar Wilde : « Il faut rester médiocre pour être populaire »…

La terre vue du ciel

Ambrose Bierce a travaillé pendant vingt-cinq ans à son *Dictionnaire du diable*. Ensuite, il s'en fut à soixante et onze ans dans les rangs de l'armée de Pancho Villa. Les historiens, alors, perdent sa trace. Aucun ne s'accorde sur les circonstances et les dates de sa mort. On l'imagine chargeant au galop sur un coursier fumant vers les lignes ennemies, le six-coups au poing et la moustache au vent, cherchant la voie la plus directe pour l'enfer. Son livre ? La bible du cynisme. Mais d'un cynisme de haute altitude et de pleine noblesse. Un cynisme qui dynamite toute pensée convenue, prévient toute paresse, conspue la satisfaction de soi. Quand on tourne les pages, on entend grincer les dents et cliqueter les rouages des mécanismes du paradoxe. Un seul extrait : « OPTI-MISTE. – Adepte de la doctrine selon laquelle le noir est blanc. »

Un homme en noir

L'autre jour en Auvergne, discussion avec un curé qui ne fréquentait pas assez Ambrose Bierce. Il était trop convaincu de ses propres paroles pour se risquer dans *Le Dictionnaire du diable* et m'expliquait l'immortalité de l'âme à grand renfort de suppositions (que j'étais prié de tenir pour vérités). Moi, je me souvenais de la phrase du journal de Jules Renard : « Comment voulez-vous qu'une âme basse soit immortelle ? »

Ne coupez pas

L'excision est une aimable pratique en vigueur dans les sociétés musulmanes de la ceinture sahélienne. Plus de cinquante mille femmes excisées vivent en France selon les statistiques de l'INED. L'excision a été inventée par des mâles qui n'ont jamais lu Casanova ni contemplé les tendres parades des grues cendrées. Ne pouvant courir deux lèvres à la fois, ils voulaient augmenter le plaisir de l'homme, sans se douter que le plaisir de l'homme peut être augmenté par la contemplation du plaisir de la femme. Il faudrait un Paul Watson pour passer par le fond ces pêcheurs-là.

L'éternel retour

Fin des vacances. Les ouvriers retournent à l'usine, les gens du voyage sont priés de se sédentariser ailleurs, les propriétaires retrouvent leur propriété, les salariés leur entreprise, les fonctionnaires leurs horaires, les militaires réintègrent leur corps (comme les chamanes !), les riches sont bronzés comme autrefois ne l'étaient que les pauvres, les ministres ont des mines moins austères que leurs plans, les pauvres, eux, ne reviennent de nulle part. Bref, c'est la rentrée des *classes*.

Caricature

Les uns professent qu'Il est amour et se comportent mesquinement. Les autres proclament qu'Il est grand et agissent bassement. Et si les hommes n'étaient que la caricature de Dieu ?

Caricature II

Au début de l'automne, l'affaire des caricatures de Mahomet a embrasé le monde musulman. En France, des esprits laïcistes ont proposé de bannir tout signe ostentatoire religieux dans l'espace public. Survient alors une contradiction urticante. Les croyants de toutes les grandes religions s'entendent pour affirmer que Dieu a créé les hommes. Nos visages sont donc les preuves irréfragables de cette genèse. Marcher dans la rue le nez au vent constitue, d'un point de vue théologique, une très agressive façon d'afficher sa foi. Seule, une décapitation générale de l'ensemble des membres de l'humanité pourrait réparer cette provocation.

Caricature III

J'ai trouvé une autre idée qui pourrait réconcilier tout le monde. On demanderait à un conseil religieux de viser, avant parution, les journaux satiriques. La France, pays de pointe en matière de délit d'opinion (loi de Vichy 1940, loi Gayssot 1990, liste Ernaux 2012), pourrait se charger de sa constitution. Le conclave, composé de rabbins, d'imams, de prêtres, de bonzes et de popes (une *God Team* selon l'expression de Salman Rushdie), se réunirait avant les bouclages des journaux pour prévenir toute offense. Par esprit de réciprocité et pour célébrer cette notion de respect dont les monothéistes font grand cas, un comité de polémistes anarchisants et de caricaturistes serait chargé de revoir la copie des textes saints, d'en biffer les outrances, d'en lisser les pointes. On s'épargnerait ainsi du même coup les représentations de prophètes dans des positions obscènes et la lecture de versets comme le 52e de la neuvième sourate ou le 38e de la quatrième.

Sagesse d'un colonel

Le colonel Cagnat fut attaché militaire de la France en Asie centrale. Écrivain, il a publié de beaux livres sur l'espace steppique qu'il appelle *Le Milieu des empires*. Consterné par l'intervention alliée de 2001 en Afghanistan, il a tenté d'alerter l'opinion par une série d'articles restés lettre morte. Il les réunit dans un recueil : *Du djihad aux larmes d'Allah* (Éditions du Rocher). Je ne partage pas les préventions de Cagnat à l'égard de l'OTAN. Je reconnais aux USA le droit d'avoir voulu abattre l'homme qui les avait touchés au cœur. Je déplore que les Afghans ne s'interrogent jamais sur leurs propres responsabilités. Mais le colonel, avec une prescience rare, avait prévu l'embourbement et proposé des solutions dont les dirigeants se sont aperçus trop tard du bien-fondé. Selon lui, sept erreurs fatales ont vicié l'action occidentale. Avoir étalé la force brute en larguant un tapis de bombes à l'automne 2001. N'avoir jamais considéré le Pachtounistan afghan et pakistanais comme un unique ensemble. Avoir joué Karzai contre Zaher Shah, c'est-à-dire la corruption contre l'Histoire. Avoir financé la reconstruction du pays en négligeant la majorité rurale. Avoir négligé le renseignement au profit du retranchement. Avoir sous-estimé la lèpre de l'islamisme qui a infecté tous les champs de la société. Avoir laissé se restructurer les marchés de la drogue que les talibans avaient démantelés. Tels sont « les sept piliers de la bêtise », les sept péchés de l'OTAN selon Cagnat. Leur énumération lui a valu les vespéries de sa hiérarchie. Il vit, isolé dans une satrapie du Turkestan, qu'il aime par-dessus tout. De là, il clame dans le désert. Puisse sa voix singulière être entendue.

Ennui de la navigation à voile

Faire des milliers de miles pour aller étendre ses pièces de linge aux vents des confins...

Bizarrerie des expressions

Calvi, deux heures du matin. Des fêtards cherchent une boîte de nuit, ils croient donc que la nuit se laisse mettre en boîte.

Violence de la géologie

Le spectacle de ces montagnes tourmentées : cette manière du granit de dire au calcaire : *j'étais là avant vous.*

Imposture des professions de foi

Jules Renard n'est pas un être religieusement compatible : « Je suis davantage capable de bonnes actions que de bonnes pensées » (*Journal*).

Signification du chien

Randonnée dans les montagnes de Corse. Les aiguilles de Bavella piquetées de pins, écharpées de brume, jaspées par un soleil féroce tiennent de l'estampe chinoise. Les journées s'écoulent, bornées par l'excitation du matin et l'épuisement du soir. On marche, on dort, on se lève et l'on va vers sa prochaine nuit. Un jour, pourtant, il faut redescendre, retrouver la vallée. Les premières maisons d'un village apparaissent, j'entends hurler un chien derrière une grille. L'aboiement est l'écho de la propriété.

Nouveaux blocs-notes inédits

2013-2014

Décembre 2012

Bloc-Note

Ce mois-ci dans mon coin et dans une indifférence générale parfaitement justifiée, j'ai organisé mon propre festival. Et j'ai remis – dans la discrétion la plus totale – des récompenses à des lauréats, élus par un jury composé de mon âme et de ma conscience.

Palme du cynisme

À ces publicitaires qui, afin de nous fourguer une cafetière automatique, inventèrent ce slogan affreux : *what else ?* On a envie de leur répondre que, ce qu'il nous faut précisément, c'est *tout le reste* : ce qui n'est ni automatique, ni standardisé, ni monnayable.

Palme de la filouterie

À Alfred Sloan (1875-1966), Américain qui dirigea la General Motors et inventa le principe de « l'obsolescence programmée » consistant à conférer une durée de vie limitée aux objets afin de contraindre le consommateur à les remplacer promptement et à se presser d'acheter, par exemple, une nouvelle cafetière automatique.

Palme de la lucidité

À Ambrose Bierce, pour sa définition du Commerce dans le *Dictionnaire du diable* : « Piraterie légale ».

Palme de l'inutilité.

À Félix Baumgartner qui a rejoint la confrérie des « conquérants de l'inutile » en sautant d'une capsule, à 39 km de haut, avant de franchir, en chute libre, le mur du son. À l'heure où la société nous invite à la modération, où les mécanismes économiques nous enjoignent la rentabilité et où les pouvoirs publics hissent la bannière de la *normalité* à la hune du navire, il est bon d'assister à un exploit inutile qui célèbre le goût du risque et le beau geste gratuit ! Il y a du Prométhée et de l'Icare chez Baumgartner. Un peu de Monsieur Perrichon aussi. Au moment de se jeter dans le vide, l'Autrichien a en effet lâché ce mot impérissable : « Il est parfois nécessaire de monter bien haut pour se sentir tout petit. » Le Monsieur Perrichon, de Labiche, lui, s'était écrié : « Que l'Homme est petit vu de la Mer de Glace ! » Des moralisateurs n'ont pas manqué de remarquer que le record avait engagé des millions de dollars et nécessité le mécénat d'un limonadier. Et alors ? Les Français ne supportent pas qu'on s'élève au-dessus de la moyenne. Ne faut-il pas féliciter l'Autrichien d'avoir été plus malin et plus entrepreneur que les autres ? Devant la Joconde, boude-t-on son plaisir en maugréant : « Ouais, mais derrière tout cela il y avait les Médicis ! »

Palme du courage

À Roshane Saidnattar, la réalisatrice d'un documentaire éblouissant : *L'important, c'est de rester vivant.* Roshane n'était qu'une enfant lorsque la folie des Khmers Rouge s'abattit sur le Cambodge. Elle connut le camp, la déportation, l'internement. Sa famille fut dispersée. Elle réussit à s'enfuir et gagna la France. Bien des années plus tard, en 2004, avant même que le procès de Khmers soit initié, Roshane parvint à obtenir un rendez-vous avec Kieu Shampan, l'idéologue de Pol-Pot, le numéro deux du régime. Le vieux communiste s'était paisiblement retiré dans une ferme du Cambodge où il élevait des poulets. Roshane réussit à gagner sa confiance et, sans jamais rien dévoiler de son enfance, elle obtint de filmer ses confessions. Kieu oublie la présence de la caméra et le spectateur assiste alors, incrédule, aux confidences d'un vieillard débonnaire qui raconte l'impensable. La scène est ahurissante. Roshane retient sa rage pour ne pas se trahir. Le film, tendu à l'extrême, mixte de force, de grâce et de douceur, mêle les souvenirs, les interviews, les plans d'archive et les images de Roshane et de sa mère, revenant sur les lieux de souffrance, retrouvant les bourreaux et se demandant sans jamais trouver la réponse : Comment l'homme peut-il en arriver là ? Ou, pour paraphraser Ambrose Bierce : *De telles choses sont-elles possible ?*

Palme de la distraction

J'avais été impressionné par la rigueur morale des islamistes le mois dernier. En France, au Pakistan, en Afghanistan, en Égypte, ils n'avaient pas manqué de s'insurger lorsque des caricaturistes avaient cru qu'on pouvait rire de tout, même des dogmes religieux. Je me suis dit que ces âmes supérieures allaient remettre le couvert de l'indignation en découvrant les souffrances subies par la petite Afghane à qui les Talibans promettent la mort parce qu'elle tient un journal, à la petite chrétienne pakistanaise que les radicaux ont tenté de tuer parce qu'elle tient un blog et à la petite Tunisienne traînée devant les tribunaux après avoir été violentée par deux flics. À ma grande surprise, il n'y a pas eu le moindre élan de solidarité dans les cléricatures musulmanes. Dans ces mêmes pays où les réactions avaient été si promptes à se déchaîner, pas un mot, pas un geste, pas un communiqué de soutien. Pas un sourire de bienveillance dans les barbes sévères ! Une seule explication : les grandes consciences spirituelles de notre époque ne lisent pas les pages de faits-divers.

Février 2013

Hauts lieux

À la fin de l'année 2012, je me trouvais avec quelques amis sur les berges de la Bérézina, en Biélorussie, à l'endroit précis où, deux cents ans plus tôt, les sacrifices héroïques des soldats et des pontonniers napoléoniens permirent à la Grande Armée et à des milliers de civils français, harcelés par les troupes russes, de franchir le fleuve et de poursuivre l'effroyable retraite commencée à Moscou quelques semaines plus tôt. Nous regardâmes longtemps les anastomoses du cours d'eau serpenter au fond du vallon sablonneux. Un soleil glacé éclaboussait de jaune les baliveaux poussés sur les îles de sable. Des paysans haranguaient doucement un cheval sur un chemin tout proche. Le monde sous la neige n'était qu'un beau silence. Il était difficile de se pénétrer de l'idée qu'en ces parages paisibles, près de 15 000 hommes, femmes, enfants ainsi qu'un nombre incalculable de chevaux périrent, engloutis dans une charpie de glace et de cadavres. Le géographe Cédric Gras, qui m'accompagnait, murmura : « Ici, c'est un haut lieu. » Sur le chemin du village, nous nous interrogeâmes. Qu'est-ce qu'un haut lieu ? Un arpent de géographie fécondé par les larmes de l'Histoire ? Un morceau de territoire sacralisé par une geste, maudit par une tragédie ? Un terrain qui, par-delà les siècles, continue d'irradier l'écho des souffrances tues ou des gloires passées ? Le soir, dans la petite ville voisine de Borissov, abrutis de vodka et attablés au comptoir d'un bistro qui s'appelait *Le chapeau de Napoléon* (en français s'il vous plaît !), le photographe Thomas Goisque, Cédric Gras et moi-même, nous amusâmes à dresser, sur un bock de bière, une tentative de typologie des hauts lieux dont voici l'ébauche.

Les hauts lieux de la tragédie : ils furent le décor d'un massacre, d'une injustice ou d'une bataille. Ils ont été bénis par les larmes et le sang. Ils ont acquis la noblesse en servant de lit de douleur aux uns, de champ de gloire aux autres. Les fantômes les hantent toujours, le fracas des armes et le concert des plaintes résonnent encore dans les rafales. Ils rayonnent d'une énergie fossile qui s'appelle le murmure de l'Histoire et qui requiert le silence intérieur. Pour moi, ces hauts lieux là ont nom Bérézina, Massada ou Verdun.

Les hauts lieux spirituels : il faut aborder ces hauts lieux comme Maurice Barrès le faisait. Ce sont des endroits « où souffle l'esprit, des lieux qui tirent l'âme de sa léthargie », des stèles où la Terre se hisse au Ciel, se féconde d'une force impalpable, « se consacre », comme disent les hommes d'Église. Là, dans une théophanie physique, les dieux surgissent. Les anciens Grecs excellaient à identifier ces endroits : dès qu'ils en trouvaient un, ils érigeaient un temple. Barrès donne une liste française de ces hauts lieux à la première page du premier chapitre de *La Colline inspirée*. Pour moi, ces endroits-là sont la grotte de la Sainte-Baume qui accueillit la plus vénéneuse et la plus sainte des Saintes, le mystérieux monastère d'Abu Gosh, près de Jérusalem et la lande harassée du Ménez-Hom breton où l'Ankou rôde encore par les nuits d'encre mauve.

Les hauts lieux géographiques : ceux-là n'ont pas besoin du secours des Hommes. Leur simple architecture naturelle, leur position, leur singularité géographique les distinguent parmi les autres espaces. Ils règnent, ils demeurent dans leur beauté. L'érosion en viendra à bout mais ils n'en n'ont cure car il n'y aura plus un seul être humain à la surface de la planète lorsqu'ils tomberont en poussière. Ils sont des autels où le génie des lieux aime à danser sa gigue. Pour moi ces hauts lieux là sont le sommet de la Garet el Djenoun, le plateau où s'hérisse le diamant du Kailash, la flèche d'Arabat, au bord de la mer Noire.

Les hauts lieux du souvenir : ce sont d'anodins endroits où un homme que l'on a admiré (ou que l'on a aimé) a trouvé la mort. On se tient là, à l'endroit exact où il est tombé, devant la dernière image emportée par le malheureux. Pour moi, ces hauts lieux-là sont une bouche d'aération sur la terrasse de Saint-Germain-en-Laye où je perdis un frère de mon adolescence, ou bien la moraine du glacier de Darkot où fut fusillé le colonel Hayward, sur la route du Pamir.

Les hauts lieux de la création : ce ne sont pas des endroits spectaculaires. Souvent des jardins, parfois des maisons, des ruines. Là, sous les nefs des yeuses où les voûtes de pierre, des artistes composèrent les œuvres qui nous aident à vivre. On regarde les murs ou les replis ombragés en songeant que le génie y trouva un refuge. Pour moi, ces hauts lieux là sont les pans défoncés du manoir de Saint-Pol Roux, à Camaret-sur-Mer, la maison de Neruda sur les hauteurs de Valparaíso et les allées du jardin du Luxembourg où errait Cioran, au milieu des cris d'enfants, égaré dans le labyrinthe de son désespoir.

Les hauts lieux héraclitéens : ce sont des endroits complexes. Ils procèdent des contrastes. Le maître d'Éphèse croyait que « toute chose naît de la discorde » – que l'harmonie procédait de la conjonction des contraires et que cette « contrariété était avantageuse ». Pour trouver ces lieux-là, il faut se rendre en des géographies où les principes opposés se mêlent, où la pierre s'enracine dans l'eau, où la lumière transperce l'ombre, où le vent se fracasse contre le front des roches, où la lumière camusienne pétille sur une mer nihiliste et diffuse son odeur de sexe mort sur des affleurements blancs martyrisés par l'érosion. Pour moi, ce sont les Calanques de Cassis et les rives du Baïkal.

Bloc-note – mars 2013

Plagieurs

Les écrivains accusés de plagiat, tout de même, manquent de références. Au lieu de s'embarrasser d'explications tortueuses, il leur suffirait de réciter le poème de Supervielle intitulé « Le doute suit mes vers comme l'ombre ma plume ».

> « Ah croire que l'on dit pour la première fois
> Et n'être que l'écho brisé d'une autre voix (…)
> Mes vers sont-ils de moi jusque dans la racine ?
> Ne sont-ils qu'une greffe obscure qui décline ? »

Homosexuels

Les partisans du *mariage pour tous,* tout de même, manquent d'imagination. Voici quelques arguments jamais entendus dans leur bouche :

1) Il vaut mieux être élevé par Henry de Montherlant et Jean Genet que par les Ténardiers.

2) Les Fourniret, les époux El-Assad, les Vaujour, Colette et Willy : veut-on vraiment encore célébrer des noces hétérosexuelles après que l'appariement des hommes et des femmes a prouvé, par ces exemples, sa nocivité ?

3) L'extraordinaire érudition de Bouvard et Pécuchet ne prouve-t-elle pas que les unions uranistes sont bénéfiques pour l'édification personnelle ?

4) Ne voit-on pas que des unions ont déjà été célébrées depuis longtemps entre artistes de même sexe dont les œuvres firent office de publication de bans somptueux (les *Sonnets* de Shakespeare, le portrait de Mona Lisa par Léonard, les pages incandescentes et morphiniques du journal de Mireille Havet[1], le dialogue socratique de l'*Alcibiade majeur*).

Assassinés

Les partisans de l'École des Annales, tout de même, font preuve de myopie. Jean-Christophe Buisson, lui, n'est pas aveuglé par les théories de Marc Bloch. Au début des années 1930, le grand professeur normalien défendit l'idée d'une Histoire totale, mue par des forces lourdes, structurelles, insoupçonnées, tels que les revendications sociales, les mutations anthropologiques les avancées techniques, les soubresauts du climat, le prix des matières premières... L'objectif des Annales était de dégager l'Histoire du dharma politique, de ne plus la considérer comme un processus soumis à la volonté des puissants, aux caprices des chefs. Dans son essai *Assassinés* (Perrin, 140 balles, pardon : *21 €*), Buisson corrige le tir. Il identifie une nouvelle force qui préside au destin des Hommes et infléchit l'orbite de l'Histoire : le meurtre des Princes de ce monde. Buisson (qui a de vastes lectures) rappelle que Karl Marx voyait dans la violence « *la sage-femme de l'Histoire* ». En quinze portraits d'assassinés royaux, impériaux ou présidentiels, de Sissi à Nicolas II, de

---

1. Éditions Claire Paulhan.

Lincoln à César, de Sadate à Dollfuss, Buisson fait apparaître qu'un assassinat politique est d'abord une *rencontre* entre deux destins, la conjonction héraclitéenne de deux contraires, le point de collision de deux trajectoires, un coup de foudre, au sens où la foudre *frappe*. Et cet accident, comme l'étincelle met le feu aux poudres, déclenche une chaîne d'événements chaotiques auquel on donne le nom d'Histoire. En général, d'ailleurs, le cours des choses suit une direction opposée aux espérances des assassins, lesquels se révèlent toujours les dindons de la force. Buisson explore les deux versants de l'assassinat (c'est le journaliste en lui qui aiguillonne l'historien) : l'ubac de l'assassin comme l'adret de la victime. Il expose les motifs du tueur, ses obsessions et sa grandeur solitaire ainsi que les prémonitions du souverain et sa vulnérabilité de colosse. Étrangement, on a l'impression au fil de ces pages que les souverains savent qu'ils doivent mourir comme si la certitude de cette menace sacralisait leur fonction. Parfois, Buisson va jusqu'à accorder des circonstances atténuantes à celui qui paraît le moins excusable (ainsi les Ceausescu ne manquent-ils pas d'une certaine grandeur dans la description que donne Buisson de leur exécution sommaire). *Assassinés* achève de nous convaincre que, le sang de l'Histoire est autrement plus déterminant que son prétendu sens.

Hippies

Les Hippies, tout de même, manque d'enthousiasme et de sens du présent. L'autre matin, dans le Berry, je prenais le café avec un ancien beatnik (ses longs cheveux étaient devenus gris et il faisait ses courses sur Internet avec une carte Gold). Nous lisions le journal et les nouvelles sur l'Afghanistan n'étaient pas très bonnes. Il soupira : « De mon temps, quand on passait la frontière afghane, on respirait : on était arrivé à bon port, on se sentait en sécurité. » Et j'ai eu envie de lui dire qu'il avait beau jeu de ronchonner et qu'il avait trop lu Ginsberg et pas assez Ortega y Gasset lequel, dans *La Révolte des masses* (rééditée aux Belles Lettres), règle leur compte aux nostalgiques : « *Pour un fabricant de fume-cigarette d'ambre* – ou pour un fumeur de shilom, (c'est moi qui rajoute) –, *le monde est en décadence, parce que l'on ne se sert presque plus de fume-cigarette d'ambre.* »

Avril 2013
Retour de Londres

Un cimetière

Il fait humide, Londres a du chagrin, le ciel est en flanelle. Visite au cimetière de Highgate, au nord de Londres. C'est une forêt à l'abandon, plantée de tombes, ceinte de grilles noires, au sommet d'une colline. Il y a des croix écroulées, des caveaux crevés, des arbres accoudés sur les stèles, et du lierre, partout, étranglant des anges de pierre. Le lieu emprunte aux ruines de Friedrich et aux odes d'Ossian. On voudrait s'allonger dans l'humus et crever derechef, mais il fait trop froid pour mourir et on continue la promenade. Un piédestal de granit porte une tête de bronze hydrocéphale : c'est la tombe de Karl Marx. « *Ce prophète de la justice sans tendresse, enterré par erreur dans le carré des incroyants à Londres* », écrit de lui Camus. La poétesse Bénédicte Martin[1] est là, bien vivante : elle marche dans les allées, les yeux légèrement hagards, les bras le long du corps, et je pense aux héroïnes des sœurs Brontë, de Pétrus Borel ou de Lovecraft, ces filles parcourues de convulsions à proximité des lieux où irradiait l'énergie de la mort.

1. *Quelqu'un est foutu quelque part*, éditions Stéphane Million.

Je la verrais bien ici, enterrée aux côtés de William Blake, toute mangée de vers.

Un cromlech

Une heure et demie de train de Waterloo station à Salisbury. *Dirty old town* : nous traversons les banlieues de Londres : *de briques et de broc*. À Salisbury, nous prenons un taxi pour Stonehenge. Près d'un million de visiteurs affluent chaque année du monde entier, sur cette pelouse insignifiante pour contempler l'alignement mégalithique.

D'habitude, on va visiter un monument, une cathédrale, un musée, parce que l'on sait des choses à son sujet. Stonehenge, c'est le contraire. On y va parce que l'on ne sait rien. Ni pourquoi les pierres ont été levées, ni comment elles ont été acheminées du pays de Galles, ni par quel moyen elles ont été si parfaitement ajustées. L'atmosphère est lourde comme un plafond de dolmen. Les corbeaux, avec leur sens esthétique très sûr, se positionnent au sommet des mégalithes. Stonehenge est le cercle du mystère, un lieu sans pourquoi qui résiste à ce défaut de la modernité : *l'explication*.

Un Pub

Un pub dans le centre-ville, c'est une auberge rustique peuplée de gens sophistiqués.

Hamleys

Cinq étages de jouets pour enfants. Le paradis de la dînette, du Schtroumpf et de la carabine à fléchettes. Les mômes qui pénètrent dans ce temple ont les mêmes yeux que Thérèse d'Avila quand elle voyait la vierge :

ils rentrent en extase. Et moi, je me dis que c'est l'endroit idéal où abandonner son rejeton, l'air de rien, en douceur...

Politesse

L'urbanité exquise des Anglais, cette cordialité automatique, leur enthousiasme machinal. Dans un pub par exemple :
— *Je voudrais une tasse de thé.*
— *Bravo !*
Ou bien, au garçon :
— *On va commander du vin.*
— *Fantastique !*
Je me souviens d'une chanteuse russe qui ne supportait pas ce penchant des Anglo-Saxons à sucrer la conversation. En rentrant d'Angleterre ou des États-Unis, elle demandait : « Pourquoi toujours ces *"oh, great my friend"* ? Ces gens-là n'ont-ils donc aucun sens tragique ? » Il y a peut-être une raison à cette politesse forcée des Britanniques. Ne viendrait-elle pas de l'insularité ? Quand on vit sur un mouchoir de poche, cerné par les eaux, on ne peut se payer le luxe de l'arrogance et de l'agressivité.

Le Parlement

Le soleil se couche sur le Parlement au bord de la Tamise. Devant le spectacle, Turner semble moins génial. Nous rendons visite à Rory Stewart. Il y a quelques années, cet écrivain avait traversé l'Afghanistan à pied, d'ouest en est, et en avait tiré un puissant récit, dans la veine de Bruce Chatwin[1]. Aujourd'hui, il est un député conservateur, l'un des plus jeunes de

1. Rory Stewart, *En Afghanistan*, Albin Michel, 2009.

la chambre. Assis devant une baie vitrée ouverte sur le fleuve, l'air harassé, il nous raconte qu'il a fait sa campagne électorale en reliant à pied les 400 villages de la circonscription de Lake district. Puis il évoque les chasses gardées de l'ancien Empire : l'Irak, le Yémen, l'Afghanistan et l'on songe en l'écoutant à la vieille tradition des écrivains-diplomates-aventuriers qui de Kipling à T. E. Lawrence et à Durrell, oscillaient sans répit entre les arcanes des institutions et les dangers du terrain, le pouvoir et la piste.

Mai 2013
Retour d'un voyage en Russie

Le train-train

Une fois de plus, dans le Transsibérien, vers
Irkoutsk. Le voyage dure trois jours. On dort, on lit, on
boit un coup, on jette un œil par la fenêtre pour vérifier
que les bouleaux défilent toujours, on se rendort et
l'on rêve que le train est un gros asticot métallique
qui pénètre en grinçant le cadavre de la nuit russe.

Les motifs

Pourquoi ai-je voyagé jusqu'à l'obsession dans
ce pays ? Sûrement pas pour y chercher le souvenir de Tchékhov ou pour y respirer le parfum des
défuntes années impériales. Je me souviens trop bien
du mot de Cioran (dans les *Syllogismes de l'amer-
tume*) pour me risquer à la nostalgie : « Aller aux
Indes à cause du Vedānta ou du bouddhisme, autant
venir en France à cause du jansénisme. » Marcher
sur « les traces de Michel Strogoff » ou bien goûter
aux « délices de l'âme slave », cela, c'est de la vul-
gate d'agence de voyages. Ce que je cherche ici,
c'est à côtoyer des gens qui ne m'accepteront jamais
comme un des leurs mais dont j'admire la personna-

lité. L'écrivain Zakhar Prilépine (dont les ouvrages explosifs sont traduits chez Actes sud) a bien dépeint la psychologie de ses semblables dans une interview donnée au *Courrier de Russie* : « *Être russe c'est cette capacité à surmonter des tragédies, être russe c'est la patience, la résignation, le sacrifice, la générosité d'âme, le courage absolu, l'audace. C'est ce qui différencie un Russe d'un habitant d'un petit pays qui sera soucieux de sa descendance et pense que beaucoup de choses dépendent de lui. En Russie, beaucoup de gens pensent qu'ils ne sont pas nécessaires et peuvent ainsi atteindre au sacrifice, au nom de l'espace, de ce grand espace. C'est quelque chose que j'ai ressenti quand je servais en Tchétchénie, les hommes étaient audacieux et indifférents à leur propre vie.* » J'aime bien ce petit couplet qui fleure la psychologie de comptoir mais qui rappelle, l'air de rien, combien l'empreinte de la géographie détermine les subtilités de nos âmes, entrecroise les linéaments de nos destins et nous frappe d'une marque indélébile.

La neige

Nous gagnons la colonnade de la cathédrale Saint-Isaac, à Pétersbourg. Cet édifice est à l'architecture ce que le casque lourd est à l'industrie du couvre-chef, le char d'assaut à l'automobile. Et dire que c'est un Français (Montferrand) qui a érigé ce prurit au cœur de la ville. L'avantage est que, de là-haut, on a une vue jusqu'aux rives du golfe de Finlande, hérissées de grues portuaires. Soudain, il se met à neiger. Un froufrou silencieux descend du ciel. Les gens qui jactaient devant la vue se taisent. Les flocons sont les confettis d'une fête triste.

La presse

Dans la presse française, beaucoup question de la Russie : l'accueil glacial du Kremlin réservé au président français, le mauvais traitement infligé aux punkettes du groupe *Émeute de la chatte*, les contrôles administratifs lancés en direction d'ONG accusées d'activisme politique, les manœuvres militaires de la flotte en mer Noire, le suicide de Berezowsky. Bref, c'est le retour de la grande peur slave. On dirait que l'ombre du Kremlin s'avance à nouveau vers l'Occident. Dommage que si peu de voix nuancent le tableau en soulignant qu'une classe moyenne émerge dans ce pays, que les perspectives économiques se révèlent moins sombres que chez nous, que la fierté patriotique n'est pas considérée ici comme une tare et que beaucoup de Russes s'accommodent à merveille, à Irkoutsk, à Kirov et à Moscou, de leur sort nouveau.

Nabokov

À Saint-Pétersbourg, visite de la maison de Nabokov, rue Bolchoï-Morskaïa. L'écrivain y est né et a vécu avant que la Révolution ne le chasse vers l'Europe. C'est une demeure boisée, on marche sur du parquet. Il se dégage une odeur d'encaustique et de livres jaunis. Au mur, des lépidoptères et des couvertures de *Lolita*. La différence entre les papillons et les petites filles ? Aucune. Les deux sont beaux, fragiles, éphémères et tombent dans le filet des vilains méchants loups.

Dostoïevski

Visite de sa maison à Saint-Pétersbourg pas loin de la Perspective Nevski. Le calme, l'ennui exsudent des murs. L'ordre est petit-bourgeois. Sa vie ? Réglée comme du papier à musique. Le vieil homme piquait des crises si le thé était mal préparé. Sa femme en dévotion le déchargeait de toutes les petites contraintes qui empoisonnent l'existence. Comme Kant, il sortait pour sa promenade, à la même heure, immuablement. Et avec ça, l'œuvre la plus agitée, la plus tumultueuse, la plus remuante qu'un cerveau ait jamais produite. Cioran disait qu'il avait « élevé l'épilepsie en métaphysique ». On contemple son bureau, cette table toujours parfaitement tenue, dans cette pièce étriquée et l'on pense un peu stupidement : « C'est là que naquirent les trois Karamazov, que fut inventé le personnage d'Aliocha ! » Et l'on sort de l'endroit et l'on se retrouve dans la rue en se disant que, décidemment, il n'y a pas trente-six choix sur cette terre : soit on décide de vivre légèrement et de danser sous le soleil, soit on tire les rideaux et l'on s'enferme pour créer.

Juin 2013

Baroque et pas fatigant

Sébastien Lapaque a rassemblé ses chroniques – publiées dans la presse entre 2010 et 2012 – en un recueil intitulé *Autrement et encore* et sous-titré *contre-journal* (Actes sud). Ce livre est une trousse de survie pour traverser nos temps de laideur. Un arsenal de munitions spirituelles, pour attendre l'aube. Une perpétuelle oscillation entre la sainte colère et le salut aux livres, entre la vespérie et l'exercice d'admiration. On y trouve, entre autres pièces de bravoure, un hommage à Roger Nimier prononcé sur la tombe du hussard, une philippique gargantuesque contre les vendeurs de semences transgéniques, des anathèmes contre la vulgarité des prophètes « de la religion du bonheur industriel », une méditation sur la mort de ben Laden éclairée par le soleil antique, une ode au vin de Marcel Lapierre (qui ne voulait pas de l'appellation *biologique* parce qu'il trouvait que c'était aux autres d'indiquer qu'ils produisaient des saloperies chimiques), un hommage au Père Antonio Vieira qui prononçait ses sermons devant les poissons comme d'autres parlaient aux oiseaux (et aux fusées), des récits de voyage farcis de lectures et de bouffes royales à la table d'amis magnifiques, et toujours, à chaque page, les ombres géantes de Bloy et de Bernanos qui se densifient à mesure que leurs prophéties se révèlent. On a envie de balancer le livre de Lapaque dans les fenêtres de ce monde de banquiers, comme un cocktail Molotov qui ferait trembler la maison des spéculateurs et des liquidateurs de nos rêves.

Val d'Isère

Je reviens des sports d'hiver. L'altitude rend-elle paranoïaque ? J'ai l'impression que les champions de slalom cherchaient à m'éviter.

Les écrans

Nous sommes entrés dans les temps de la « connexion permanente ». Notre condition humaine s'apparente à une « condition numérique ». « Même sans connexion, nul ne vit plus à l'écart du monde d'Internet. » Ce sont là quelques formules tirées d'un essai de Jean-François Fogel et Bruno Patino : *La Condition numérique* (Grasset). Les auteurs explorent les bouleversements qu'Internet a provoqué dans tous les champs de nos existences, se félicitent de l'accélération cybernétique, s'enthousiasment de la révolution qui point. Peut-on se permettre un bémol ? Et signaler que, souvent, Fogel et Patino confondent la puissance du réseau, son avancée fulgurante, sa force virale, sa capacité d'envahissement, avec sa valeur intrinsèque. Car la question est de savoir si la monstrueuse suprématie d'Internet peut réellement influer sur le cours de l'Histoire et de la pensée. Ce n'est pas parce que nous sommes tous connectés en permanence qu'il en sortira quelque chose. La mise en lien de chacun avec tous peut très bien s'avérer stérile. Disposer en un clic de tout le savoir du monde ne rend personne intelligent et Aristote a pu produire sa *Métaphysique* sans logiciel.

Naîtra-t-il d'Internet un appel du 18 Juin, une harangue de Philippe aux troupes de Macédoine, un *Capital* de Marx ou un discours de Gandhi, c'est-à-dire un événement qui fera basculer le destin des Hommes, infléchir le cours du réel ? On attend.

Disque dur et cruel

Je n'aime pas les ordinateurs parce que leur mémoire retient tout. Internet est le greffier de nos erreurs, le mouchard de nos péchés. Incapables d'oublier, les ordinateurs ne savent pas pardonner. Nous sommes fous de confier nos secrets à ces boîtes noires pleine de rancune.

Vivre tue.

Même après une sieste réparatrice, on se réveille un peu plus vieux. Je déprimais en réfléchissant à ce paradoxe, dans mon transat, par un bel après-midi. À côté de moi, dans l'herbe, *La Fêlure* de Fitzgerald. Première phrase : « Toute vie est une entreprise de démolition. »

Trissotins et prophètes

Les experts expliquent des choses qu'ils ne savent pas.

Les poètes ne savent pas qu'ils donnent des explications.

Bob Dylan

Les Français, qui ont le sens des priorités, se passionnent ce mois-ci pour un sujet crucial, brûlant. Faut-il décorer Bob Dylan de la Légion d'honneur ? Naturellement les militaires regimbent au prétexte que la contribution du rocker à la promotion des valeurs patriotiques et martiales fut modeste. Le grand chancelier Jean-Louis Georgelin a exprimé ses vives réticences dans la presse. Pourtant, ne serait-il pas cocasse que le génial chantre de la paix universelle et du désarmement soit honoré d'une distinction instituée par Napoléon ? Cela ne signifierait-il pas que même les anarchistes les plus enragés finissent par venir à résipiscence ? Après tout, le marché, le système, l'institution digèrent tout, même la critique qui leur est opposée. Bakounine et Julien Coupat ne sont-ils pas en vente à la Fnac ?

Bloc-note – été 2013

Choix

Dans son premier roman, *La Cattiva*, publié chez P.O.L., Lise Charles déroule (entre mille digressions développées d'une plume cruelle) une idée stimulante : il nous arrive parfois de vivre avec des êtres qui ne nous donnent pas vraiment de raison de rester avec eux mais qui ne nous offrent pas non plus de motifs suffisants pour rompre. On flotte alors dans l'entre-deux et c'est affreux. On perd sa vie à ne pas choisir, à oublier le principe spinoziste selon lequel « toute affirmation est une négation ». La solution serait de trancher, on en est incapable. On se prend à rêver à la force d'Alexandre le Grand, coupant le nœud gordien. Finalement, sur cette terre, la liberté ne vaut pas tout. Car il faut être à sa hauteur. Et posséder la volonté de l'exercer, une fois qu'on l'a obtenue.

Pèlerinage

Voyage au Maroc. Un matin, nous partons pour Larache, à quelques dizaines de kilomètres au sud de Tanger. La route longe la falaise atlantique sans trop oser s'approcher du bord : au moment de la construction, les cantonniers devaient avoir le vertige. À Larache, une seule chose à faire : frapper à la grille de la concession espagnole, attendre qu'une dame en rose dans les herbes grises vous ouvre, traverser le cimetière planté de croix sur lesquelles bullent les escargots et se diriger vers la tombe de Jean Genet. Elle est couverte de fleurs jaunes (des genêts, dirait-on). Le poète repose là depuis 1986. On se recueille devant le petit renflement de terre. C'est drôle que les génies prennent si peu de place une fois morts. Soudain, on lève le regard. Le cimetière est construit sur le rebord d'une falaise qui se prolonge vers le nord. Les habitants de la ville y déversent des tombereaux d'ordures depuis des décennies. Ils ont l'air de s'en foutre. C'est comme si vivre sur la lèvre d'une décharge ne leur posait pas de problèmes. La paroi est littéralement recouverte de matière plastique, on dirait un emballage de Christo. Larache ou le Niagara des déchets. Pour se consoler d'un aussi affligeant spectacle, on se dit que Genet aimait côtoyer l'ordure et se tenir au bord de l'abîme.

Métaphysique

Pourquoi les gens qui font des herbiers mettent les feuilles qu'ils ramassent dans les livres qui contiennent déjà tant de feuilles ?

Migrations.

À Tanger cette fois. Nous sommes installés dans un endroit qui n'aurait pas répugné à Edith Wharton, un de ces lieux fait pour prendre le thé avec des romancières victoriennes ou américaines : la Villa Joséphine, construite au début du siècle par un aventurier du nom de Harris (« Il aurait inspiré la figure d'Indiana Jones », lit-on dans un de ces guides touristiques qui copient les autres guides touristiques en changeant le nombre d'étoiles devant les bonnes adresses). La maison surplombe la mer, accrochée à « la vieille montagne ». Les palmiers y sont mal coiffés, la faute aux vents atlantiques. On distingue l'Espagne dans l'embrasement du soir. Là, nous lisons Paul Bowles dont tout le monde recommande la lecture à Tanger – sans l'avoir sans doute jamais lu car, s'ils l'avaient vraiment lu, les gens feraient-ils encore l'apologie d'un auteur obsédé par l'incommunicabilité culturelle entre les Européens et les Arabes ? En outre, Bowles est intarissable de critiques à l'égard des Marocains (décrits comme voleurs, sournois et arriérés), et des Métropolitains (dépeints comme arrogants, vulgaires, versatiles). Reste que l'auteur d'un *Thé au Sahara* (l'Imaginaire/Gallimard) n'a pas son pareil pour camper en trois pages l'atmosphère de cette ville affolante et toxique, peuplée de névrosés. « Une ville qui rend fou », résume Alexandre Pajon, le directeur du centre culturel français. Le soir, nous nous promenons dans la Médina. Trois sortes de migrants se partagent la ville : des Espagnols qui viennent de ce côté-ci du détroit de Gibraltar trouver le travail qui n'existe plus en face, des Marocains revenus de leur rêve d'Europe et des Africains du Sahel qui regardent vers le nord et attendent un passeur vers une Espagne qui représente encore pour eux l'espoir d'une vie meilleure.

Sottise

Nous rentrons à l'instant du Maroc. Paris est couvert de banderoles. Des manifestants opposés au mariage homosexuel défilent devant mes fenêtres (à la queue leu leu). Est-ce que Genet les aurait rejoint, lui qui conspuait le mariage ? J'entends des injures contre Pierre Bergé : « *Une menace pour la civilisation.* » C'est drôle, il y a quarante-huit heures, nous étions dans les jardins Majorelle à Marrakech, au cœur de la fondation Bergé et il ne me serait pas venu à l'idée de décrire comme « *une menace pour la civilisation* » un mécène qui consacre son énergie, son goût et sa fortune à renflouer des journaux, des maisons d'éditions, des librairies (celle des Colonnes, par exemple à Tanger), à financer des galeries d'art, des fondations culturelles et à apporter son concours à des publications érudites et des créations de spectacles.

Finisterre

À quelques kilomètres de Tanger, le cap Spartel. Là, au nord de l'Afrique se partagent les eaux de l'Atlantique et de la Méditerranée. J'ai vu le Bosphore, le goulet de Kerch, et à présent Gibraltar. Des trois, c'est celui-là que je préfère... Le phare qui surplombe la falaise est désaffecté. Une famille de Marocains vit dans le soubassement de l'édifice. Le linge pend aux fenêtres, on entend des cris d'enfants, un chien passe en bavant. Et l'on se dit soudain que ces aimables gens, d'apparence anodine, sont les gardiens de la figure de proue africaine, les veilleurs de l'extrême pointe du continent, les vigies du promontoire du pays des lions !

Blocs-notes VII – juillet 2013

Un raccourci

À la suite du voyage sud-américain du pape François, la presse glose sur les penchants marxistes du Saint-Père. Les fidèles des beaux quartiers se récrient. On a envie de répondre aux bonnes âmes froissées, aux ouailles choquées de ces suppositions que le christianisme n'est pas une doctrine très éloignée de la pensée de Karl. Dans les deux écoles, marxiste et chrétienne, on retrouve les mêmes fidèles, un texte fondateur dont l'application n'a été qu'un long dévoiement, l'espoir d'un avènement, l'attente d'une parousie, la foi dans l'avenir, un dogme qui s'autoproclame universel, une parole qui identifie les bons et stipendie les impies, un goût de l'égalité et une tentative de réduction des complexités humaines à quelques structures communes. Même la barbe fleurie des deux fondateurs présente des similitudes. De Marx à Jésus, il n'y a qu'un pas, camarade croyant.

Une pensée

Voilà qui pourrait être une belle réponse aux espérances des chrétiens et des marxistes déroulées plus haut :

La foi, démission du caractère. L'espoir, démission de l'esprit.

Henry de Montherlant

Un cauchemar

Visite à Crans-Montana, sur les flancs du Valais suisse, avec la romancière Bénédicte Martin qui cherche en vain les traces de son inspiratrice Mireille Havet, une poétesse opiomane qui expira en 1932 dans ce mouroir de luxe perché entre les cimes. Des cliniques accueillent encore aujourd'hui des patients atteint de maladies pulmonaires. Les Alpes déploient leur splendeur sur la ligne de l'horizon. Elles non plus ne sont pas en forme : elles se réchauffent, elles s'érodent. De vieilles personnes contemplent d'un œil délavé les coteaux qu'elles ne dévaleront plus à skis. Cette incongruité de mettre des gens en chaise roulante sur des pentes si abruptes... Il n'y a rien ici de l'atmosphère surannée, cultivée, cosmopolite des sanatorium littéraires de l'époque de Schnitzler, de Zweig et de Rezzori, de ces établissements où Eluard s'éprit de Gala, où les tuberculeux de l'Europe entière toussaient sur des chaises en rotin, en devisant de la fragilité de la vie et de la force de l'art. À Crans, tout n'est que fric, ennui et pneumonie. Dans le cimetière de la station, sous le petit temple protestant, une tombe porte une gravure de la Vierge Marie et cette phrase : « Je ne te donnerai pas le bonheur dans cette vie-là, mais dans l'autre. » Nous nous enfuyons.

Un courage

Dans une interview publiée dans *Le Monde* à l'occasion de la parution de *Joseph Anton*, Salman Rushdie déroule ce discours de courage : « *Ceux qui s'attaquent aux minorités, aux musulmans ou aux homosexuels, par exemple, doivent être condamnés par la loi. L'islamophobie, c'est autre chose, c'est un mot qui a été inventé récemment pour protéger une communauté, comme si l'islam était une race. Mais l'islam n'est pas une race, c'est une religion, un choix. Et dans une société ouverte, nous devons pouvoir converser librement au sujet des idées.* » Voit-on que les partisans d'Aristote, de Pyrrhon de Fourier, de Bourdieu, de Marx ou d'Alain Minc confondent ce qu'ils sont avec ce qu'ils pensent et accusent leurs détracteurs de mépriser leur nature propre au motif qu'on critique leurs opinions ?

Des pionniers

Dans la bande-dessinée *L'Invention du vide* (Dargaud), Nicolas Debon raconte avec génie les exploits du célèbre alpiniste Albert F. Mummery (1855-1895). Ce Britannique bon teint, membre du London Alpine Club fut avec Charlet, Whymper et quelques autres génies du cramponnage, un pionnier de l'alpinisme. Debon, d'un trait pastel tendrement nerveux, réussit à rendre l'horreur du vide dans l'espace réduit de ses cases. Chaque planche s'ouvre sur des perspectives verticales, des gouffres amers. C'est ce qu'on appelle l'art de la mise en abîme. Il faut lire cet album installé dans la chaise longue d'une terrasse de Chamonix et se souvenir qu'il y a cent cinquante ans, le panorama spectaculaire que l'œil embrasse de l'Aiguille Verte à la Bionnassay effrayait les hommes civilisés, rebutait les artistes, horrifiait les gens de goût. Seuls quelques aventuriers comme Mummery avaient senti que, là-haut, la vie bat plus fort. Un écrivain, Franz Schrader, cousin germain d'Elisée Reclus, l'avait compris lui aussi. Dans *À quoi tient la beauté des montagnes*, (éditions Isolato), Schrader analyse l'émotion artistique qui l'étreint devant les mouvements du relief. Au détour de son raisonnement, parlant des esprits insensibles à « la beauté des montagnes », il prononce une phrase qui trace une ligne infranchissable entre deux catégories d'êtres humains : « *Qui donc a raison ? Eux ou nous ? Eh bien c'est nous, parce que celui qui sent une beauté aura toujours raison contre celui qui ne la sent pas ; celui qui voit contre celui qui ne voit pas ; celui qui s'émeut contre celui qui ne s'émeut pas.* »

BNGR – octobre 2013

Une rencontre

Pour sa tenue, sa droiture, sa rigidité, j'admirais madame Taubira. J'étais un fervent lecteur de Raoul Vanegeim, un admirateur de sa critique de la justice (qui s'obstinerait à traiter le délinquant en bouc émissaire au lieu de lutter contre les racines de la voyouterie). Je me délectais des tendresses de Barbara à l'égard des voyous, des dilections de Georges Bataille pour les turpitudes et les déviances en tout genre jusqu'au jour où je rencontrai la victime d'une bande de vrais salauds. Dès lors – c'est drôle, n'est-ce pas ? – toute cette littérature-là me devint impossible.

Une question

« Pourquoi m'as tu abandonné ? » demande Jésus à son père sur la croix. Moi, j'aurai posé la question dans la crèche, en naissant...

Une chanson

L'amour est peut-être enfant de bohème mais il est le papa des problèmes.

Une contradiction

L'éternel retour chez les chrétiens de cette idée que le temps dessine une ligne continue.

Une adhésion

Il y a deux manières d'adhérer à une cause. Soit parce que nous avons la certitude de sa valeur ; il s'agit alors d'un engagement positif, vécu dans la sincérité. Soit parce que les détracteurs de cette cause nous sont insupportables ; c'est alors un engagement en rebond, vécu par défaut. C'est celui des gens qui ont plus d'intelligence que de cœur.

Une mort

Pour moi, qui aime les « mots de la fin », l'un des plus beaux adieux, lancés à la cantonade, fut celui de Hart Crane. Né en 1899, mort à 33 ans, fort méconnu en France, ce jeune prodige américain se saoula beaucoup, célébra Walt Whitman, la mer et les voyages sans retour et écrivit des poèmes incandescents quoique de facture classique. Un jour, fatigué de vivre, il se jeta d'un bateau en pleine mer des Caraïbes en criant « *Goodbye everybody* ». *Very chic, isn't it ?*

Était-ce prémonitoire ? Dans un poème intitulé « Au jongleur de nuages », il écrivait :

Divulgue tes lèvres, Ô soleil et ne retarde plus
La préférence de l'algue verte...

Une race de gens

Les brocanteurs sont des gens étranges. Ils attendent pendant des années que quelqu'un viennent acheter le fauteuil Louis XV sur lequel ils lisent un roman policier en fumant la pipe.

Un aphorisme

Ô ciel, comme je n'aime pas cet aphorisme de Kafka. Il suinte la haine de la vie, la détestation des reflets du soleil sur l'océan, de l'odeur de la pluie dans les forêts de pins et des courses hors d'haleine sur le tapis des landes : « *Il n'y a pas d'autre monde que celui de l'esprit ; ce que nous appelons le monde des sens, c'est le mal dans celui de l'esprit et ce que nous appelons le mal n'est qu'un moment nécessaire de notre éternelle évolution.* » À moins que ce soit une sorte de prière à murmurer dans les temps de tourments ou pour survivre au fond d'un cachot.

Une relation

J'ai connu une fille qui avait tellement le vertige qu'elle ne se plaisait que dans la bassesse.

Un livre

En bande organisée, le dernier roman de Flore Vasseur est un pain semtex (éditions des Équateurs) placé dans le coffre-fort de l'hyper-classe mondiale. Dans un style sous EPO, l'auteur – ancienne d'HEC, mais défroquée depuis quinze ans – raconte l'effroyable collusion entre la finance internationale, les politiques de tous bords et les médias. La danse de mort est simple : les États protègent les grandes banques internationales qui – pour maintenir des illusions de croissance nécessaires à la réélection des hommes politiques – maquillent les dettes, affament les économies nationales, manipulent les écritures comptables, gonflent une bulle virtuelle (donc vide), ruinent l'industrie locale. Cette partouze gluante se déroule sous l'œil de journalistes sidérés par « les petites phrases », accrochés à leurs privilèges, intéressés par les coucheries des ministres et trop médiocres pour décortiquer le monstrueux montage dont ils sont un rouage (idiot et utile). Flore Vasseur c'est Jean-Luc Mélenchon avec des cheveux blonds, un talent de romancier new-yorkais et sans le pharisianisme du type qui conspue un système dont il brigue la tête... On ferme le livre en se disant qu'il faut fuir parce que l'on n'aura jamais assez de dynamite pour faire sauter la termitière.

Blocs-notes GR – 4 octobre 2013

Les écrivains

La différence entre l'écriture et l'observation : on a beau fixer une page blanche pendant des heures, il ne se passe rien, alors que si vous plantez longuement vos yeux dans ceux d'une femme, vous finissez par recevoir une gifle ou, plus rarement, un sourire.

Un bijoutier

Le bijoutier de Nice est ce monsieur qui restera dans l'Histoire pour avoir tué le voyou qui l'agressait et bénéficié d'un mouvement de sympathie populaire, amplement relayé par les réseaux sociaux (ces vastes machineries cybernétiques fonctionnant comme des annexes à domicile de la préfecture de police). La justice l'a placé en résidence surveillée. Passer sa vie au milieu des rivières de diamants, des bagues de fiançailles et des colliers en or pour finir avec un bracelet électronique...

Quelques Roms

Ils parlent des langues indo-européennes, ils ont surgi des profondeurs de l'Inde dans des haillons magnifiques. Ils ont marché à pied, par les routes, jaillissant des temps immémoriaux pour s'installer sur la terre d'Europe, refusant de vivre dans ces prisons que nous appelons « maisons ». Ils aiment les bijoux cliquetants, les caravanes rutilantes, la musique, la Vierge Marie, les ours, ce qui coule (le sang) et ce qui brille (l'or). Joseph Kessel les vénéraient parce qu'ils sont la dernière expression du nomadisme en Europe. Hergé les a fraternellement invités dans les aventures de Tintin (*Les Bijoux de la Castafiore*). Monsieur Manuel Valls, lui, prétend qu'ils ont « *vocation à s'intégrer en Roumanie* » (quelle est cette manière de parler le français !?). Ils sont racleurs de vent, fils du bitume, enfants de la route. Ils pissent à la croisée des chemins, font souffrir leurs violons, sangloter leurs accordéons et s'en vont si le ciel se couvre. Ils volent les poules aussi – c'est bien connu. Alexandre Romanès leur a consacré des poèmes aussi échevelés qu'une danse autour du feu[1]. Les Roms sont le feu follet de l'Europe, sa mémoire vive, l'écho insaisissable de sa jeunesse. J'aime beaucoup Alexandre Romanès. La seule chose que je lui reproche, c'est d'avoir eu la naïveté de croire que les bourgeois socialistes seraient avec les Roms plus indulgents que les bourgeois libéraux.

Des gens discrets

Dans son dernier livre[2], le philosophe Pierre Zaoui se livre à une apologie de la discrétion, vertu malmenée en nos temps de tapage, de sans-gêne et de *réseaux sociaux*. L'art de disparaître, la vertu du retrait,

1. *Sur l'épaule de l'ange*, Alexandre Romanès, Gallimard.
2. *La Discrétion ou l'art de disparaître*, Pierre Zaoui, Autrement.

le plaisir de se fondre dans la foule, le « renoncement à l'apparition », explique Zaoui dans son introduction, constitue une « politique de la dissidence vis-à-vis du monde effroyable de la visibilité permanente et de la surveillance généralisée ». S'ensuit une centaine de belles et puissantes pages en hommage à cet « art récent » qui consiste à vivre dans l'ombre, à accueillir le silence, à apprécier « la beauté à bas bruit ». « Les âmes discrètes sont les fondations du monde », conclut le professeur en expliquant que la discrétion donne sa beauté à la politique, c'est-à-dire à la vie en commun. En lisant ces lignes (que j'attendais depuis longtemps), je me suis souvenu que parfois, dans la rue, chez le marchand, au square, on croise des êtres effacés, gris et lumineux à la fois. Ils rasent les murs à pas souples. On dirait des chats humains. Ils semblent appartenir à une société secrète. Ils se montrent exquis, courtois, dispos et vous sourient si vous vous adressez à eux. Ils disent à voix basse des choses aimables, s'excusent s'ils vous frôlent, s'effacent pour vous laisser passer. Ils portent souvent un livre sous le bras. Ce sont des discrets. Je ne sais pas s'ils sont vraiment plus heureux que les autres, comme le prétend Zaoui, et s'ils jouissent de ce « bonheur par soustraction ». Mais ils sont beaucoup plus beaux que les gorilles empressés se rendant à grand pas vers des tâches importantes en hurlant des choses inutiles dans leurs téléphones portables.

Un livre rouge

C'est un petit livre rouge qui trace le portrait d'un homme. Un petit livre comme un salut ou une prière, adressé par une femme à l'homme qu'elle a aimé. Un jour, on découvre cet homme à sa table de travail, relisant les épreuves d'un livre, « penché, studieux, heureux de ce qu'il construisait avec application. C'est sans doute pour cela que j'ai continué. Cette petite maison portait une vie ». L'homme c'est l'éditeur Michel Guérin, la petite maison ce sont les éditions Guérin et l'auteur du livre c'est Marie-Christine Guérin qui, depuis la mort de son mari en 2007, perpétue l'œuvre de Michel, livre après livre, avec un succès croissant. Aujourd'hui, dans *Des violons pour monsieur Ingres*[1], elle compose un bouleversant texte d'amour et fait revivre dans toute leur vérité les séquences de l'existence trépidante de cet agitateur d'idées qui haïssait les conventions, méprisait les certitudes, aimait la montagne, les livres, les amis et sa femme, c'est-à-dire la vie. Michel Guérin ? Même pas mort.

---

1. *Des violons pour monsieur Ingres*, Marie-Christine Guérin, Éditions Guérin.

Décembre 2013

L'agitation

Mon programme des prochains mois : les Calanques de Cassis, Vladivostok, Lanzarote puis la traversée de l'Atlantique dans le sillage de la Mini-Transat, un séjour dans les mornes collines de la Guadeloupe et, au retour, la préparation d'un voyage au Mali, juste après le réveillon hongrois. Je suis en train de mettre en place ce calendrier et de me demander à quoi tout cela rime, lorsque je tombe sur cette phrase du *Feu Follet* de Drieu la Rochelle : « *L'agitation lui paraissait la façon de tout arranger.* »

Le retour

Vu *Raïba et ses frères*, le dernier film de Patrice Franceschi, au festival de la Guilde, à Dijon : le capitaine de la *Boudeuse* s'en revient dans l'île de Sibérut à la recherche d'une tribu dans laquelle il avait séjourné, vingt ans auparavant : les Sakkudei. À la fin du film, après avoir constaté les incursions de la modernité qui font peser de sombres présages sur l'avenir de ces hommes, Franceschi conclue son texte par cet aveu crépusculaire et levi-straussien : « *Avant je partais à la rencontre d'hommes qui ne me ressemblaient pas. À présent, je pars chercher des hommes qui me ressemblent dans un monde qui ne me ressemble plus.* » Franceschi, après avoir bourlingué pendant un demi-siècle et célébré *La Vie dangereuse* chère à Cendrars, s'apprête à devenir, comme un guerrier pachtou ou un chasseur sakkudeï, un exilé de sa propre époque.

L'ironie

Retour de Vladivostok. Dans l'avion de l'Aéroflot, je lis l'admirable livre d'Alain Finkielkraut (qui déroule quelques vérités difficiles à entendre, s'arrache dans les librairies mais heurte la vertu des coucous aristophaniens), *L'Identité malheureuse* (Stock). Le philosophe cite cette phrase de Leszek Kolakowski : « *Nous affirmons notre appartenance à la culture européenne précisément par notre capacité de garder une distance critique envers nous-même.* » Voici formulé ce que je pensais confusément chaque fois que j'entendais évoquer les débats sur la repentance historique. Demander pardon (pour la colonisation, les guerres napoléoniennes, l'Empire, les croisades, l'exploitation minière, la conquête de la lune...), nous sommes les seuls à le faire, nous autres Européens. Chaque peuple du vaste monde, la moindre tribu, le plus petit groupe humain tire pourtant derrière lui les casseroles pas reluisantes de ses propres péchés. Le fait de savoir battre notre coulpe est à mettre à notre crédit. Reconnaître ses torts, se livrer à l'autocritique n'est-ce pas une preuve de noblesse ? Or, vous verrez ! il nous sera un jour reproché d'avoir été les seuls à demander pardon et d'avoir par-là même commis la faute de manifester une supériorité morale. Il faudra alors faire repentance de notre capacité de repentance au nom de l'interdiction faite à l'Europe d'éclairer le monde de son génie propre (lequel, c'est bien connu, n'existe pas).

Un hommage

Cette phrase en hommage au gitan Alexandre Romanès, âme libre, homme de cirque, poète éclatant : « Tous les chemins mènent les Roms. »

La vodka

Breuvage qui permet d'avoir des théories sur tout et aucun souvenir une fois qu'on les a exposées.

La trahison

C'est une âme ardente, un cœur aventureux, une Simone Weil sans Dieu, une jeune juive de Bessarabie. Elle s'appelle Manya Schwartzman. Elle quitte un jour son ghetto natal pour construire le socialisme. Elle croit à la révolution marxiste-léniniste davantage qu'à la révélation talmudique. Elle rejoint l'URSS et œuvre à l'édification des lendemains radieux. Et puis ce sont les années 1930, la famine, les purges, la déportation. Autour d'elle les rangs s'éclaircissent, au-dessus de sa tête les nuages s'amoncellent. Pour finir, on vient l'arrêter. Elle a le temps d'envoyer aux siens, restés en Europe mais prêts à la rejoindre, cette phrase immense : « *Ne venez pas, nous nous sommes trompés !* » Obsédée par cette figure trahie, progressant à tâtons dans une histoire sans archives et une géographie floue, Sandrine Treiner a voyagé, enquêté, fouillé ses propres ombres pour raconter l'histoire de Manya. Dans *L'Idée d'une tombe sans nom* (Grasset), elle trace un portrait poignant d'une héroïne de ce siècle numéro vingt, qui broyait les héros. Manya, grâce à ce livre, possède désormais une tombe, une plaque mortuaire, une longue épitaphe et même un cortège de lecteurs qui ne l'oublieront jamais.

Une technique.

Tous les matins, avant le café noir, récitez cette pensée de Pascal : « *On vit seul, on meurt seul.* » Ensuite, Cendrars : « *L'homme est seul, bien seul. Dès sa naissance, il est tombé dans un baquet.* » Ensuite, vous verrez, tout ce qui arrive dans la journée paraît délicieux – par effet de contraste.

Un manque

Je voulais parler encore de la Concorde, de Navone et de Tahrir. Mais je manque de place.

Bloc-note – janvier 2014

Remettez-nous ça !

L'année treize est morte. Une nouvelle année naît. Le monde, lui, s'use, les gens vieillissent (le soleil aussi), mes amis toussent, les montagnes s'érodent, les glaciers reculent, même le gui s'est pendu et, moi, je me suis encore coincé le nerf sciatique. Les années qui passent sont-elles les gobelets d'une noria épuisée, les pétales rouge sang d'un cerisier en pleurs, des flambeaux dans la nuit, des figures de proue à la dérive dans la pétole, les pénitents masos d'une procession espagnole, ou bien une farandole de collégiennes fraîches se croyant immortelles ?

Ensemble, c'est trop

« La pensée collective est stupide parce qu'elle est collective : rien ne peut franchir les barrières du collectif sans y laisser, comme une dîme inévitable, la plus grande part de ce qu'elle comportait d'intelligent. » Toujours se répéter cette phrase du *Livre de l'intranquillité* de Fernando Pessoa quand on assiste à une manifestation de rue, un mouvement de foule, qu'on découvre un sondage, une pétition ou une page Facebook. On peut aussi se pénétrer de la pensée de Simone Weil qui voyait dans la collectivité « cet être abstrait mystérieux, inaccessible au sens et à la pensée » et ne concevait d'espace pour la liberté qu'au seul étage de l'individu. Seul *hic*, la *majorité* des gens partage ces pensées.

Un noir en vert

Dany Laferrière à l'Académie française. La nouvelle illumine la fin de l'année 2013. Pourquoi ? Parce que Laferrière est un poète fou, généreux comme une pluie tropicale, un écrivain aux titres explosifs, un voyageur léger et un penseur profond. Il précipite dans ses livres la misère carnavalesque du monde, il écrit avec les manguiers d'Haïti, la queue des soucougnans et des sévères iguanes, les ailerons de requin de la mer des Sargasses, les gravats rouge sang de Port-au-Prince chérie, avec les larmes des vieilles cueilleuses de canne, les tambours rastas de la place des Victoires de Pointe-à-Pitre, les cumulus exhibant leur gros cul au-dessus des volcans de l'arc caribéen, avec le lyrisme de Saint-John Perse, la grâce de Romain Gary et la drôlerie de Rabelais. Voilà pourquoi nous applaudissons. Parce qu'il est un immense écrivain. Et sûrement pas, comme l'ont bêlé tous les bien-pensants, champions de l'antiracisme, fidèle de la religion du « métissage » qui croient bien faire en étalant comme une tarte à la crème leur obsession de « la diversité », parce qu'il est *noir*.

Question pour un champion

— Qui a assimilé la Technique à un *arraisonnement* ravageur de notre planète conduisant à *mettre en demeure* la nature de nous livrer ses ressources ?

— Martin Heidegger !

— Oui, bravo, on continue le jeu... un indice sur vos écrans... Qui a montré que chaque progrès visait à régler les problèmes causés par les innovations précédentes ?

— Claude Lévi-Strauss.

— Ah oui ! C'est bon ça ! Super candidat ! Qui a développé l'idée d'une technique échappant à sa mission de servir l'Homme pour devenir un Moloch affolé, soucieux de son seul développement ?

— Jacques Ellul !

— Oh oui ! En route pour la super-cagnotte... Qui a prouvé les ravages causés par les nouvelles technologies dans le cerveau humain ?

— Nicholas Carr !

— Bravo ! Vous venez de gagner un écran plat LED de chez Samsoul 3D 65'' UEF-4K triple enceinte Molby stéréo 4G.

Une déception

« *Internet ne peut pas être considéré comme une source sérieuse.* »

Machiavel, *Le Prince.*

Soulagement I

La condition de la femme en Inde est déjà suffisamment abominable. Imaginez que le Shiva aux bras multiples ait eu la main baladeuse.

Soulagement II

La condition de la femme se détériore en Algérie. En 2013 plus de 7 000 femmes ont fait l'objet de violence selon le chiffre (ridiculement trafiqué à la baisse) de la police du pays (laquelle ne précise pas que les épouses de policiers et gendarmes sont parmi les premières victimes). Une immense vague de protestation a mobilisé les Algériens à la fin de l'année 2013. Contre la violence faite aux femmes ? Non, l'indignation collective s'adressait au président F. Hollande, coupable de s'être réjoui que son ministre de l'Intérieur soit revenu « sain et sauf » d'Alger. Que 2014 nous protège des pharisiens !

BNGR – février 2014

Ni (Khmers) rouge, ni mort.

Les convulsions arabes, au sud du Mare Nostrum, ces dernières années, ont masqué que là-bas, dans l'Asie extrême, gronde aussi la révolte. Le Cambodge craque. Kampuchéa s'ébroue, les Apsaras se font amazones. En septembre dernier, à la suite d'un scrutin honteusement truqué, le communiste Hun Sen volait le pouvoir à l'opposition libérale, incarnée par la lumineuse figure de Sam Rainsy appuyé sur son Parti du sauvetage national (on lira avec profit la belle autobiographie de cet humaniste irradiant d'un pacifisme irrigué par le bouddhisme, *Des racines dans la pierre*, Calmann-Lévy). Depuis, inspirés par les printemps arabes, soutenus par leurs frères de la diaspora, les Cambodgiens manifestent dans la rue, usent des nouvelles technologies pour faire gonfler la fronde et ne lâchent pas les basques de leur Premier ministre. Les Khmers, galvanisés par Rainsy, ne veulent pas – 22 ans après les accords de Paris (qui prétendaient instaurer une démocratie pluraliste au Cambodge) – voir renaître les années démoniaques. Hun Sen, lui, use des moyens dignes de l'ancien officier rouge qu'il fut et n'a jamais cessé d'être en son âme (à laquelle il ne croit pas) et conscience (fortement entachée). Au début du mois de janvier, il fit donner la troupe sur des manifestants pacifiques, des moines, des femmes. On releva des morts. Hun Sen est de plus en plus isolé en son propre pays mais bénéficie du soutien des Vietnamiens. Ainsi, Saïgon, manipulant sa marionnette, tente d'étendre sa sphère d'influence sur le Cambodge. Certes, Hun Sen peut se targuer de susciter l'admiration de Jean-Marc Ayrault qui dans une lettre d'octobre 2013 félicitait de sa réélection l'ancien officier de Pol Pot... C'est que la raison d'État a des raisons que la justice ignore. On se souviendra de Mitterrand brandissant, pas peu fier, la lettre que le sinistre Guennadi Ianaïev lui avait adressée après le putsch contre Gorbatchev (il y a comme cela des indulgences, des bienveillances, des affections inalté- rables, une tendresse indéfectible entre anciens lecteurs de Lénine). Transcendant les arrangements de palais, les citoyens de France peuvent exprimer leur soutien au peuple cambodgien en s'associant aux actions et manifestation des Cambodgiens de France[1].

Morts aux écrans

Voilà qu'à présent, ils nous expliquent qu'on n'y coupera pas ! « *Internet n'est pas une option !* » Cette injonction provient d'une mutinationale du Net (Free) qui aboie ses slogans publicitaires comme des ordres de kapo dans un camp de redressement.

Non seulement Internet doit *rester une option* mais il faut militer pour le recul des écrans qui envahis- sent le champ de nos existences. Et lutter contre ce discours marchand qui nous promet une société et un

1. http://www.psnfrance.com/

monde meilleurs grâce aux nouvelles technologies. Nous sommes encore quelques Mohicans à préférer le sens de l'orientation au GPS, le sentiment de la nature à Google Earth, la mémoire aux banques de données, Euclide à la 3D, la truculence aux dictionnaires en ligne, la pensée à l'arborescence, le souvenir aux moteurs de recherche, les œuvres aux « contenus », l'intuition aux sites de conseils, Proust à Steve Jobs, les affinités électives au programme Androïd. Ils oublient un peu vite, ces hypnotisés numériques, ces gourous cybernétiques, ces virtuoses du virtuel qu'en matière de technologie, il y a une chose sous nos cheveux qui s'appelle le cerveau. Et que cette très ancienne invention est autrement plus mystérieuse, puissante, passionnante, évolutive et prometteuse que toute application numérique clignotant tristement sur un écran livide.

Choses entendues

Signature dans une librairie. Une lectrice m'aborde :
— Vous utilisez des mots compliqués dans vos livres, c'est snob, c'est pompeux.
Puis elle éternue.
— Excusez-moi, je suis enchifrenée.

Mauvaise foi

Médée est originaire de la Colchide géorgienne. Jason débarqua avec ses Argonautes dans les environs de Batoumi, pas très loin du Caucase où fut enchaîné Prométhée. La Crimée s'appelait Chersonèse aux temps de la Grèce antique où les marins du Pirée, parfaitement familiers de la mer Noire, avaient installé un comptoir commercial. Et on critique le président Vladimir Vladimirovitch Poutine d'avoir choisi le pied du Caucase pour accueillir les jeux Olympiques et ranimer l'esprit hellénistique sur les rives du Pont-Euxin ?

Le berceau russe

Le Québec est en feu. La Belle Province veut faire sécession. Le gouvernement d'Ottawa est forcé de lâcher du lest devant l'ampleur des émeutes. Vladimir Poutine demande au personnel de l'ambassade de Russie au Canada d'encourager les manifestants. Le Kremlin soutient publiquement les associations séparatistes et finance les agences indépendantistes. Moscou exhorte le gouvernement canadien à écouter la voix des frondeurs et à adoucir le maintien de l'ordre. On aperçoit quelques membres de la représentation consulaire russe sur les barricades érigées dans le pays. Fiction ? Non, c'est, à front renversé et avec les Américains dans le rôle des Russes, ce qui se passe en Ukraine.

BNGR – mars 2014

RAS

Il n'y a rien de plus ennuyeux qu'un journal de bord de navigation. On y consigne des faits insignifiants. Quand les choses se corsent, on n'a pas le temps d'écrire. Et lorsque elles deviennent vraiment dramatiques, on ne retrouve pas le manuscrit.

Terre ! Terre !

Je pense souvent à ce moment où la vigie postée dans les plus hautes hunes des caravelles de Colomb a aperçu la côte et gueulé : « Terre ! Terre ! » À partir de ce moment-là, une effroyable chaîne de causalités – comprenant invasions, génocides et guerres – allait se mettre en mouvement pour mener à l'Amérique d'aujourd'hui. Je suis impressionné par ces moments de basculement où la roue monstrueuse des destins se met en branle.

Kairos

Le *kairos* en grec signifie « le moment propice », l'instant de basculement où il convient d'agir. Par exemple, où il importe de terminer cette explication.

Arrivée

Un vrai marin misanthrope c'est quelqu'un qui écrit dans son journal de bord : « Après une longue navigation à travers l'océan, je suis parvenu en vue du port. Sur le quai, des milliers de gens m'attendaient pour me fêter. Je suis descendu quand même. »

Manteau

La mer est un pauvre manteau que le vent froisse, que l'écume tache, que les crocs des récifs déchirent, que la marée étire, que la houle gondole et dont la planète a pourtant besoin pour cacher les plaies de ses fosses.

Dieu

Je croirai à la sincérité des croyants quand je les verrai, au dessert, repousser le gâteau en me disant : « Je préfère penser au génie du pâtissier. »

Dialogue

— Monsieur, vous êtes superficiel !
— Oui, monsieur, comme la peau de la mer allumée de soleil, comme les vertes prairies des paradis orientaux, comme le tapis du sable sur le dos du désert. Vous, vous êtes profond comme une fosse commune.

Malentendu

« Je pars faire une course dit le marin à sa femme. » On le retrouva deux ans plus tard sur une île des mers du Sud.

Climatologie

Un petit nuage, esseulé dans le ciel, rond, attaqué déjà par les morsures d'un mauvais vent, semblait attendre que sa mère la pluie et son père l'orage viennent le chercher.

Incorrigible

« Il faut grandir me serine-t-on. Arrêter de fuir. Prendre ses responsabilités. S'atteler à de grands projets. Ne plus papillonner. Cesser de célébrer la légèreté et l'insouciance qui sont les fourriers de l'inconstance. » Je promets de m'amender. J'opine, j'exprime mes regrets avec sincérité. Puis je sors de la pièce et je suis le vol du premier papillon que je croise.

Confusion

Pourquoi les brillants chercheurs américains qui ont échafaudé la théorie du Genre ne se penchent-ils pas sur la théorie du Nombre. Car si je peux décider moi-même de mon sexe, pourquoi ne pourrais-je pas déterminer le nombre de personnages qui m'habitent. Suis-je ? Et si oui, combien ? Suis-je plusieurs ? Ne fais-je qu'un avec moi-même ? Qui parle quand je dis « je » ? Suis-je coupé en deux, en trois, en quatre ?

Je menais l'autre jour ce débat avec moi-même et j'entendais des voix contradictoires qui disaient :

— Je suis seul, monsieur !

— Non, nous sommes nombreuses !

Autres blocs-notes

2005-2012

Samedi. Bali : la dernière boum

Je relis pour la troisième fois de ma vie le Coran (traduction Kasimirski, Garnier-Flammarion). Ce livre est plus réussi que le traité d'Onfray parce qu'il vous rend vraiment athée : si Dieu a prononcé toutes ces paroles, qui peut réellement croire à sa grandeur ? Au nom du Très-Haut, plus de vingt morts à Bali. L'islamisme est une idolâtrie païenne de type précolombien qui a besoin de sang sacrificiel. Je me dis que le monde a réellement changé. Autrefois il y avait une route paradisiaque qu'empruntaient les hippies. Elle passait par Kaboul, Katmandou et Bali. Aujourd'hui Kaboul saigne (les talibans), Katmandou gronde (les maoïstes) et Bali brûle (les terroristes). L'axe du rêve est devenu chemin de larmes. Une question : le terrorisme est-il une réaction motivée par un sentiment d'oppression ou bien un projet positif de conquête ? Le numéro un de la sécurité de Londres a dit : « Nous sommes attaqués pour ce que nous sommes, non pour ce que nous faisons. »

Je lis que les Américains cherchent toujours ben Laden dans les montagnes splendides du Pachtounistan. Ce Saoudien est le meilleur trekkeur de tous les temps ! Il y avait un explorateur catalan nommé Jordi M. qui fut assassiné en août 2002 à la frontière afghane alors qu'il cherchait le *Barmanou* (nom localement donné au yeti). Jordi croyait dur comme fer à son existence. Ben Laden serait-il le yeti ? Il y a des points communs : même pilosité, même douceur du regard. Même ubiquité, même science du repli. Et surtout même mystère : certains le croient mort, d'autres le disent en vie. La différence c'est que le yeti se cache pour rester libre alors que Oussama c'est pour que nous cessions de l'être.

Dimanche. Un clou dans la tête

Je sillonne la Belgique pour raconter mes aventures, une tournée de quatre-vingts conférences. Avant-hier Soignies, demain soir Tubise puis Charleroi… L'autre jour, une dame me demande ma nationalité. Moi : « Français, madame. » « Ah bon, dit-elle, pourtant vous avez l'air courageux ! » Entre les séances, je feuillette les livres dans les librairies. Je tombe sur *Le Silence de l'innocence* de Somaly Mam (Éditions Anne Carrière) : un témoignage sur l'esclavage sexuel des femmes. Ce livre met l'âme en lambeaux. On y croise le mal et les mâles déchaînés, des femmes enchaînées, des filles de quatorze ans dans les bordels pour Blancs à qui les macs plantent des clous dans la tête parce qu'elles refusent de se prostituer. Cela se passe loin : au Cambodge. Mais cela se passe aussi près de chez vous. L'Enquête nationale envers les femmes en France (ENVEFF) révèle dans une étude récente qu'on viole mille femmes par an en Seine-Saint-Denis. Un petit air de Berlin le jour où les Russes sont arrivés. Et le pire c'est que tout le monde s'en fout. Aucune vague d'indignation massive pour ce tsunami de sperme, aucun *élan solidaire* comme la France, ce pays de l'émotion, est si prompt d'habitude à en manifester au moindre cyclone. Le gouvernement s'en balance. C'est que le viol, moins que le banditisme ou que les ouragans, n'a jamais ébranlé les structures d'un État. Une femme détruite ne menace pas les fondations d'une société. Sarkozy d'ailleurs s'en est pris aux esclaves plutôt qu'aux proxénètes dans ses lois sur le racolage. Du coup à Saint-Denis, à cause de l'étude, on placarde des affiches contre la violence faite aux femmes : « Être mâle ce n'est pas faire mal », « Tu es nul si tu frappes ». Je redeviendrai chrétien lorsqu'on ajoutera aux tables de la loi (écrites par des hommes) : « Tu ne violeras pas. »

Mardi. Vladimir Vladimirovitch n'est pas une frite molle

Astrid W. m'explique qu'une *poutine*, au Québec, est un plat de « frites avec du fromage bien gras dessus ». Ce genre de chose que le président russe ne mange pas, lui qui est sec comme un knout. (D'ailleurs parmi les 62 % de Russes qui sont prêts à revoter pour lui, il y a beaucoup de femmes, éprises de ce gendre idéal.) Le tsar Poutine est venu hier en Belgique pour un voyage officiel. Au programme : déjeuner avec le roi des Belges, négociation plein gaz d'un accord entre la Fluxys belge et la Gazprom. Et surtout, inauguration du festival Europalia de Bruxelles consacré à la Russie. Au musée d'Orsay à Paris, s'est ouverte une expo sur la quête de l'identité dans l'art russe du XIXe siècle. L'Europe entière célèbre la santé de la culture russe. Mais dans le même temps, l'influence du Kremlin s'effrite. Les nations du *limes soviétique* jusque-là dirigées par des proches de Moscou s'éloignent : le Kirghizistan en mars dernier, la Géorgie et l'Ukraine l'an dernier. Et le pétrole d'Azerbaïdjan qui file sous le nez de Poutine par l'oléoduc Bakou-Tbilissi-Ceyhan ! Le plus triste c'est que des voix s'en réjouissent. Pourtant une grande Europe de l'Ouest avec une Russie fragile c'est comme une grosse tête avec une âme malade. Un molosse au cœur d'argile.

Dîner hier avec mes amis belges. Dans la brasserie bruxelloise, ils chantent, ils s'embrassent et boivent en racontant des folies. Leur détestation pour la demi-mesure me ravit. J'ai l'impression d'être à Moscou. En fait, les Wallons sont les Russes de l'Europe de l'Ouest. Eux se disent les Tchétchènes des Flamands. C'est compliqué l'Europe.

Mercredi. Ich bin ein Euraziatik

Pourquoi appelle-t-on les pays de l'Est « pays de la *nouvelle* Europe » ? Bertrand Delanoë a même lancé aux Polonais, un jour à Varsovie : « Bienvenue en Europe ! » Comme si les Silésiens d'Henri le Pieux, qui arrêtèrent les Mongols en 1241, n'étaient pas d'antiques Européens ! Je suis très excité par l'arrivée des nouveaux membres. Tout ce qui vient de l'Est (à commencer par la lumière du jour, chaque matin) est plein de vigueur. Kusturica a dit un jour que les Européens de l'Ouest étaient « toujours fatigués ». Il n'y avait qu'à voir les participants des dernières discussions européennes. Une seule était en forme, c'était Ursula Plassnik, l'Autrichienne. Mais elle s'agitait pour empêcher les Turcs de rentrer dans l'Union. Il y a un mois, un pêcheur d'Izmir m'a dit : « La Turquie est un pays nationaliste, militaire, religieux, impérialiste : j'ai peur de perdre tout ça avec l'Europe. » Du coup je ne comprends plus rien : pourquoi est-ce que ce sont les réacs qui ne veulent pas de ce pays ? Moi, je suis plutôt pour la venue de la Turquie. J'aime tellement l'univers touranien : les caravansérails, les chevaux du Ferghana, les yourtes des Tian Shan et le Gobi mongol, toute cette profondeur stratégique, historique, culturelle qui, avec l'entrée des Turcs, est offerte à l'Europe sur un plateau.

Vendredi. Le mouvement perpétuel

Après la France, la Belgique : c'est la grève générale. Cela ressemble à une histoire belge : il faut qu'il y ait un mouvement (social) pour que tout s'arrête. Dans Bruxelles, les gens vont à pied. Et si les grèves étaient une réponse à la crise énergétique qui se profile ? Les syndicats feront-ils reculer l'échéance du *peak oil* ? Je lis une dépêche sur le train que les Chinois construisent en ce moment entre Pékin et Lhassa. Un chantier pharaonique à 5 000 mètres d'altitude. Il n'y a plus que Pékin capable de mener des travaux staliniens avec 50 000 croquants bâtissant à la pioche une espèce de TGV d'altitude. Quand il fonctionnera, ce train portera l'estocade finale au Tibet. Et pour le malheur du Dalaï-Lama, les fils de Mao, eux, ne font jamais grève.

Allez : « Om Mani Padme Om », comme on dit dans le VIe arrondissement, maintenant qu'il y a plus de bouddhistes que de maoïstes à Saint-Germain-des-Prés.

Libération, automne 2005.

De la Sibérie à la Belgique

VENDREDI. – Et si la Belgique guérissait les voyageurs de leur soif de lointain ? Les agences de voyages offrent aujourd'hui l'aventure à portée de main, la Belgique offre l'exotisme à portée de train. Mais un exotisme à rebours qui ne se livre pas facilement et contraint le visiteur à chercher, à gratter la couche. Au début, en venant ici, on croit pénétrer un univers aux antipodes du picaresque. Le ciel est gris, les cheminées fument, les gens comme les façades sont d'apparence sage... En Islande, le feu dort sous la glace, ici, les Belges couvent sous la brique. Pour accéder à leur inépuisable fantaisie, il suffit de souffler la (mince) patine. Elle est constituée d'un mélange étrange de relents d'époque sidérurgique, de rigorisme flamand et de morosité climatique. Cette patine saute dès qu'on souffle. Il faut pousser la porte des Belges. Le soleil est dedans. Exactement comme dans le tableau de Magritte où il est au-dessus alors qu'on croit qu'il fait nuit en dessous.

SAMEDI. – Philippe D. me conduit aux quatre coins du pays. Dans la voiture, je lis tout ce qui paraît sur le pétrole parce que je prépare un voyage autour du thème de la crise énergétique. Notre génération a la chance d'assister en temps réel à un nouveau *great game* kiplingien planétaire. Une mêlée de toutes les nations lancées dans la guerre aux ressources ! Philippe s'arrête dans une station Q8 pour faire le plein. Le carburant que nous consommons alimente les guerres et fournit sa force à certaines puissances terroristes. Le pétrole est le sang de l'islamisme, le nerf du djihad, de la houille au service d'une idéologie fossile. À chaque fois que nous mettons le pistolet de la pompe dans le trou du réservoir, on l'appuie en fait sur la tempe de l'Occident.

DIMANCHE. – Sur les autoroutes belges, la lumière est allumée en permanence. Prodigalité énergétique qui fascine les Français. Comment les parents belges éduquent-ils leurs enfants à fermer la lumière dans leur chambre alors que l'État n'éteint jamais l'éclairage public ? Sur les photos satellites nocturnes de l'Europe, la Belgique fait même une tache de lumière ! À la lueur des spots d'autoroute, je lis une étude de l'I.N.S. (Institut national des statistiques) qui révèle qu'un Belge sur sept vit sous le seuil de pauvreté. Contrairement à ce que professait Napoléon III, maintenir allumés les lampadaires n'entraîne pas l'extinction du paupérisme.

L'architecte de l'Atomium est mort au début du mois d'octobre. Son œuvre symbolisait l'époque où l'on jetait tous les espoirs dans la fission. La France qui produit près de 80 % de son électricité grâce à l'uranium ne renierait pas le symbole. Mais si on avait demandé à Waterkeyn un monument pour marquer l'époque actuelle, qu'aurait-il conçu ? Aurait-il célébré les énergies nouvelles et construit une cellule photovoltaïque géante (comme ce panneau solaire qui, à Barcelone, ressemble à une installation d'art contemporain), une éolienne, ou mieux, une molécule d'hydrogène (la solution du futur, selon les optimistes).

LUNDI. – Pendant l'entracte d'une conférence, je lis dans le *National Geographic* que notre civilisation de la consommation va s'éteindre en même temps que la lumière, c'est-à-dire quand il n'y aura plus de ressources. Du coup, je suis pris d'une horrible angoisse pendant ma conférence. Ce qui m'apaise un peu c'est que le film que je présente porte sur un voyage à pied, à cheval et à vélo qui m'a entraîné de la Sibérie à l'Inde sur les traces des évadés du Goulag. Soit 6 000 kilomètres à travers des terrains difficiles, sans moteur ni hélice ; avec uniquement des moyens de transports naturels (*by fair means,* disent les alpinistes anglais). Et si l'éloge de la marche à pied, cette énergie toujours renouvelable, était une réponse à la crise pétrolière ?

MARDI. – Tout à coup les maisons se ressemblent toutes. On croirait une caserne. Nous sommes arrivés à Qaregnon dans le Borinage, au cœur de la Belgique révolutionnaire. Guillaume Jacquemyns écrivait en 1939 dans La Vie sociale dans le Borinage houiller que « les Borains disent avec quelque fierté qu'il y a dans le monde deux centres révolutionnaires, Moscou et Qaregnon ». Du coup, à cause de ma russophilie, je me sens bien ici. Après la conférence, le maire offre un verre dans le hall de la mairie. Il me fait voir dans son bureau la charte de l'ouvrier écrite vers 1880. On peut y lire les mots « collectivisme », « exploiteurs », « lutte pour le bien commun »… La charte servit de symbole fondateur au Parti ouvrier belge et c'est ici que fut élu l'un des premiers édiles socialistes d'Europe ! Nous retournons dans le hall de la mairie où l'on sert à présent du champagne. À l'entrée, il y a un buste d'Astrid. Nous voilà donc dans Qaregnon la Rouge à trinquer au champagne devant le buste de la reine ! Je fais la remarque, on me répond : « La Belgique ce n'est plus que cela, le Roi et la Reine. » Tout le contraire de la France où le peuple ne s'aime bien que lorsqu'il s'agit de haïr son roi.

MERCREDI. – Liège, les hauts-fourneaux apparaissent. On en distingue quelques-uns avant le tunnel qui passe sous la Meuse. Ici, on continue à extraire le charbon cependant qu'ailleurs, des savants français, japonais, belges, américains mettent leurs espoirs dans ITER [*International Thermonuclear Experimental Reactor*] pour dompter le plasma, cette vapeur d'hydrogène instable. La maîtrise de la fusion de l'hydrogène, si elle advient un jour, ne sera pas aussi coûteuse en ressources humaines que l'était le « pain noir » arraché au ventre de la terre ! Les deux aéronautes du nord de la France, les frères Leÿs, rendent dans la revue du Festival d'aventure de Dijon un bel hommage aux mineurs : « Cette victoire [la coupe Gordon Bennett] tire ses racines de la mine, du charbon et du gaz, de la sueur de gens qui ne rêvaient qu'aux grands espaces aériens et qui, grâce au gaz de houille, pouvaient les jours de fête gonfler un ballon qui s'envolait libre dans le ciel. » Les ressources énergétiques alimentent même les rêves de gosses !

JEUDI. – Après chaque conférence, au moins une personne vient me voir pour me raconter que l'un de ses parents, ou une proche connaissance, a passé par les mâchoires des camps soviétiques. Je suis frappé par le nombre d'histoires qu'on me confie. Mais beaucoup ne veulent pas m'en dire plus lorsque je les interroge. Leurs souvenirs concernent peut-être des volontaires des Waffen wallonnes ou bien des rexistes déportés au Goulag ?

Dehors le soleil brille. Beaucoup trop. Les moyennes mercuriales saisonnières explosent. La Nature n'a pas compris que c'était l'automne. Des gens racontent que les bourgeons de printemps commencent à s'épanouir dans leur jardin. Y aura-t-il de l'hiver à Noël ? En tout cas si H5N1 réussit son coup, il n'y aura même pas de dinde.

Le Soir, 2005.

La fin du nomadisme ?

Sur la corde raide. – Menacées par le cholestérol et les varices, privées d'espaces sauvages, haïssant la souveraine liberté du loup, entassées dans des villes où l'éclairage jamais faiblissant jette ses glaçures sur l'amoncellement des biens de consommation, les populations urbaines postmodernes sont pétries d'une angoisse nouvelle. La sédentarité serait-elle en train de les tuer ? La nostalgie nomade étreint le cœur de l'Européen du XXIe siècle. Il rêve du corps noueux des batteurs de steppes, sculpté par la gouge de la route et du vent. Il se dit que Caïn n'aurait pas dû tuer Abel. Il se contemple nu dans la glace, s'aperçoit qu'il dispose de jambes : celles-ci prédisposeraient-elles son corps au déplacement ? Kerouac aurait-il eu raison : « le mouvement, notre nature » ? L'Occident n'est pas encore mort, mais il a des fourmis dans les jambes.

Pour calmer sa fièvre l'homme moderne a recours aux expédients : il voyage (un milliard de touristes en 2010 !)*,* il se *bouge* comme l'en exhorte la pub, il fait du roller. Parfois, il achète une yourte pour son jardinet. Il se tatoue, il se perce pour avoir l'air tribal. Sexuellement, il vagabonde. Il use d'Internet : au moins sa pensée voyage-t-elle. Il vante le métissage, rêve du village global (en sera-t-il l'idiot ?), applaudit à l'immigration totale et consulte, rassuré, le rapport de l'ONU préconisant que la survie de l'Europe passe par l'afflux de vingt millions d'étrangers dans les prochaines années.

La malédiction du mouvement. – Cette tentation du mouvement laisserait perplexe le nomade. Celui-ci considère son mode de vie comme une malédiction. J'arrivai un matin dans un campement de cavaliers mongols de la vallée de Toul. Visages sombres, airs abattus, grises mines : l'*aoul* entier semblait neurasthénique.

— Vous avez la gueule de bois ici ou quoi ? dis-je en russe.

— *Niet !* Mais aujourd'hui, on fout le camp.

Anthropologiquement, le nomadisme se définit comme *le mode de vie de certaines peuplades ayant réussi à s'adapter à un milieu géographique hostile en se déplaçant avec leurs troupeaux de pâturages en pâturages*. Le nomade a été forcé par la rigueur de l'environnement à trouver dans le mouvement une juste réponse. Son état ne résulte pas d'un choix romantique. Contrairement au beatnik américain, au *wanderer* tyrolien, il n'a pas développé une mystique de la route. Il ne gambade pas dans les immensités, il s'y opiniâtre. Les Mongols disent même qu'ils « marchent derrière l'herbe ». Et l'herbe fuit toujours plus loin, sous la dent de la bête, obligeant les nomades à pousser en avant « sans hâte, ni recours des champs les plus présents vers les champs les plus proches[1] ». Le nomade ne cesse de se déplacer dans l'espoir de trouver un lieu où s'adonner provisoirement à la sédentarité.

Le pastoralisme est une expression de l'équilibre entre l'homme et le monde. L'herbe donne vie à la bête qui donne sa force à l'homme qui mène la bête à l'herbe. Que sévissent la sécheresse saharienne ou le *djoud* mongol (phénomène de regel qui recouvre la prairie d'une bogue de glace) et l'harmonie est rompue. Que tardent à venir les pluies nécessaires à la floraison des graminées, et c'est la famine pour la bête, la disette pour l'éleveur. Le nomadisme est un funambulisme. Une existence « aux bords de l'abîme », sur la corde raide.

---

1. Péguy, « Présentation de la Beauce à Notre-Dame de Chartres ».

Écrasés par des horizons sans fond, condamnés à errer là où pas un pli de terrain ne peut soustraire l'être vivant au regard du prédateur, les peuples de la *géographie de la désolation* (banquise, steppes, ergs, prairies, landes) n'ont pas eu d'autre choix que la mobilité. Seuls les êtres rapides, autonomes peuvent s'assujettir l'espace lorsque « la terre est dure et le ciel lointain ». Fuir au moindre danger, dresser promptement sa couche, subvenir à ses besoins dans la rigueur, tirer profit de l'aridité : conditions nécessaires à la vie *en marche*. Ces qualités sont propres au loup, le totem des Turco-Mongols.

La bête et la tente. – Sa survie, le nomade la doit à l'adaptation. La double utilisation d'un animal et d'une technique d'habitat mobile l'autorise à prospérer au cœur des plus âpres confins. Il y a un génie nomade de la même manière qu'il y eut un génie italien au *Quattrocento* ou un génie français au XVIIe siècle. Pour les tribus de la profondeur turco-mongole, le cheval et la yourte ont servi de viatique. Sur leurs petites montures, vêtues de pantalons, capables, grâce à l'étrier de parcourir 200 kilomètres dans la même journée, les hordes touraniennes réduisirent l'espace, s'approprièrent l'horizon, conquirent les distances, étalonnèrent l'immensité à la mesure de leur galop.

La tente s'appelle *choum* chez le Nenets, *ger* chez le Mongol, *ahakoum* chez le Touareg. Elle est simple d'usage, légère au transport et résiste aux affronts du ciel. Elle est un refuge quotidien mais sert aussi à représenter l'univers. Orientée vers les points cardinaux, elle donne un sens à l'espace. Chacun y a une place attribuée. Les femmes, les hommes, l'hôte. Même le chien, au seuil de la porte.

Le fléau de Dieu. – Mais garde ! On aurait tort d'idéaliser les nomades. L'imagerie contemporaine oublie un peu vite que le nomadisme fut le plus grand agent destructeur de toute l'histoire de l'humanité. Le sabot des bêtes est un rabot. A-t-on oublié que l'herbe ne repousse plus là où Attila passe ? Aux temps féodaux, racontent les chroniques, on craignait tant le Tatar que le simple fait de prononcer son nom faisait avorter les nobles femmes. Relisons les relations médiévales de Plan Carpin. Les moines racontent avoir senti l'odeur des loups mongols plusieurs jours avant l'arrivée de la horde ! Les Gengiskhanides, dans leur haine de l'oasis, appliquaient à la lettre la recommandation de leur chef : ils s'employaient à *tuer la terre* ! Lorsque la ligne des cavaliers surgissait à l'horizon, les jardiniers savaient que le fléau de Dieu faucherait la moindre pousse de leurs parcelles. Dans ses *Mémoires*, Chateaubriand a magistralement formulé la force ravageuse du ressac nomade : « Les forêts précèdent les hommes, les déserts leur succèdent. » Et le géographe Martonne a un jour émis une équation qui synthétise dix siècles d'expansion musulmane : « Les Arabes ne sont pas les fils du désert, ils en sont les pères. »

La transmission vivante. – Dans les civilisations bâtisseuses, les époques se succèdent marquées par des progrès techniques. Chaque période digère le génie de la précédente et l'efface. Nous ne savons plus construire les cathédrales mais les compagnons des âges gothiques ne savaient pas dresser de mégalithes. Dans les civilisations nomades, l'art de vivre est le seul legs transmis d'une génération à l'autre. Se maintiennent ainsi les connaissances nécessaires à l'administration des troupeaux et à l'érection des tentes. Le *choum* du XXIe siècle est identique à celui de l'époque médiévale. La yourte a traversé les siècles. Ces tentes sont l'écriture d'un peuple qui ne laisse pas de fondations derrière lui. Je me promenais un jour à Paris avec Amaraa, jeune Mongole fraîchement arrivée. Nous traversions le pont des Arts et pénétrâmes dans la cour Carrée du Louvre :

— Voilà, c'est ce que nous avons de plus admirable en France, dis-je.

— Vous, les Européens, vous aimez tant la pierre !

SUR LES BORDS DE L'ABÎME. – Mais ne nous leurrons pas ! De qui parlons-nous ? Des nomades au seuil du XXIᵉ siècle ? Autant dire de l'éclat presque éteint d'un astre déjà mort ! Sous tous les horizons, *les peuples du vent* plient l'échine. Leurs sociétés disparaissent, ébranlées par la modernité. Numériquement ils n'existent plus. Ils ne pèsent qu'une centaine de millions d'êtres dans l'escarcelle de l'humanité. Une paille. Ils se tiennent sur le seuil du siècle, prêts à prendre congé, telle une confrérie qui aurait saisi que *l'âge des Titans* (celui de la technique, des cités et des multitudes) n'est pas le leur et qu'il faut s'effacer. Le temps est révolu de la fantastique expansion mongole et des caravanes touarègues. Le baron fou Ungern-Sternberg, qui rêvait dans les années 1920 d'une Eurasie unie et régénérée par le soleil gengiskhanide est mort, trahi par les siens et englouti dans ses fantasmes.

Le premier ennemi du nomade est l'État-Nation. Celui que le XXᵉ siècle a sacralisé dans la foudre et le sang. Le nomade ne s'accommode bien que de l'Empire : un vaste espace aux contours flous, où l'allégeance d'honneur importe davantage que le droit civique. Une étendue où le déplacement n'est pas subversif. Pour le pasteur, la terre appartient à celui qui la foule. Sa carte mentale couvre l'espace de la transhumance. Sa pâture est son royaume, la vitesse de son troupeau, son étalon de mesure. Que des officiers d'état-major, siégeant dans le palais d'une ville, puissent tirer un trait sur une carte afin de délimiter leur influence lui est irrecevable. Les puissants, penchés sur la table des cartes, savent-ils que les frontières qu'ils tracent à la règle strient des alpages battus par le lourd balancier des vieilles transhumances ? Combien d'aires de pâture se sont trouvées ainsi coupées ? Que faire lorsque soudain, une ligne de barbelés interdit le passage ? Vers où se tourner lorsqu'un Drogo nouvellement cantonné à la lisière d'un désert des Tartares vous pointe la baïonnette au flanc pour expliquer que c'en est fini de la libre nage dans l'océan des herbes ? Comment concevoir une vie en mouvement lorsque la feutrine du billard sur laquelle glissait la horde se hérisse de murailles ?

Pour le sédentaire, le nomade est un péril. Son perpétuel déplacement empêche tout recensement. Si l'on a inventé le garde-à-vous c'est parce qu'il est plus facile de commander à un homme immobile qu'à un Hermès aux semelles de vent. La méfiance du sédentaire pour le nomade – ce *voleur de poules* – n'est pas éteinte aujourd'hui. Romano Prodi s'est manifesté désagréablement à notre attention en l'été 2007 en qualifiant les gitans de « problème que l'Europe n'a[vait] pas résolu » !

LE MIROIR AUX ALOUETTES. – Pire et dernier ennemi du nomade : lui-même. La modernité est un miroir aux alouettes. Les mégapoles aimantent les pasteurs. Las de mener les chevaux au puits, de baraquer les chameaux, de tenter d'inculquer la discipline aux rennes, ils convergent vers la ville. De la steppe, de la brousse, de la toundra, les clans quittent la tente pour gonfler les rangs des candidats à la prospérité. Chacun veut sa part de progrès. On rêve des soins, de l'éducation et de l'électricité gratuite et l'on obtient une place dans les bidonvilles à la périphérie des faubourgs. Dans le *Journal des Lointains* n° 5, la journaliste Astrid Wendlandt rapporte les propos d'une Nenets de l'Oural : « ... nous avons *honte* devant les Russes. Parfois la ville me tente. Là-bas, on n'a pas besoin de se déplacer sans cesse ». À Oulan-Bator après 1991, des quartiers de yourtes sont apparus dans les faubourgs de la ville : 60 % des habitants de la capitale y vivent en 2008. Hier, la steppe dans l'enchâssure de la porte. Aujourd'hui, le mur de planche d'un terrain de 20 mètres sur 20.

Le nomadisme n'est pas fait pour une planète peuplée de sept milliards d'êtres humains et qui en attend trois milliards à naître dans les vingt prochaines années. Comment maintenir l'ordre et l'harmonie nomades dans une toundra veinée d'oléoducs ? « La Terre change de peau », écrivait Ernst Jünger dans son journal intime. Elle mue et se débarrasse des breloques inutiles, des traditions venues du fond des âges, des vieilleries encombrantes. Les informations circulent à la vitesse de l'électronique, le commerce se mondialise, le réseau des transports enserre la Terre, une nouvelle soif d'énergie s'empare des peuples. La lente circulation des hommes au rythme de leurs bêtes est obsolète. Blanche de Richemont conclut ainsi le récit de sa traversée du désert saharien : « Avec les camions et les années qui passent, les caravanes vont s'éclipser tout doucement. Elles seront absorbées par le vide d'une époque où la vitesse impose sa loi. Alors le sel gemme n'aura plus le goût du silence des longues marches à travers les sables. » Les nomades, lentement, entrent dans le crépuscule.

Grands Reportages, 2007.

Le pesticide, ce cousin du cavalier mongol

Les déjeuners sur l'herbe des années 1980. Les guêpes lançaient leurs raids sur les tartines, les colonnes de fourmis, leurs assauts dans les coupelles. C'était presque impossible de se coucher dans l'herbe. Trente ans plus tard, forêt de Fontainebleau par un matin de l'hiver 2008 : ambiance à la Ray Bradbury après l'hiver nucléaire. Pas un vrombissement, pas un bruissement. Sur l'allée, un bousier agonise. Une mouche traverse l'air, seule. La forêt ressemble à un sépulcre.

Gérard Luquet est un lépidoptériste inquiet. À force de passer sa vie la barbe enfouie dans les herbes, ce professeur du Muséum d'histoire naturelle a remarqué que la vie s'effondrait dans les espaces naturels franciliens. Il y a longtemps que les larves du hanneton ne labourent plus les champs de Beauce. Mais aujourd'hui on est presque en peine de trouver un papillon sur les corolles. En langage scientifique, cela s'appelle « érosion de la biodiversité ». Le Bassin parisien s'accorde à la tendance planétaire : sous la pression des 6,5 milliards d'humains, deux à trois espèces vivantes s'éteignent à chaque heure. Le biologiste Edward O. Wilson prédit la disparition de 30 à 40 % des espèces d'ici à 2050. On s'inquiète un peu pour le loup et la baleine. Demain, à Pau, le tribunal jugera le tueur de l'ours Cannelle. Mais les insectes ? Qui s'inquiète de la partie immergée de l'iceberg ? Saisit-on que ce qui se voit se nourrit de ce qui ne se voit pas ? Ni les sols ni les fleurs ne survivraient à la disparition des insectes. Pas même les hommes. Les Égyptiens le savaient : ils avaient fait du scarabée un dieu.

Dans son laboratoire, Luquet égraine la liste noire : 18 % des espèces d'orthoptères et 34 % des espèces de lépidoptères ont disparu de l'Île-de-France, 50 % des oiseaux ont déserté Paris, plus de 40 % des papillons encore présents connaissent une inquiétante régression.

Le nettoyage par le vide commence en 1950. L'urbanisation étend ses tentacules de béton, gagnant sur les milieux naturels. L'Île-de-France, c'est Calcutta. Onze millions de Franciliens sur 2 % du territoire national. Toute nouvelle route est une balafre qui cloisonne l'espace. Comment deux charançons amoureux séparés par l'autoroute A 86 peuvent-ils s'y prendre pour convoler ? Puis l'agriculture et la sylviculture industrielles tuent les sols. Le pesticide est un cousin du cavalier mongol. Papillons et coléoptères meurent de la concentration de nitrites dans les plantes. On croirait du Péguy : le petit peuple tombe au pied des épis mûrs.

Les paysages nous trompent. Ils donnent à la campagne le visage de la Nature. On croit qu'il faut se réjouir de ce que les terres cultivées occupent la moitié de la surface de l'Île-de-France mais on ignore qu'il y a davantage de vie dans la cour Carrée du Louvre que dans un champ de blé traité du Gâtinais. « Il y a les jardins ! » diront les optimistes. « Des zones quasi abiotiques », corrige Luquet, lucide. Dans les campagnes mitées de pavillons, les jardiniers de la rurbanisation noient de fongicides leur pré carré pour obtenir un gazon au garde-à-vous, droit dans ses mottes, ou assister confortablement à l'épanouissement des géraniums asiatiques et des thuyas mortifères. Les Jardiland sont des dépôts d'armes de destruction massive.

En 1990, deuxième coup de glas pour la nature francilienne. Le réchauffement global pousse certaines espèces méditerranéennes vers le nord. Pour les insectes provençaux, l'Île-de-France devient vivable. C'est l'alerte ! Luquet tient la carte de l'avancée des fronts, comme à la guerre. Le thecla des nerpruns est dans l'Essonne. La mante et les processionnaires sudistes ont gagné Fontainebleau. Le grillon d'Italie est déjà chez les Ch'tis ! Les espèces franciliennes de souche, dites *eurosibériennes* (ce vieux rêve poutinien, réalisé par les entomologistes !), disparaissent du Bassin parisien, cherchant le froid vers le septentrion. « Le problème, dit Luquet, est que la proportion d'insectes qui migrent vers les hautes latitudes est supérieure à celle d'espèces qui arrivent ». L'Île-de-France, terre d'abandon.

La vie vaut-elle la peine dans un monde déserté par l'azuré de l'esparcette, le dectique des brandes et l'hespérie des potentilles ? Veut-on que les enfants grandissent sans savoir que la mélitée a pianoté sur les digitales ?

Pourquoi les bêtes s'opiniâtreraient-elles dans un monde désenchanté ? « La biodiversité recule », disent les naturalistes. « Les dieux se retirent », écrivait Léon Bloy. Ils emportent avec eux leurs joyaux : coléoptères et papillons. Les futaies s'emplissent de silence, cet écho du progrès.

Libération, 2008.

Le Grand Van

Il va par les forêts, vêtu du plus beau manteau de fourrure. Été comme hiver, il porte les couleurs de l'automne. Les coureurs des bois de Mandchourie en avaient fait un dieu. Sur son front, trois barres horizontales dessinent l'idéogramme chinois du « roi ». Dans un monde où le sacré présiderait aux destinées, le tigre aurait de beaux jours devant lui. Mais l'époque est devenue profane et le fusil s'est immiscé dans la conversation que tenaient bêtes, hommes et dieux depuis les nuits préhistoriques. Sa divinité ne protège plus *Panthera tigris altaica*. Des 40 000 tigres vivant dans le monde en 1900, il n'en reste plus que 3 500 aujourd'hui. Dans l'Extrême-Orient russe, leur effectif n'atteint pas 400. Les explorateurs du début du siècle en partagent la responsabilité avec les chasseurs d'aujourd'hui. L'époque avait la détente facile : on tirait à la moindre rayure. Un tigre croisé était un tigre mort. On croyait alors à l'éternelle prodigalité de la Nature. C'était le temps de « l'arraisonnement du monde » heideggérien, cette « mise en demeure » adressée à la planète de nous livrer ses ressources. Dans les années 1930, il ne restait plus que trente fauves en Russie. La chasse fut interdite sous Staline mais à la chute de l'URSS, en 1991, les braconniers, poussés par la crise, ont repris la piste du tigre. Aujourd'hui, les Chinois le convoitent pour ses prétendues vertus aphrodisiaques. L'évolution darwinienne n'avait pas prévu que la pharmacopée chinoise aurait des conséquences dramatiques sur la sélection naturelle. Le trafic des peaux fleurit entre Russie et Chine. Autrefois, seuls les empereurs célestes en tapissaient leurs palais. Aujourd'hui n'importe quel businessman capable de payer 50 000 dollars à un braconnier peut en garnir ses appartements. Près de Vladivostok, la ville d'Oussouriisk est la plaque tournante des trafics. En Chine, pour une peau de tigre, on risque la peine de mort. En Russie, le gouvernement a d'autres chats à fouetter. « On continue à faire systématiquement feu sur le tigre par virilité mal placée », se désole Alexandre Vrisch, du Phoenix Fund. Cette association créée il y a dix ans à Vladivostok promeut la création de parcs naturels et enseigne aux enfants des écoles que le tigre n'est pas un « mangeur d'hommes ». Avec une prédation de 5 % par an dans la taïga, la bête aura disparu dans cinquante ans. Sa présence garantit aux forêts une âme vieille de millions d'années, un trait d'union avec les temps où l'homme ne s'était pas encore prétendu le maître d'une planète dont il ne réussit même pas à être un gérant correct.

Le Figaro, 2008.

Un hic dans le high-tech

La dématérialisation est une vieille idée, un espoir remâché en un monde nouveau. Flaubert y croyait. « Les œuvres les plus belles sont celles où il y a le moins de matière… Cet affranchissement de la matérialité se retrouve en tout et tous les gouvernements l'ont suivi… » (Lettre à Louise Colet, 16 janvier 1852.)

La révolution numérique a laissé penser que l'heure de la dématérialisation avait sonné. Le succès des microtechnologies, des secteurs de la communication, d'Internet et de l'économie de service semblait mener le navire du XXIe siècle vers des rivages écologiquement vertueux. Après les mines de Zola, les fumées de Dickens, les derricks pétroliers et les réacteurs nucléaires, la virtualité allait prendre le pouvoir ! La société des TIC (technologies de l'information et de la communication) pointait le nez, éthérée, reliée, platonicienne !

Hélas, il y a un hic dans le high-tech. Les nouvelles technologies sont moins propres qu'elles n'y paraissent. Il faut autant de pétrole pour construire un ordinateur de 20 kg qu'une voiture. Les constructeurs soignent l'obsolescence des objets high-tech. La durée de vie d'un téléphone portable n'atteint pas deux ans dans les pays développés. Chaque année 20 à 50 millions de tonnes de déchets électroniques toxiques gonflent les décharges. Ces objets possèdent en outre une perversité intrinsèque. Le progrès déverse sur le marché des produits de plus en plus conformes au souci environnemental. Mais, dans le même temps, les avancées techniques en font baisser le coût de production. Ainsi l'effet bénéfique de la construction de machines « durables » s'annule par l'effet pervers de l'augmentation de leur usage. Disons la même chose en termes pastoraux : deux cents jolies biches font plus de mal à un jardin anglais qu'un seul rhinocéros. Or le développement des niveaux de vie et l'explosion démographique planétaire inondent le monde d'équipements : cette année, deux milliards de portables seront vendus sur Terre (cauchemar, soit dit en passant, pour les adorateurs du silence et de la conversation intérieure). Enfin, le high-tech ne s'abreuve pas d'eau fraîche. Si la consommation électrique des ménages a augmenté de 75 % depuis 1990 en France c'est en partie parce que les foyers se cybernétisent. Bref, nous faisons fausse route. La seule dématérialisation qui vaille, c'est la pensée : éteignez vos portables, débranchez l'Internet. Et relisez la correspondance de l'oncle Gustave. Puis discutez-en. L'*impact carbone* d'une conversation sur « la notion de dématérialisation dans Flaubert » est nul.

Le Figaro, 2008.

Le PIB ignore l'entropie

L'économie moderne a l'esprit prussien : elle aime les colonnes. Elle réduit le monde en chiffres, dissout le chatoiement de la vie dans le bain des indices, numérise la complexité des agissements humains et tricote la comptable description de l'activité sociale. Or, non contents d'être tristes, les calculs sont faux !

Nous mesurons la santé des États au moyen d'un indice qui s'appelle le produit intérieur brut (addition de la valeur des services et des produits circulant dans une nation). Le PIB est sacré. Les économistes campent à son chevet comme les médecins de Molière. Si le PIB va, le peuple se réjouit ; s'il faiblit, le pays s'enchifrène. Des esprits critiques ont fait valoir que le PIB était intrinsèquement vicié car son calcul ne prend pas en compte la dégradation des ressources naturelles. Le PIB peut caracoler cependant que l'écosystème périclite. L'actif de l'indice n'est jamais corrigé du passif environnemental. Le PIB n'est pas thermodynamique, il ignore le principe de l'entropie (lequel stipule que rien ne se crée sans que quelque chose, en contrecoup, ne se perde). En réalité, ni la valeur ni le volume des transactions matérielles ne peuvent s'augmenter *ad vitam* sans que le capital de départ (la Nature) ne s'amenuise. C'est comme dans les vieilles familles : si le rejeton tire son seul revenu du patrimoine, il l'épuise. En outre, le PIB qui prétend fournir une indication du bien-être des peuples ne tient pas compte de la qualité de l'existence. La preuve ? L'indice peut fleurir dans un pays irrespirable, surpeuplé, dévasté par le déchaînement technique. Pire, le calcul peut faire son miel du malheur. Une marée noire sera favorable au PIB grâce à l'activité créée pour démazouter les cormorans. C'est la situation du pharmacien qui se félicite de l'agonie de sa vieille maman parce qu'elle encourage son commerce de pilules. Jigme Singye Wangchuck, avant-dernier roi du Bhoutan, disposait d'un petit laboratoire idéal pour échapper aux insuffisances du PIB et imaginer un nouveau prisme d'estimation de la prospérité. En 1972, le souverain inventa le bonheur national brut. Ce baromètre intègre dans son ajustement les résultats de l'économie mais aussi l'état de l'environnement, l'épanouissement culturel, le respect des traditions, l'adhésion des sujets à la politique royale. Au regard du PIB, le royaume himalayen est l'un des plus sous-développés du monde mais du point de vue de l'eudémonisme il en remontrerait à beaucoup. Le roi a interdit la télé dans son royaume jusqu'en 1999. Une mesure qui est certes mauvaise pour le PIB, mais qui constitue une garantie de bien-être. Car lorsqu'on éteint les écrans il prend l'idée de regarder par les fenêtres... Vive le roi !

Le Figaro, 2008.

Islande : sur l'île des Titans

L'EAU ET LE FEU. – L'Islande est l'une des seules nations du monde qui ait accru sa surface territoriale sans guerroyer. « Ni armes, ni violence et sans haine », comme l'écrivit Spaggiari dans la salle des coffres de la Banque de Nice. Le 14 novembre 1963 l'éruption d'un volcan sous-marin cracha ses laves à la surface de la mer à quelques milles au sud de l'île d'Heimaey. Le magma mit quatre années à se solidifier pour offrir finalement au gouvernement de Reykjavik près de 3 km^2 d'une nouvelle terre qui fut baptisée Surstey. Connaît-on beaucoup de pays que les forces chtoniennes se mêlent d'agrandir ? Les dieux sont à la barre de l'Islande, ils veillent sur l'île depuis qu'elle s'est exondée des eaux à l'aplomb de la faille volcanique océanique qui sépare la plaque européenne de la plaque américaine.

LE CHAUD ET LE FROID. – L'Islande est un couvercle posé sur un volcan. Sous la carapace de lave séchée bouillonnent les magmas. À la moindre craquelure, ils rejoignent la surface et s'épanchent de diverses façons : laves, boues brûlantes, gaz, solfatares, fume-rolles, geysers. Parfois sur le plateau désolé du centre islandais, une colonne de vapeur s'élève : une vasque d'eau chaude fume dans la froidure.

Je roulais un été avec quelques amis à bicyclette sur la Kjölür, route qui serpente entre le Langjökull et le Hofsjökull. Un mois d'efforts sur des pistes recouvertes d'une fine scorie volcanique dans lesquelles les roues laissaient un petit sillon. Un soir, nous décidons la halte au bord d'une résurgence d'eau chaude. Il est onze heures. Le soleil de l'été boréal refuse de laisser place à la nuit. Il se revanche de six mois d'obscurité. Nous nous coulons dans l'eau. La température délie délicieusement les muscles. Au loin, la bulle turquoise des calottes glaciaires dépasse à peine de l'horizon. Une voiture s'arrête. Un type descend, un carton à la main, le dépose près de notre bassin : « Je vous ai vus de la route ; petit cadeau pour les cyclistes ! » Et il repart comme il était venu. Et nous, barbotant devant le soleil de minuit qui rôdait au-dessus du septentrion, nous sifflons les bières fraîches à la santé des dieux du voyage.

Les dieux et le temps. – Il n'y a presque pas d'arbres sur le sol islandais. Les moutons des Nor-végiens se sont chargés de les raser aux temps de la conquête. « Les forêts précèdent les hommes, les déserts leur succèdent », écrivait Chateaubriand dans ses *Mémoires d'outre-tombe*. Sur l'île, les substrats affleurent sans que la végétation ne les masque. L'Islande est à la géomorphologie ce que les écorchés sont aux études d'anatomie : un cas d'école. Les reliefs de l'île ne s'embarrassent pas de transition : pas de piémonts devant la montagne, ni de planèzes pour annoncer le volcan, ni de talus pour mener à la mer, ni rien de ce que la géographie a inventé pour assurer la transition entre les plaines et les montagnes, les plateaux et les mers. Tout est coupé à la gouge, taillé dans le roc, labouré profondément et arasé jusqu'à la corde comme si le pays avait fait office d'établi géant sur lequel les rabots du vent, du gel et du temps seraient acharnés. « C'était aux temps reculés où les aigles chantaient. Quand d'énormes masses d'eau tombaient des hauteurs célestes », chante l'*Edda* en référence à ces âges profonds où la Terre subissait les tourments tectoniques. Au XIIe siècle, les *Visions de Vala* inventent la leçon de géologie dispensée en langue lyrique : « Surtur s'élance du midi avec les épées désastreuses ; le soleil resplendit sur les glaives des Dieux-héros : les montagnes de roche s'ébranlent, les géantes tremblent, les ombres foulent le chemin de l'enfer ; le ciel s'entrouvre. » Les plissements du Landmannalaugar, les immensités du Spregisandur, les étendues de l'Odadahraun : ces espaces ne ressemblent-ils pas aux champs de bataille de Titans, aux décors des « énormes événements » que chantait Novalis. Et si le relief n'était rien d'autre que la trace laissée sur le sol par le combat des dieux ?

LES BARBARES ET LES CIVILISÉS. – Le cirque basaltique du Thingvellir se trouve à une cinquantaine de kilomètres au nord-est de Reykjavik. Les formations volcaniques en tuyau d'orgue dessinent un amphithéâtre aux proportions romaines. On dit que Sleipnir, le cheval mythique d'Odin, y aurait imprimé la marque de son sabot. Le peuple d'Islande se réunissait en ce haut lieu métamorphique pour discuter des lois et les voter à main levée. C'était au Xe siècle. Au même moment, dans l'Europe continentale, seigneurs féodaux et empereurs imposaient leur pouvoir absolu. L'Islande, elle, avait déjà réinventé la démocratie et la représentation parlementaire ! Les femmes votaient, la peine de mort avait été abolie. Dans les écoles françaises du XXᵉ siècle, les hussards de la république corsetés dans leurs blouses noires et leurs certitudes continueront pourtant à considérer ce peuple des bords de l'Europe comme une colonie de brutes à chevelure d'or, fils d'écumeurs de mer et de pilleurs de couvents – *barbares,* en somme.

LA PAILLE ET LE GRAIN. – Il y a de quoi devenir fou à suivre la côte islandaise à bicyclette. Les fjords torturent le littoral de telles indentations que si l'on suit la ligne de rivage, il faut parfois parcourir 60 kilomètres à l'intérieur des terres pour rallier deux caps séparés seulement d'un bras de mer de 3 kilomètres de large. Un soir, épuisés par ces sinusoïdales, nous faisons halte dans une ferme. L'heure est à la rentrée des foins. À l'horizon, un orage. Il faut prendre le ciel de vitesse. Armés de fourches nous chargeons la remorque en compagnie des garçons de ferme. Les paillettes d'herbe dorées volettent dans l'air du soir. Au-dessus de la mer, le soleil joue les pieuvres cosmiques et immisce ses tentacules sous les nuages. Soudain, le fermier tourne la radio du tracteur. À fond. Et nous voilà vidant la prairie à grands moulinets de biceps dans la lumière de minuit, ahanant comme des moujiks devant un panorama de genèse, pendant que les cuivres d'une ouverture symphonique nous exhortent à travailler plus fort. Les troupes de l'orage mènent la manœuvre contre le rempart des falaises, prennent d'assaut le fond du fjord et roulent vers nos positions. La nuit se termine autour d'une bouteille de Chivas et l'aube nous cueille endormis sous la grange dans les ballots de foin sauvés des cataractes.

LES CELTES ET LES VIKINGS. – Tomas Ingi Olrich, ambassadeur d'Islande en France, ancien ministre, poète, écrivain, cavalier, m'expliquait (dans un français dont les tournures faisaient rougir le mien) combien il n'était pas stupide de placer l'Islande dans la continuité de l'arc celtique, ce long fil littoral qui, de Galice jusqu'aux îles écossaises, sert de rempart à l'Eurasie contre les houles atlantiques. Quand l'élan norvégien peupla l'Islande à partir des années 860, les colons embarquèrent dans les cales de leurs *knorr* nombre de femmes ravies dans les villages, les ports et les établissements des îles anglo-atlantiques. Sur les quarante mille personnes qui peuplaient l'île au Xe siècle certains spécialistes n'hésitent pas à affirmer que la moitié provenaient de ces miettes archipélagiques celtiques. Et, pour appuyer sa démonstration, M. l'ambassadeur se saisit d'une carte de son pays et me signale le nom à consonance très celtique d'un fjord situé à l'extrême occident de l'Islande : *Patreksfjördur*, le fjord de Patrick. J'aime ces hommes de lettres qui considèrent que la toponymie est le plus fidèle des signaux que nous envoie l'histoire par le truchement de la géographie.

OISEAUX ET FALAISES. – Les oiseaux d'Islande ! Le phalarope, la tourterelle triste, le harfang, l'eider, le pouillot, la sterne, le courlis et le chevalier… Leur énumération serait longue : on signale plus de 360 espèces dans l'île ! Les falaises littorales servent de nichoir aux colonies. À contempler ces stratigraphies rocheuses bruissant d'ailes, agitées de frou-frou et résonnantes de cris, on pense aux descriptions balzaciennes des immeubles parisiens où le niveau social des habitants déterminait l'occupation des étages. Les aristocrates tenaient les rez-de-chaussée ; les bourgeois plus ou moins aisés se distribuaient les paliers ; les cousettes, les artistes fauchés et les étudiants de province végétaient sous les combles. Pareillement, sur le fil des tombants islandais, les espèces d'oiseaux se répartissent en degrés. Tout en haut domine le goéland. Le macareux niche à ses côtés tel le fou du roi. Puis de haut en bas, l'œil distingue toute une théorie de petits pingouins, de guillemots, de fulmars et de tordas. Huniers des saillies rocheuses, les fous de Bassan veillent sur les houles, comme installés aux premières loges. Les mouettes, elles, accrochent leurs nids aux moindres festons des parois. Tout en bas, tenant quartier dans les bas étages, les cormorans rasent les flots. C'est la sociotopographie appliquée à l'ornithologie…

LIVRES ET LECTEURS. – On dit que l'Islande se tient en tête des nations du monde en matière d'alphabétisation de la population. L'île est un pays de lettrés ; chacun y lit avidement et beaucoup publient. Ce pays de trois cent mille habitants a fourni au patrimoine littéraire planétaire un contingent d'auteurs (et même un prix Nobel de littérature) disproportionné. Sont-ce les longues nuits d'hiver qui ont disposé les gens à tuer le temps en se transmettant des histoires ? Les sagas médiévales prouvent que l'art du récit remonte aux origines du peuplement. Je me souviens du gardien de phare d'Arnarstapi qui m'avait accueilli un soir de tempête. Dans la cambuse, entre les outils, les bidons, et le matériel de maintenance, une étagère croulait de livres. Il y avait là romans français et anglais, récits de voyage, philosophie allemande, théâtre nordique, essais et littérature du monde entier… L'espace d'un instant, le phare me fit l'impression d'être une bibliothèque qu'on aurait équipée d'une grosse lampe pour guider dans la nuit les lecteurs en peine… (Chant de Helgi in *Henrich von Ofterdingen*.)

Animan, 2008.

Première nuit

Voici comment les choses se sont passées. J'embarquai à Moscou dans un avion de l'Aeroflot. Je devais gagner Vladivostok, pour un cycle de conférences dans les Alliances françaises et les universités de l'Extrême-Orient russe. Dans l'avion, les membres d'équipage étaient tendus : un appareil de la compagnie s'était écrasé à Perm, deux jours auparavant. Au bout de trente minutes d'attente sur le tarmac, une voix signifia au micro « un problème technique ». Il fallait changer d'avion. Les Russes donnent des noms d'écrivains à leurs engins. Nous avons quitté *Dostoïevski* pour monter à bord de *Lermontov*. Entre-temps, six heures d'attente dans l'aérogare. La compagnie a bien fait les choses : on nous a distribué des bons de 700 roubles pour le dîner. Mais il était une heure du matin, il n'y avait plus rien à manger dans les kiosques. Les passagers ont dépensé leurs coupons en cognac. Il régnait une terrible atmosphère dans le terminal. À l'aube, *Lermontov* a décollé. Les gens étaient très gais. L'alcool adoucit les heurts. Le vol a duré neuf heures, plein est. Neuf heures pour réaliser le rêve de Pierre le Grand : atteindre le Pacifique.

À Vladivostok, si l'on veut être géographiquement correct il ne faut pas dire « Pacifique » mais « mer du Japon », ne pas dire Sibérie mais « Extrême-Orient russe ». La région n'a pourtant rien d'oriental. Mais tout y est extrême. Le gouverneur de Vladivostok, M. Darkine, voudrait faire de sa ville le San Francisco slave. Il y a des similitudes : les collines. Trop excité pour dormir, je marche dans la ville. La statue de Lénine n'est pas déboulonnée. De la main, Vladimir Oulianov indique le Japon. Voulait-il poursuivre la conquête ? Au cinéma central on joue un film à succès : *Hitler Kaput !* Devant la gare maritime, se dresse la « statue des soldats bolcheviks arrivant devant le Pacifique ». En face, le *Princess Diamond,* un paquebot américain de luxe – immeuble flottant pour retraités californiens –, est amarré près des navires de la flotte russe. Entre le bateau et la statue (un monument dédié au matérialisme historique, l'autre au matérialisme économique) s'étend une grande esplanade. Y flânent les marins en vareuses et les jeunes filles légères. Les trottoirs de Vladivostok sont des podiums. Le talon de 12 centimètres est une norme. L'Oréal, idéal de la jeunesse post-communiste. Les filles les plus belles font des gueules d'enterrement. En Russie, il y a un rapport proportionnel entre la vénusté des créatures et la sévérité du visage. D'ailleurs, ici, on ne comprend pas pourquoi les Américains sourient tout le temps en disant « *great !* ». Ces gens n'ont-ils donc aucun sens du tragique ?

J'entends des flonflons. Au cinéma Okéan, devant la mer japonaise, on donne une soirée pour la clôture du festival « Pacific Meridian ». C'est Larissa, la femme du gouverneur, qui a organisé la manifestation, pour concurrencer Cannes. La Méditerranée honore le septième art, il était bon que le Pacifique en fasse autant. Je regarde les réalisateurs monter les marches tendues d'un tapis bleu. Il y a des Japonais, des Russes, des Mongols, des Coréens. C'est le festival de Gengis Khan. À minuit, près de la cathédrale de Kazan, le directeur de l'Alliance française m'invite à dîner dans un restaurant nord-coréen avec le vice-consul du Japon. Au début je crois que c'est une plaisanterie. Comment le pays de la famine exporterait-il sa cuisine ? Le restaurant s'appelle Pyong-gyang. Une télévision diffuse le programme de la télé nationale. Trois heures de ballet avec danseuses en tutu. Le vice-consul japonais dit que l'endroit est truffé de micros.

Ensuite, boîte de nuit, près des docks. Aujourd'hui, c'est la « fête des traducteurs ». En Russie, on n'est jamais en manque, tous les corps de métier ont leur fête. Nous nous attablons avec des traductrices. La techno russe m'empêche de comprendre un traître mot de ce qu'elles racontent. Sur la piste de danse une grosse dame me dit que je ressemble à Saint-Exupéry. Moi, flatté : « On vous a appris que j'étais écrivain ? » Elle : « Non ! c'est à cause de votre casquette. » Cinq minutes après, une autre s'approche : « Français ? » Moi : « *Da !* » Elle, levant son verre : « À vos fromages ! » Puis nous trinquons à l'amitié entre les traducteurs du monde entier. Le vin de Moldavie n'est pas très bon et, à cinq heures du matin, je décide d'aller me baigner dans la mer du Japon. Dans l'eau, à quelques mètres de la plage, il y a une sirène en granit, comme à Copenhague. Je l'atteins à la nage. Sur le rivage, les traductrices me mettent en garde : « Il ne faut pas se baigner ici, il y a toute la table de Mendeleïev dans l'eau ! » J'essaie de grimper sur les épaules de la sirène et m'écorche les genoux. Je reviens piteusement sur le sable. Sur un banc de la plage, la directrice du cinéma de Novossibirsk, échappée de la clôture du festival, me soigne gentiment les genoux pendant que je mange du haddock salé arrosé de Baltika. Elle m'apprend à prononcer ce toast russe qui peut servir de viatique : « Buvons, car demain cela sera pire ! »

Senso, 2009.

Il y a les armes de destruction massive qui n'existent pas, celles qui existent bel et bien, et celles qu'on trouve dans la grande distribution. Le dimanche, virée en famille au Jardiland du coin. On achète des plantes, des graines pour le hamster du petit, un poisson rouge (le précédent est mort la veille), du désherbant et un peu d'anti-limaces. Le soir, on lira aux enfants les jolies histoires d'Antoon Krings pour qu'ils s'endorment en rêvant de Mireille l'abeille, Siméon le papillon, Léon le bourdon. Mais pas un mot sur l'extermination par papa et maman dans le gazon familial des petites bêtes bien réelles qui auraient pu continuer à y vivre. On devrait toujours lire la composition des produits de jardinage. Sur le dessus de la boîte, des limaces plantureuses et des rosiers éclatants. Au verso, une liste d'ingrédients : *nitrate de baryum, soufre trituré ventilé, gaz SO$_2$, diflufé nicanil, oxadiazon, mercaptodiméthur, phosphate ferrique, cyperméthrine...* L'énumération a des airs d'anti-poème de Prévert. Parfois, des mentions euphémiques et paradoxales accompagnent ces gracieusetés : « ne pas traiter en présence des abeilles » ou « attention, ce produit peut porter atteinte à la faune auxiliaire » (*sic !*) ou « ne pas répandre sur un terrain risquant un entraînement vers un point d'eau ». Les carrés rouges indiquant qu'il s'agit de produits toxiques aux irrémissibles effets environnementaux sont imprimés en minuscule sur le fond du paquet, à côté du prix à payer. Qui n'est pas le bon. Car le vrai prix, c'est la Nature qui s'en acquitte. À force d'épandre ici et là des anti-liserons, anti-mousses, anti-algues, anti-lichens, anti-ronces, anti-chardons, anti-pucerons, anti-chenilles, anti-taupes, anti-souris, anti-volants, anti-rampants, pour obtenir des jardins aussi tristes qu'une moquette, c'est la totalité du territoire qu'on empoisonne et le printemps qu'on rend silencieux. Conseil aux jardiniers : pour faire des économies, coulez une dalle de ciment sur l'herbe. Les analystes politiques ne cessent de proclamer qu'il faudra des décennies pour réduire l'impact écologique de l'industrie lourde, de l'agroalimentaire, de la surpêche... Soit. Visons donc de modestes objectifs et réduisons la vente libre de tonnes de poisons à des millions de particuliers désireux de tenir leur jardin en laisse. Bayer CropScience, Fertiligène, BHS, Capiscol et Monsanto ne feront point faillite parce qu'on épargne les pissenlits. Ou alors, il faudra modifier les histoires qu'on raconte aux enfants. Leur dire la guerre chimique qu'on pratique dans les gazons et leur décrire les petites bêtes succombant aux hémorragies, troubles du système nerveux et autres raffinements concoctés pour la gloire du jardin moderne. Ou encore, il faudra leur expliquer qu'en plus de polluer, on les trompait même lorsqu'on leur racontait des histoires, au lit, le soir.

Le Figaro, 2009.

Explosion du plastique

Dans le concert des nations, le Yémen ne joue pas la partition moderne. Rivés au sommet de pitons, les villages du pays – forteresses penchées sur le vide et prolongeant les parois – verrouillent des défilés héroïques. Dans ces donjons, vit un peuple de croyants. Les femmes ne dévoilent leur visage qu'à la nuit. Les hommes règlent leurs heures sur la prière. Le moindre hameau est une caserne gardée par des moines. Nul autre pays ne semble se liguer aussi farouchement contre le globalisme. Il est des privilèges que les Yéménites ne veulent point brader : conduire à tombeau ouvert, s'intoxiquer librement avec le qat, cette drogue qui les soigne et les emporte, porter le poignard et le fusil, obéir à la loi tribale. L'imam Yahya, roi du Yémen, qui s'opposa au Turc et à l'Anglais : « Nous ne goudronnons pas, car le goudron sert aux envahisseurs pour nous coloniser. » C'était il y a cent ans. Le temps a passé depuis. Le goudron s'est peu épandu et il est un envahisseur qui, malgré la fierté yéménite, a gagné la partie : le plastique. D'Aden aux franges tribales, de Sana à l'Hadramaout, les sachets par milliers, par millions, recouvrent les plages, nappent le fond des oueds, constellent les ruelles, mouchettent le versant des canyons. Des troupeaux de chèvres pâturent dans des plaines de cellophane. Partout, fleurissent des décharges. Elles tapissent le territoire d'un hideux manteau d'Arlequin. On connaissait la viande sous film transparent, le Yémen invente le pays sous plastique. Personne ne se soucie de cette marée. Personne ne paraît même en percevoir l'horrible ressac. Il y a d'autres soucis, d'autres urgences… Le Président est occupé au chantier d'une mosquée gigantesque. Le plastique a submergé le pays avant que le traitement des déchets n'y soit mis en place. Lorsque le Progrès déboule, sans crier gare, ses effets pervers dépassent toujours ses bienfaits. Dans un étrange passage de *La Terre*, Élisée Reclus prophétisait que la Technique triomphante, entraînant l'accroissement des villes, l'asphaltage des routes et l'agriculture intensive, allait recouvrir le globe d'une nouvelle strate, succédant aux patientes sédimentations de la géologie : une couche humaine. Ernst Jünger formula l'idée autrement : « La Terre change de peau. » Les plastiques yéménites sont les pelures de cette mue, lambeaux de Progrès jetés aux quatre vents et qui transforment en haillons l'étoffe d'un lieu sauvage. Une idée pour entrepreneurs versés dans les actions durables : sur le modèle des expéditions qui gravissent l'Everest afin d'y ramasser les ordures, pourquoi ne pas créer « Éboueurs Sans Frontières » ? L'organisation nettoierait les étendues souillées, organiserait le recyclage et l'information du public. Nul doute qu'on trouverait des volontaires pour rendre sa peau originelle au Royaume de la reine de Saba.

Le Figaro, 2009.

Happy culture

Elles incarnent la grâce, vivent dans la légèreté. Elles partagent leur temps entre le ciel et les fleurs. Elles ne manquent jamais de saluer la beauté d'une corolle. Elles sont toujours élégantes et le sont sans effort, définition de l'élégance. Elles n'imagineraient pas sortir dans le monde autrement qu'en habit. Chaque année, avec une régularité de mannequins, elles présentent leurs collections de printemps : une livrée rayée, cintrée à mort et deux traînes de tulle, presque transparentes. Pour communiquer, elles dansent dans le soleil. Elles ne haussent jamais le ton, n'imposent pas leurs vues, préférant l'arabesque à l'argutie. Elles ont choisi le matriarcat et vénèrent une Reine. Mais que la souveraine vienne à mettre ses sujets en péril, elle sera sanctionnée : en ce royaume, les incompétents et les profiteurs n'ont pas place. Elles vivent dans la promiscuité mais coexistent en paix : c'est qu'elles ont inventé la société sans « incivilités », pour employer un mot qui ne leur ressemble pas. Elles n'ont pas aboli les castes et pourtant nulle iniquité n'entache leur ordre : elles préfèrent la justice à l'égalité. Chacune connaît son rôle sur terre et aucune ne songerait à accuser les autres de son mal-être. Elles savent que la vie est tragique. Lorsque la communauté est en péril, elles préfèrent se sacrifier plutôt que de se bercer des illusions de l'optimisme. Elles sont organisées comme une communauté urbaine mais n'ont pas renoncé à vivre en respectant le cycle cosmique, l'éternel retour des saisons, la valse du soleil et de la lune. Elles ont inventé la productivité, mais ne s'autoriseraient jamais à piller leurs ressources. Elles se repaissent d'un produit de luxe, mais ne connaissent pas le mauvais goût. Elles seront les premières à faire les frais des dérèglements climatiques si les choses tournent mal, pourtant, pas une plainte : pas le genre. Elles savent mourir d'amour, défendre la patrie et partager généreusement leur bien. Elles tolèrent les oisifs, à condition que ceux-ci vouent leur vie à l'amour. D'ailleurs elles savent mourir d'aimer. Elles pratiquent allégrement le suicide et croient, comme les Romains, que la force n'empêche point la beauté. Ainsi, si elles allient la fragilité du bijou à l'odeur du nectar, elles n'hésitent pas à attaquer celui qui leur veut du mal.

Apiculteurs, ne cherchez plus ! C'est pour cela que les abeilles disparaissent : elles sont tellement loin de l'époque…

Le Figaro, 2009.

Joyaux dans la roche

Peu avant la formation des Alpes, les forces magmatiques pulsèrent leurs fluides dans les socles cristallins par des réseaux de microfissures. Les poussées tectoniques soulevèrent ces masses rocheuses, au quaternaire. En prenant de l'altitude, les viscosités enfermées dans le granit se refroidirent et cristallisèrent dans des dépressions appelées « fours à cristaux ». Aujourd'hui, ils sont quelques centaines de montagnards dans les Alpes à rechercher ces coffres au trésor. Ils connaissent le massif mieux que quiconque. Ils courent les rognons de granit, passent les séracs et franchissent les rimayes en quête de joyaux. On les appelle « cristalliers ». Dans leurs yeux, la même excitation que chez les orpailleurs du Klondike. Ils passent des heures, à genoux dans les scories boueuses mâchées par les glaciers, à extraire de leur gangue des pointes de quartz fumé, de fluorine rose ou d'améthyste mauve. Quand ils trouvent une pièce, ils la lèvent au ciel d'un geste victorieux et les traits solaires se réfractent dans la pure transparence de ces bijoux chtoniens.

Les cristalliers savent que les glaciers des Alpes fondent à grande allure. Chaque année, au pied des Jorasses, sur le versant italien du mont Blanc ou dans le massif de l'Aiguille verte, les calottes reculent et dévoilent de nouveaux fours. Les cristalliers n'ont plus qu'à cueillir les cristaux et attendre que l'inexorable réchauffement leur en révèle d'autres. « J'ai vu baisser de 1 mètre en deux ans le glacier du mont Mallet et apparaître de splendides fours », nous dit l'un de ces chasseurs de merveilles, le sac plein de quartz.

Devant les cristaux des Alpes, on pense à ces vieilles actrices au bord de l'agonie qui tiennent à se parer de leurs brillants pour rendre l'âme : resplendir d'un dernier éclat avant l'extinction des feux. Eva Braun organisa ainsi une sinistre orgie, la veille de la chute de Berlin : les bouchons de champagne du Reich anéanti couvraient en explosant le pilonnage russe. De même, lorsqu'on coupe l'eau à certaines plantes irriguées, elles meurent en se couvrant d'une ou deux fleurs. Le pommier malade ouvre ses bourgeons avant de se dessécher. Ce sont d'ultimes bravades face à la nuit qui marche.

Le climat se dérègle, la Terre, elle, exhibe ses cristaux.

Le Figaro, 2009.

Une nuit sur terre

Souvent, cela se passe au clair de lune devant une mer étale. Parfois, c'est sur le seuil d'un chalet alors que des étoiles cloutent la nuit et que vous regardez ce mystère à travers les voiles d'une cigarette ; d'autres fois encore, cela vient en écoutant la respiration vespérale du ressac, allongé sur le sable. C'est une illumination qui vous déchire l'être avec la violence des éclairs. Vous percevez l'immense force vivante qui agit de par le monde. C'est un état bien difficile à décrire. Votre crâne prend les dimensions de l'univers et vous vous représentez mentalement la puissance créatrice du globe. Vous saisissez dans une tension douloureuse que des milliards d'êtres vivants sont à l'œuvre en silence, chacun selon sa nécessité. Dans le fond des océans, des mollusques enroulent lentement les spires de leurs coquilles : ils battent la mesure du temps et créent des bijoux de nacre qui ont la forme des tourbillons stellaires. Pendant ce temps, des nuées de planctons électrisent les écumes. Des bancs de poissons migrent vers la surface pour le festin nocturne. Des cétacés patrouillent dans les courants, la lame de leurs nageoires fend la soie de l'eau. Des tortues immémoriales, plus vieilles que le premier hominidé, nagent mécaniquement dans les solitudes. Dans le ciel, se guidant aux étoiles, des sternes infatigables volent vers le pôle. Des oies sauvages passent en planant au-dessus de l'Himalaya : des alpinistes en aperçurent, du sommet, croyant à des hallucinations. Sous terre c'est un peuple de micro-organismes qui malaxe et baratte la terre. Vers, bactéries et animalcules aèrent le limon, sans repos. De ce pétrin invisible, traversé de racines, pulse la sève des arbres vers les feuilles assoiffées. Le pouls des arbres bat sans à-coups. Les fleurs rabattent doucement leurs pétales comme l'enfant ramène la couverture pour dormir. Des fauves rôdent dans les savanes, l'herbe bruisse à leur passage. Des herbivores se préparent à mourir. Des reptiles rampent sur le sol et leur ventre reçoit le signal des vibrations magnétiques du globe. Les crustacés nettoient l'immense masse des lacs. Des chiroptères papillonnent dans le noir, bombardant l'ombre des ondes de leurs radars. La vie s'enroule, s'annule, se détruit, se recrée, sans que personne n'en soupçonne rien. La grande roue tourne, monstrueuse. Le silence de ces espaces-là ne nous effraie pas.

Le Figaro, 2010.

Chronique du marais

Une zone humide et sauvage au bord de l'Atlantique. Des chevaux pâturent dans les alentours, empêchant la forêt d'avancer. Une digue de terre, plantée de chênes, sépare l'océan du marais. C'est le rempart. S'il venait à crever, la marqueterie de plans d'eau et de prairies flottantes n'existerait pas. Le vitrail d'étangs, reflétant dans ses facettes les complications du ciel, serait submergé comme la Hollande en 1953. Pour l'instant, le manteau d'Arlequin aux carreaux inondés est le paradis des oiseaux. Un marais ressemble à une chronique de Vialatte. Il y a le héron. Il surveille ses congénères, immobile. On croirait un vieil écrivain plein d'ennui, prêt à tremper sa plume dans n'importe quelle encre. Il s'envole en craquant. « Mon père, ce héron », pense le petit qui attend son retour, dans une roselière. Deux cygnes, « point d'interrogation du lac », selon Paul Morand, glissent très sûrs de leur élégance (comme Morand). Des souchets applaudissent en décollant. Une aigrette plane, indifférente. Une cigogne s'affaire à son nid, aucun bébé au bec. Plus loin, une congrégation de cormorans. Ils sèchent leur plumage au soleil, sérieux comme des popes, soutane ouverte au vent. Ils ignorent les petites poules (d'eau) qui gouaillent en passant, la tête couverte d'un masque blanc. Une rafale de vent rafle une mouette rieuse. Un bouquet de passereaux jaillit d'un genêt. Un tardone patrouille, frôlant les pattes d'une spatule blanche. Un martin-pêcheur plonge et s'extrait de l'eau, le plumage sec ! Comme lui, on aimerait se mouiller dans les affaires du monde et en sortir, intact. Un couple de cols-verts vaquent placidement ; chez eux, c'est le mâle qui porte le satin. Des centaines de courlis et de chevaliers gambettes peuplent une langue de sable. Ils piquettent ce banc public de leurs pattes d'échassiers. Les bergers landais gardant les troupeaux du haut de leurs échasses, eux ne s'intéressent qu'aux moutons de la mer. Quand l'océan se retire, les échassiers décollent vers les grèves dévoilées. Le dîner est prêt. Coquillages et crustacés sont servis dans leur vase sur des milliers d'hectares découverts par le reflux des eaux. Vive la marée ! semblent crier les invités du festin. Quatre heures plus tard, ils rentrent au marais quand la houle remonte et submerge l'estran. La nuit tombe, la revue est terminée. Pour que le soleil continue de se lever sur pareil spectacle, il faut protéger les zones humides. La moitié d'entre elles ont disparu depuis la fin de la Seconde Guerre mondiale. Les saules pleureurs en sont inconsolables.

Le Figaro, 2010.

Les détracteurs des écologistes manquent d'imagination. Les humanistes reprochent aux défenseurs de la Nature de sacrifier la singularité de l'homme sur l'autel d'un bio-égalitarisme funeste. Les amateurs de théorie du complot ont prouvé que le changement climatique était une invention destinée à culpabiliser les États développés c'est-à-dire, en fait, l'homme blanc. Les nouveaux philosophes s'insurgent contre les « réflexes rétrogrades » des théoriciens de la décroissance et contre l'esprit démissionnaire des contempteurs de la technique. Les musulmans conspuent la régulation démographique, les optimistes attendent que la science sauve le monde. Les chasseurs dénoncent les attaques contre des traditions millénaires. Bref, la panoplie des arguments est aussi diverse que rebattue. Il y aurait pourtant pour les anti-écolos une formidable métaphore à filer : il suffirait de montrer combien la vie naturelle est moralement perverse. Une simple observation des mœurs animales prouve que les comportements sont gouvernés par les plus vils instincts et poussent l'être le mieux disposé aux sept péchés capitaux. Dans un contexte de survie, la gourmandise n'est-elle pas encouragée ? Les lionnes autour du buffle s'empiffrent dans l'éventualité des disettes à venir. L'orgueil favorise le succès amoureux : une parade réussie apportera la plus belle femelle au grand tétras et lui garantira la diffusion de ses gènes. La paresse est une nécessité pour tous : les ours hibernent, les reptiles lézardent, les chats dorment dix-huit heures par jour, quant à certains crapauds australiens, ils passent des années en léthargie avant de ressusciter. La curiosité réussit à toutes les espèces opportunistes :

le glouton goûte tout ce qu'il peut dans le menu à ciel ouvert de la forêt. La colère a servi à moult babouins à reconquérir leur place de chef au sein de sociétés complexes. La luxure permet aux bonobos copulateurs de désamorcer les situations conflictuelles et à beaucoup d'insectes mâles de féconder sans relâche des dizaines de femelles pour la survie de l'espèce (quitte à en perdre la tête). L'avarice est salutaire à l'écureuil et au corbeau capables de mémoriser des centaines de caches de nourriture. L'envie motive les jeunes chimpanzés à s'imprégner au plus tôt des techniques de chasse aux termites, au moyen d'un bâtonnet. Bref, la Nature, c'est le vice. Dieu merci, comme on peut le constater chaque jour, les hommes sont venus au secours de la vertu.

Le Figaro, 2010.

Carnaval des animaux

On peut toujours arpenter la nature avec un guide naturaliste à la main afin de se référer à la classification classique. Les bêtes, rangées par ordres, par familles, par espèces, se tiennent sagement disposées depuis qu'Aristote, Buffon et Linné ont éprouvé ce besoin de mettre une pancarte au cou de chaque être vivant. Nommer une chose, c'est la posséder et dans cette frénésie de l'homme à baptiser bêtes et plantes, il y a une volonté de conquête inaugurée par Adam en son jardin. Parmi les animaux, selon la distinction usuelle, il y a ceux qui volent, ceux qui nagent, ceux qui ont des mamelles, ceux qui ont un thorax, etc. Les mammifères, les poissons, les oiseaux, les insectes, les arthropodes reposent sur le vaisselier de notre capacité à ordonner le réel. Mais il y a une autre classification possible. Elle n'est pas scientifique pour un sou. Chacun peut s'y essayer. Elle envoie promener tout le barnum de la phylogénèse. Elle transcende les vieilles catégorisations zoologiques. Elle consiste à regrouper les êtres en fonction des réponses qu'ils offrent aux menaces du milieu naturel. Ce qui prime alors, ce n'est plus la lignée, ni la filiation génétique mais l'ensemble des « trucs et astuces » mis en œuvre par la nature pour autoriser la survie. Bref, il s'agit de reconnaître – avant l'appartenance à un ordre commun – le génie adaptatif, l'intelligence de l'évolution, la perfection de l'outillage que partagent certains animaux. Ainsi l'éléphant et le papillon, le moustique et le tapir possèdent le génie de la fouille grâce à leur trompe. L'araignée dans sa toile et le bénitier aux couleurs attirantes et fatales incarnent le génie du piégeage. La mouche sur le carreau, la praire sur le rocher célèbrent le génie de l'adhérence. L'écureuil et le corbeau celui de l'épargne et celui de la mémoire nécessaire à retenir les caches. La baleine et l'huître ont en commun le génie du filtrage. L'oursin et le hérisson ont porté aux nues le génie de se défendre par l'épine contre la dangerosité du monde. La sole et la punaise expriment le génie de l'aplatissement. Le phasme et l'araignée-crabe ont le génie du masque. Ainsi des liens insoupçonnés réunissent-ils des bêtes auxquelles la classification linnéenne ne reconnaît rien de commun. Ce regard sur la faune a le mérite de réintégrer les êtres vivants dans leur milieu, de les soumettre aux conditions de leur écosystème, de les replacer dans la totalité naturelle et de rappeler que la vie, avant d'être une mécanique de masse, est d'abord la réponse que chaque individu oppose à son propre drame.

Le Figaro, 2010.

Bien. Le volcan islandais s'est calmé. Pendant quelques jours, le système mondial s'est trouvé ébranlé par un nuage de cendres craché par l'Eyjafjöll. Les commentateurs ont fait semblant de s'étonner que la Nature soit encore aux commandes des destinées humaines. À présent que les scories sont diluées dans l'atmosphère, tentons de tirer les conclusions de l'éruption.

Quantique : les microparticules ont cloué au sol les masses d'acier.

Paranoïaque : l'Islande fâchée des critiques mondiales sur son système bancaire s'est revanchée avec panache.

Écolo-sceptique : on ne pourra plus accuser l'homme d'empuantir l'atmosphère quand on voit comment se comportent les volcans.

Symbolique : l'amour est comme un volcan. D'abord, une éruption suivie de nombreux nuages de fumée avant que les cendres ne recouvrent tout.

Philosophique : voilà que fut donnée aux humains trop pressés l'occasion de s'exercer, assis sur leurs valises, à l'*amor fati* nietzschéen, à l'indifférence taoïste, à l'*hésychia* des pères de l'Église et à l'acceptation stoïcienne.

Relativiste : penser aux dinosaures qui ne survécurent pas aux éruptions d'il y a 65 millions d'années aide à se consoler du retard des avions.

Mythologique : les hommes aidés des Titans de la technique polluaient Ouranos (le ciel) au point que Gaïa (la Terre) demanda à Vulcain d'obscurcir le ciel pour que les avions ne le malmènent plus.

Physique : les fluides (magmatiques) plus forts que les flux (aériens).

Mécanique : la poussée (naturelle) plus forte que la pression (économique).

Prophétique : un jour, lorsque les puits de pétrole cracheront leur dernière goutte, la vie ressemblera un peu à ce que nous avons vécu pendant la semaine volcanique.

Politique : les édiles qui prennent d'habitude la précaution de n'avoir aucun principe ont prouvé par le « principe de précaution » qu'il suffit de tout interdire pour résoudre n'importe quel problème.

Nostalgique : les vents d'ouest qui ont poussé les cendres du volcan jusqu'aux franges de l'ancien bloc soviétique répondaient étrangement à ces vents d'est qui poussèrent en avril 1986 les nuées radioactives de Tchernobyl vers l'Union européenne.

Écologique : Fukuyama qui prédisait la fin de l'Histoire a été contredit par le 11 Septembre. Le volcan, lui, a contredit les adorateurs de la technique qui avaient un peu vite annoncé la fin de la géographie.

Sémantique : les scories islandaises auront eu le mérite de prouver que le terme « mondialisation » ne renvoie pas uniquement à la globalisation des communications, à la libéralisation des flux financiers, ou à l'uniformisation des systèmes politiques mais bien aux échanges aériens.

Le Figaro, 2010.

Habiter dans les marais

Lorsqu'on séjourne longuement au fond des bois de Sibérie, on se dit que finalement, en ce monde, la vie se résume aux efforts déployés pour trouver un coin bien chaud. Il en va ainsi depuis quatre milliards d'années. La vie commençait alors à mariner sous forme de bactéries et d'êtres monocellulaires dans les boues du début du monde. Les marécages et les fondrières ont conservé aujourd'hui encore un peu du souvenir de cette moiteur féconde. Il flotte au-dessus d'eux une atmosphère fertile. Des voiles brumeux y naissent, des feux follets y dansent, on croirait le chaudron d'un athanor où mijoterait un brouet d'alchimiste. L'humus des forêts et les épaisseurs des « terres noires » partagent eux aussi un peu du souci de contenir la vie dans l'épaisseur d'une chaude matrice. Depuis, l'évolution a développé mille manières de conserver cette tiédeur des âges premiers. Les tortues déposent leurs œufs dans le sable, les insectes pondent leurs larves dans le sein même de la terre. Les ours ont décidé de s'y enfouir pour y dormir la moitié de l'année. Les oiseaux migrateurs, eux, préfèrent demander à la géographie ce que les mammifères hibernants exigent de la physiologie : ils partent chercher le soleil là où il se trouve (Morand s'amusait du snobisme des hirondelles qui passent l'hiver en Égypte et le printemps à Deauville). Les oiseaux ont recréé avec l'œuf un peu de ce marais des époques immémoriales mais avec la protection d'une coquille et la chaleur de la ponte en plus. Dans les eaux très froides, c'est le pannicule de graisse dont s'entourent les êtres qui autorise à la flamme de la vie de brûler. L'utérus des mammifères et la poche des marsupiaux sont des inventions d'un raffinement et d'une sophistication superbes destinées elles aussi à conserver la vie au chaud en attendant sa maturité. Les êtres vivants mûrissent ainsi dans la protection d'un abri à température régulée. La biologie assure en quelque sorte la fonction de couveuse des tourbes primitives. Tout l'arsenal de prouesses gestatives et de comportements ingénieux n'est qu'une des manifestations de cet impératif de maintenir le thermostat, de faire maturer la vie à l'intérieur d'un four ou d'une « bulle », pour reprendre l'expression du philosophe allemand Peter Sloterdjik. Et l'habitat que les hommes construisent depuis leur récente apparition sur la Terre n'est lui-même qu'une des formes de cette nécessité. De la yourte ronde, où le nomade se sent dans le ventre du monde, jusqu'aux immeubles modernes où la température se maintient par des systèmes de chauffage central de plus en plus élaborés, nous vivons tous dans le lointain souvenir du marais primordial.

Le Figaro, 2010.

Salut aux coureurs de corolles

Ne vous fiez pas aux fleurs. Elles sont capables de calcul. Et dire qu'on en offre pour manifester la pureté de ses sentiments ! Il est une espèce d'orchidée, *ophrys bombyliflora,* qui imite ainsi l'abdomen d'un papillon. L'hyménoptère se précipite vers la fleur, plonge et se vautre dans l'appât, persuadé de s'accoupler avec un insecte de son espèce. En s'affairant il se couvre du pollen de la fleur et lorsqu'il s'envole vers d'autres amours, c'est en serviteur du règne végétal qu'il agit, croyant perpétuer sa propre race. Mensonge et volupté. Bien des fleurs utilisent ce stratagème et rivalisent d'apprêts pour attirer les pollinisateurs, dindons de la farce. Cette technique de dissémination par tiers, qui permet aux fleurs de se reproduire à distance grâce aux concours d'estafettes, est à ranger parmi les plus insondables mystères de l'évolution. Pas étonnant que le Robinson de Michel Tournier, abîmé dans la solitude de son île, passe de longs moments à observer le manège de l'orchidée et du papillon. Cette adaptation signifie qu'il y a eu un moment dans l'histoire de la Vie où des espèces très éloignées ont perçu quelque chose de l'autre règne et sont arrivées à une connaissance mutuelle, à une reconnaissance respective, à une conversation commune. Comment la fleur est-elle parvenue à cette perfection dans l'art de se grimer ? Où a-t-elle pris l'idée qu'un petit être volant, abusé par la ressemblance du masque, irait fourrager dans la corolle, s'enduire de pollen et le semer ailleurs, plein d'ardeur ? Il y a peu d'exemples aussi généreusement offerts à l'observation où l'adaptation des espèces prouve le génie de la partition évolutive. Ces gammes vitales jouées par des êtres si distincts, ces informations que la fleur détient sur les insectes, ne sont-ce pas là de lointains échos de ces temps où la Vie, pas encore différenciée, baignait dans une soupe primale d'où la complexité allait jaillir ? Ce jeu de dupes entre un organe qui se travestit et un animal qui tombe dans le panneau, cette mascarade jouée par un végétal qui *sait* ce qui lui manque, qui *sait* que le papillon peut y suppléer parce qu'il vole et qui *sait* comment amener le petit être à elle, ne sont-ils pas la preuve d'une unité biologique immémoriale qui relit tous les êtres, la trace d'une origine organique ? L'écologie ne prétend rien d'autre que préserver ces « inter-agissements », ces « corrélations », ces « inter-actions » entre êtres vivants pour employer l'horrible jargon des spécialistes.

Le Figaro, 2010.

Objets (de convoitise)

Un habitant de San Diego – Dave Bruno – mène en ce moment une campagne de communication qui rencontre du succès aux USA. Il se déleste de tout ce dont se sert un homme moderne dans la vie quotidienne. Il veut tenter de vivre avec cent objets. La presse américaine lui consacre des interviews et l'apprenti ascète ne doute pas de faire des adeptes. Si l'idée est belle – salutaire même dans cette époque où les sociétés ressemblent à des aérostats qu'il est urgent de délester pour éviter le crash –, elle est vieille comme *Homo habilis*. Dave Bruno ne fait qu'inventer l'eau tiède. Voilà des millénaires que les nomades savent contenir leur avoir dans un coffre de bois. Il existe un rapport proportionnel entre la rareté des objets que l'on possède et l'attachement qu'on leur porte. Pour les coureurs des bois de Sibérie, le couteau et le fusil sont aussi précieux qu'un compagnon de chair. Un objet qui nous a accompagnés dans les péripéties de la vie se charge de substance et émet un rayonnement particulier. Le temps le patine. La vie le cuirasse. Théodore Monod consacre des pages de ses *Carnets* à ces couteaux, boussoles ou porte-cartes – qu'il qualifie de « culottés ». Les perdre constitue un drame, un arrachement. Pour un soldat, égarer son fusil est pire que la mort. Un objet chéri est irremplaçable. Or, nos sociétés matérialistes cultivent un paradoxe. Acquérir des objets est considéré comme une activité suprême, sacrée, impérative. Nous sommes requis d'acheter et nous trouvons assujettis à l'objet, alors même que les objets sont parfaitement remplaçables, détrônables par de nouveaux objets. L'objet est tout pour nous mais n'est plus rien en lui. Il n'a plus à nous satisfaire jusqu'à notre mort puisque la bonne santé du système marchand passe par la réduction de l'intervalle entre le moment où l'on achète l'objet et le moment où on le remplace. La « *consommation des ménages* » en dépend ! Qui traverse encore sa vie avec un seul stylo ou un porte-cigarettes unique ? On devrait tous se livrer à l'exercice de Dave Bruno. Pour ma part je commencerais par mettre de côté un poignard, un briquet, un tire-bouchon, les *Tapisserie* de Péguy.

Le Figaro, 2010.

Je marche donc je suis

Je marche parce que c'est la moindre des choses lorsque l'on est un humain. Les *homo* sont devenus *sapiens* en se dressant. Les Australopithèques se levèrent un jour dans la savane pour surveiller l'horizon. Ils libérèrent la pression exercée sur leurs lobes frontaux et donnèrent une chance au cortex de se développer. Ils s'autorisèrent alors à devenir sujets pensants. Notre destin d'humains est lié à notre bipédie. La sagesse nous est venue de la marche.

L'homme « a des mains parce qu'il est intelligent », dit Aristote mais il faut ajouter qu'il est intelligent parce qu'il a des pieds. Au cours d'un trek, lorsqu'au réveil vous faites quelques pas et allumez le feu pour le thé du matin, vous rejouez, à quelques millions d'années de distance, les gestes fondateurs de la destinée humaine. C'est une idée très consolatrice. Elle procure un grand réconfort si le feu ne part pas ou si le pont a été emporté par la mousson.

*Je marche parce qu'*un jour nous devrons nous y remettre ! Nous avons un peu oublié que la fête ne va pas durer. En cent ans, l'humanité a consommé la moitié des réserves estimées d'hydrocarbures. Dans trente ans, nous serons neuf milliards d'humains assoiffés de bien-être. Chacun voudra sa part de rêve, une machine à laver, des enfants et une cafetière automatique. Les optimistes se pénètrent de l'idée que la science maîtrisera d'ici là de nouvelles sources d'énergie et que nous pourrons continuer à danser la gigue sur la carapace de la Terre épuisée. Rien n'est moins sûr. Lorsque la dernière goutte de pétrole suintera, il faudra peut-être se reprendre à marcher, comme nos aïeux. Ceux qui n'ont pas désappris à le faire seront mieux lotis que les acharnés de l'automobile qui montent dans leurs voitures pour accomplir des distances inférieures au kilomètre. Dans les temps de l'après-pétrole, on redécouvrira la supériorité d'une promenade dans les garrigues sur un séjour aux Seychelles. On s'apercevra que la châtaigne du bois d'en face vaut bien le kiwi australien. L'obésité reculera. On entendra à nouveau sur le pavé des villes ce battement des cannes et des bâtons marquant la cadence. Les gouvernements n'auront plus besoin de nous matraquer leurs slogans infantiles : « Bougez plus ! » Les voitures ne brûleront plus à la Saint-Sylvestre et l'on sciera les feux rouges sur les routes déshabillées d'asphalte. Fontainebleau redeviendra une villégiature à une journée de Paris. La globalisation sera un concept éculé puisqu'elle est fille du pétrole et du rétrécissement de la planète. Le mondialisme aura enfin vécu, ce fruit d'un monde où l'on a oublié « ce que c'est qu'un tronçon qui s'ajoute au tronçon déjà fait et ce que 1 kilomètre demande de jarret ». Tout ce qui précède n'est bien entendu qu'une utopie stérile mais rêver, n'est-ce pas le propre du marcheur ?

Je marche parce que c'est désuet. La marche me semble la plus agréable manière de s'afficher antimoderne et de refuser les diktats d'un monde soumis à la technique. Ne dit-on pas de la révolution qu'elle est « en marche » ? Je me souviens de ce jour où nous traversions à pied la forêt de Chambord avec un ami. Il rendait hommage à la longue pérégrination de Flaubert et de Maxime du Camp « par les grèves et par les champs ». Nous dûmes emprunter pendant quelques centaines de mètres la nationale qui balafre la forêt. Les voitures nous frôlaient et des automobilistes dans leurs belles bagnoles nous chassaient de la main avec le geste d'écarter les mouches. Marcher c'est célébrer la lenteur dans un monde qui s'agite ; accepter l'ennui dans une société qui ne croit qu'au divertissement ; s'adonner à un plaisir modeste dans un système où tout se paie ; se replier dans ses pensées dans le brouhaha ambiant ; chercher l'imprévu dans une nation guidée par le principe de précaution ; accueillir le local dans une humanité droguée par l'illusion de la globalité. Enfin, ne compter que sur soi. Flâner, courir les bois, se promener, musarder sont des actes de liberté, minuscules certes, mais qui appartiennent à celui qui les accomplit. Les États le savent : ils ont érigé le vagabondage en délit ! Parions d'ailleurs que les ligues de vertu qui, à coups de lois minuscules, rognent la liberté de jouir des choses simples et nous intiment de ne plus fumer, nous enjoignent de ne pas trop boire, nous invitent à nous conduire « avec modération », contraindront bientôt les piétons à marcher... avec un casque.

Je marche parce que cela me donne des idées. La marche ou la mise en branle d'un système thermodynamique : les pistons travaillent, la machine chauffe et produit de la fumée. Les pistons, ce sont les jambes et la fumée, les idées. Ne fait-on pas les cent pas quand on cherche un mot ? Marcher éclaircit l'esprit, favorise la mécanique de la pensée, libère du temps de cerveau disponible comme le disait naguère un célèbre directeur de chaîne de télévision. L'agréable régularité de la foulée rassérène les êtres fébriles : le corps est occupé, l'esprit peut divaguer. Marcher, c'est donner à l'esprit l'occasion d'exercer son office. Les neuro-biologistes – qui dépoétisent tout – expliquent que l'effort conduit le cerveau à secréter des opiacées naturelles. Ces substances féconderaient l'inspiration en favorisant les échanges synaptiques : plus on s'épuise sur les sentes, plus les idées affluent. Les philosophes n'ont pas attendu les explications biochimiques pour user des vertus de la marche. Certains y voyaient une mécanique créatrice. Nietzsche accuse Flaubert de « nihilisme » parce que le pauvre vieux Normand se vantait de ne jamais décoller de son siège. Frédéric Gros a magistralement brossé les rapports entre l'histoire de la philosophie et la marche à pied dans *Marcher une philosophie*. À la lecture de ce livre, je me suis souvenu d'avoir composé un recueil de nouvelles en marchant. Le jour, j'imaginais les trames en abattant les kilomètres. Le soir, je prenais quelques notes, devant le feu. Ce livre-là, vraiment, fut écrit debout.

Je marche pour demeurer maigre. J'ai horreur du gras, pas de celui des autres – et le ciel m'est témoin que j'ai de bons gros amis – mais du mien propre. Je considérerais la prise de kilos superflus comme une défaite morale. L'ascèse physique est le miroir de l'ascèse spirituelle et si l'on veut alléger sa pensée, il faut se dégraisser le corps. Yukio Mishima a dit des choses très belles là-dessus, quoiqu'un peu radicales, dans *Le Soleil et l'Acier*, petit ouvrage composé peu avant qu'il ne s'expédie *ad patres* par le fil de son propre sabre. La marche à pied affûte le corps et décape l'esprit. Tous les diététiciens diront que marcher constitue une manière économique de réguler sa charge pondérale. La marche est la diététique du mouvement. Le marcheur, ligneux, noueux se reconnaît de loin. Il se meut à la ville comme en chemin à la manière de Cocteau : léger, dansant, monté sur des coussins d'air. La marche à pied est un alambic qui distille les scories du corps. Quand je me lance dans des traversées au long cours, je ne suis jamais sujet aux maladies : les quarante kilomètres quotidiens lavent ma machine. La route purge. Pour résumer : rester maigre, boire du vin, lire des livres, abattre des kilomètres, nager dans la mer, grimper sur les rochers, aimer sa femme et mourir violemment : voilà quelle devrait être la doctrine de tout marcheur converti à l'ascétisme de la piste.

Je marche parce que la marche ralentit le temps. J'ai toujours ressenti avec une acuité pénible la fuite du temps. « Ô douleur, ô douleur, le temps mange

la vie », l'alexandrin baudelairien résonne obsession-
nellement en moi et me rappelle que les heures sont
des helminthes qui nous rongent. J'ai identifié dans la
marche et l'écriture des activités qui permettent sinon
d'arrêter le temps du moins d'en épaissir le cours.
Tout marcheur se souvient d'une journée sur la route
comme d'une expérience à part dans une vie sacrifiée
aux impératifs du travail. Pourquoi une journée de
marche est-elle plus dense qu'une journée sédentaire ?
Parce que le marcheur médite pour échapper à l'ennui.
Il mesure l'espace au rythme de sa foulée. Le lent
défilement du paysage auquel il s'intègre constitue
une distraction. Il fait l'expérience d'un effort dont la
halte du soir marquera le terme. Il sait que la patience
est l'unique moyen de triompher de l'immensité. En
chemin, demain n'existe pas ; seules sont dignes d'intérêt les péripéties de l'instant. La marche consiste
à retrouver le temps perdu. Je marche pour ne plus
courir dans ma cage de hamster.

Je marche parce que la marche me réconcilie avec
la nature. La différence entre le marcheur et l'automo-
biliste ? Le premier habite la géographie, le second la
traverse. L'un prend le temps, l'autre sort son appareil
photo et vole des instantanés. Marcher est l'unique
manière de *voir*. Qu'est-ce que voir ? Se donner la
possibilité de changer d'échelle, de contempler avec
une pareille attention des choses aussi différentes que
la forme d'un nuage, les nuances de la lumière, la
course d'un insecte et la révérence d'une corolle de
fleur au vent du soir. Les marcheurs sont souvent
atteints par le « syndrome de saint François d'As-
sise », cette affection éprouvée pour toutes les manifestations du vivant de la plus insignifiante à la plus
spectaculaire. L'ermite saint Séraphin de Sarov, à la

fin de sa réclusion dans la forêt, conversait avec les ours. Le Bouddha réussit à calmer l'éléphant enragé qui semait la terreur dans les villages de la plaine gangétique. Saint Antoine prêcha devant les poissons venus l'écouter des quatre coins de la mer. Dersou Ouzala s'adressait au vent, aux hautes herbes et aux tigres. Tous maîtrisaient les secrets de cette conversation que bêtes, hommes et dieux entretenaient dans les temps immémoriaux. Le marcheur renoue avec ce lien. Il n'est pas rare de rencontrer un randonneur plein de pitié pour la fourmi ou pour le crocus exposés dangereusement au milieu de la piste. Ce ruissellement d'amour païen constitue une manière de ne pas souffrir moralement : si l'on se sent intégré au grand édifice du vivant, la solitude étreint moins cuisamment.

Je marche parce que les gens me parlent plus gentiment lorsque je vais à pied. A-t-on entendu un piéton dire à un autre piéton « avance, eh, abruti ! » ? Un jour que je traversais à pied l'île de Sakhaline, dans l'Extrême-Orient russe, je croisai un paysan qui rentrait ses vaches. J'accompagnai l'homme pendant quelques minutes et il me raconta que les ours lui tuaient une vache de temps en temps. Soudain il me demanda ce que je faisais sur l'île et je lui expliquai que je randonnais dans les forêts. Il eut ce mot : « Tu dois être bien malheureux »… Le marcheur ne fait pas peur : il est vulnérable, lent et fatigué. Il a des choses à raconter, il vient de loin, il ne s'attarde pas, il offre l'occasion d'une conversation et il repart. Le marcheur est le contraire du parasite, il passe sur la peau de la Terre, on le salue, on l'encourage, on lui jette quelques mots. Tout cela ne va pas bien loin et ne coûte à personne.

Je marche parce que c'est un jeu. Le jeu de l'oie géographique. Ô ce bonheur de détailler un versant montagneux et de s'imaginer par où l'on va frayer pour atteindre la crête. On murmure : « prendre l'arête et, au-dessus du bois, s'enfoncer dans le deuxième canyon pour atteindre les gradins sommitaux, alors tirer vers l'est pour rejoindre le col »... On se met à penser comme le guide Vallot ! L'œil projette le corps et cherche à déchiffrer la voie. Plus tard, le corps confirmera si l'œil a eu raison.

Je marche parce que marcher m'aide à conduire ma vie. Le Japonais Haruki Murakami dans son jubilatoire *Autoportrait de l'auteur en coureur de fond* (Belfond) explique qu'il a pris nombre de décisions cruciales au cours de l'une des séances de jogging quotidiennes. Combien de fois suis-je sorti marcher ou courir au bord des quais de Seine à Paris pour résoudre un dilemme ? En rentrant chez moi, j'avais tranché le nœud gordien. Je dois à la marche de remettre régulièrement de l'ordre dans ma vie. Faites l'expérience : lorsque s'offrent à votre décision les termes d'une alternative, partez faire quelques kilomètres. Demandez à la marche de vous octroyer un peu de son pouvoir d'éclaircissement. Dois-je demander cette fille en mariage ? Faut-il tout quitter ? Ai-je raté ma vie ? Dois-je commencer un régime ? Est-ce le moment de m'engager dans l'humanitaire ? Viande ou poisson, ce soir ? Ne revenez pas chez vous avant d'avoir la réponse. Puisque une seule décision prélude à l'infléchissement de nos destins, autant qu'elle soit prise sur un chemin joli alors que la lumière illumine les eaux d'un canal, filtrée par le feuillage des peupliers bruissants...

Je marche parce que c'est romantique. J'aime méditer sur la figure du *wanderer*, cet archétype littéraire, mis en musique par Schubert, décrit par Hesse, peint par Friedrich. J'aime ce jeune homme battant campagne, sans espoir et sans but, la poésie aux lèvres, le cœur gonflé de joie triste. Il s'enfonce dans le bois, traverse les chaumes et se couchera le soir dans une grange après avoir bu un litre de bière fraîche. Il ne possède rien, il ne veut pas changer le monde mais faire la révolution en lui. Il n'attend rien de l'avenir, il sait accorder son attention à l'instant, il salue le cheval dans le champ, il ne possède presque rien sinon le fardeau de ses souvenirs. Ringarde la figure du *wanderer* ? Non, éternelle.

Je marche parce que cela ne laisse pas de traces. Ah ! ce penchant humain de marquer son temps. On fait des enfants, des livres, des programmes. On bâtit des empires, des sociétés ou des familles. On construit des maisons, on investit dans « la pierre », on lègue, on hérite, on veut se maintenir. Et l'on oublie que certains êtres – les vagabonds, les trolls, les musiciens ambulants et les marcheurs au long cours – se satisfont de laisser dans leur sillage la simple empreinte de leurs pas que, bien vite, le vent et la pluie effaceront.

Je marche parce que je ne peux pas faire autrement, parce que je ne sais rien faire d'autre, parce que je ne suis bon qu'à ça, parce que les routes et les chemins ne sont pas faits pour les chiens et parce que l'évolution m'a doté de deux jambes dans lesquelles, déjà, à force d'être resté assis à écrire ce qui précède, je sens gagner les fourmis.

Trek, 2011.

La vasque cartographique

Un jour de 1643, une escouade de Cosaques aux barbes fournies, conduite par Kourbat Ivanov, déboucha sur une crête portée à 2 000 mètres d'altitude au-dessus de la vasque du Baïkal. Pour la première fois l'œil d'un Slave contemplait une masse d'eau douce plus bleue que lui. Les hommes d'Ivanov avaient peiné de longs mois à travers les taïgas, reconnaissant pour le tsar les territoires de la Sibérie. Depuis les rives du Ienisseï, ils avaient entendu les populations locales mentionner l'existence d'une immense mer intérieure. J'ai souvent pensé au choc qu'ils durent ressentir devant la lumière irradiée par la plaine d'eau. Le Baïkal est le réflecteur du ciel. Il emplit l'atmosphère d'une clarté décourageante : cette lumière de l'immensité que représentait si bien Chichkine dans ses peintures de la plaine.

Les Cosaques ignoraient qu'ils se tenaient devant l'un des plus grands lacs du monde. Le Baïkal cumule les statistiques de la démesure : 700 kilomètres de long, 1,5 kilomètre de profondeur, 21 000 km^3 de volume, 50 à 80 kilomètres de large, plus de 350 affluents. Il se paie l'honneur de contenir 20 % des réserves d'eau douce du monde. On pourrait continuer à égrainer ces records. La statistique est une science absurde : elle affranchit de l'effort d'analyse. Les Russes, pourtant, la pratiquent avidement. Ils sont fiers de l'étendue de leur patrie, de cette dilatation de l'espace qui rebuta Custine, engloutit les Grognards et repoussa la Wehrmacht. Ils aiment à rappeler qu'ils peuplent le plus grand pays du monde. Que leurs fleuves s'étirent sur des milliers de kilomètres et leurs marais sur plusieurs fuseaux horaires. Ils émettent un rapport inepte entre la taille du territoire et la puissance de l'État. Aux dépens de leur Nature. À force de croire les ressources inépuisables, on néglige de prendre soin de son environnement.

Les soldats-explorateurs d'Ivanov ne connaissaient pas l'exacte forme du lac. Sans doute pressentirent-ils qu'il occupait une faille tectonique. De la rive ouest, on distingue nettement la rive d'en face tout en observant que, du nord au sud, la masse d'eau s'effile pour disparaître dans le lointain.

Pour dessiner le Baïkal, il suffit de représenter une banane. En 2008, à la suite d'une bagarre dans un train russe, j'ai eu la veine du poignet droit entaillée par un morceau de verre. J'ai gardé de l'incident une cicatrice qui a la forme du lac. La scarification, cette cartographie de la vie.

J'aime dessiner les cartes à l'encre. Mon maître Jean-Pierre Allix m'inocula cette manie. L'auteur de *L'Espace humain* (Le Seuil) arrivait le samedi matin dans la salle de cours de notre hypokhâgne et, à main levée, traçait sur le tableau un planisphère impeccable qui soutenait ensuite ses développements. Plus tard, je suivis le séminaire d'Yves Lacoste à Paris VIII. Pendant quatre heures, le prince de la géopolitique française nous serinait qu'on ne pouvait rien comprendre aux hommes – à leur folie, leur violence, leurs appétits et leurs rares grandeurs – sans recourir à l'étude des cartes. Il conspuait les chorèmes, cette représentation cartographique abstraite et desséchée qui prétend symboliser le fait géographique à renfort de flèches, de hachures, de lignes et de pictogrammes.

Inspiré par mes deux professeurs, j'illustre mes livres avec des cartes dessinées à la plume. Je passe de longues heures à tracer sur des feuilles le contour des espaces et la forme des reliefs. Le Baïkal s'y prête merveilleusement. Il est lui-même un lac cartographique. La preuve ? En hiver, une couche de 1 mètre de glace recouvre la surface. Elle est striée de cassures qui feuillettent l'épaisseur d'un réseau de veinures. On croirait des routes. La glace figure la carte onirique d'un pays élémentaire.

Le Baïkal, vingt-cinq millions d'années avant la naissance de Michel Houellebecq, a prouvé qu'on pouvait trouver des cartes *sur* le territoire.

Libération, 2011.

Ce jour qui changea ma vie

Des jours, j'en ai vécu près de 15 000. Et il me faut déterminer celui d'entre eux qui changea ma vie ! Est-ce le 12 avril 2001 où quatre de mes amis trouvèrent la mort sur une route afghane après un accrochage avec un camion taliban ? Je me souviens de l'odeur de leur sang mêlé à la poussière. J'entends les râles de ceux qui ne moururent pas sur le coup. Comme le ciel me parut vide, ce matin-là ! Je me jurai de ne plus jamais retourner en Afghanistan. Un an plus tard, j'y revenais, pressé de replonger dans la fournaise. Nos effrois ne servent à rien. Est-ce ce jour de juin 1991 où j'appris la mort de mon meilleur ami, tombé au cours d'une partie d'escalade urbaine dans le puits d'aération d'un RER ? Je me fis le serment de ne plus jamais explorer les souterrains ni grimper sur les bâtiments. Quelques semaines plus tard, je recommençais les acrobaties. Vivre, c'est trahir ses promesses.

Est-ce ce jour de 2002 où je fus témoin, à la frontière du Pakistan, du passage à tabac d'enfants par des flics afghans ? Je me dis que le voyage servait à trouver des raisons de ne plus jamais partir. Je me convainquis de ne plus mettre le pied dans ces pays de cruauté. J'y fonçais à nouveau quelques mois plus tard. La mémoire est une machine à se renier.

Non, le jour qui changea ma vie n'est pas spectaculaire. Il n'a pas le goût du sang, la solennité des révélations, la grandiloquence des tragédies. C'était une soirée d'octobre, grise et froide. Le plateau tibétain était lugubre. Je marchais depuis une semaine avec trois moines bouddhistes. Nous cheminions vers Lhassa. J'arrivais de la Mongolie. Eux étaient partis de la vallée du Mékong. Ils mendiaient leur nourriture et m'avaient proposé de me joindre à eux pour les deux cents derniers kilomètres. Ce soir-là nous cheminions en silence vers un col à 5 200 mètres d'altitude. La nuit tombait, je m'inquiétais. Soudain, le chörten apparut, ce tas de cailloux haubanés de drapeaux à prières dont les peuples bouddhistes couronnent les éminences. La neige redoubla, la lumière baissa. Je dis aux moines : « Vite, descendons. » J'avais hâte de quitter ce lieu, de me mettre à l'abri. Peine perdue. Ils restèrent une heure là-haut. Ils chantaient, tournaient autour du monticule. Ils goûtaient la joie d'être perchés en pareil lieu. Ils opposaient à l'avenir – c'est-à-dire à la perspective d'une nuit affreuse – une indifférence absolue. Ils jouissaient de l'instant avec le naturel des bêtes. Seuls les enfants et certains sages y parviennent. J'eus une sorte de saisissement – les bouddhistes nomment cela un satori. Je me tenais là, admirant leur désinvolture bienheureuse. Depuis, chez Sade, dans *Noces* de Camus, chez les Stoïciens, Cioran, Matzneff, Schopenhauer et autres chantres de l'absurdité de l'existence, j'ai trouvé de lumineuses pages sur la nécessité de vivre chaque jour dans l'idée qu'on brûle sa dernière cartouche. Depuis, j'ai vu des grues cendrées parader alors que l'orage menaçait et entendu des poètes chanter la valeur de l'éphémère. Mais sur cette montagne tibétaine – mon Acropole – j'ai vraiment compris que la vie était un sursis et qu'il était urgent de l'accueillir avec un joyeux fatalisme. Et de ce jour, je vis sous les drapeaux à prières, curieux de ce qui advient et me fichant pas mal du reste.

La Croix, 2011.

Vivre, boire et se pardonner

Dix fuseaux horaires de marais, de forêts et de steppes prennent leur élan dans les franges de l'Europe occidentale, sautent par-dessus l'Oural, se déploient jusqu'au Baïkal, déchirent les brouillards de l'Extrême-Orient pour s'échouer sur les rivages de la mer du Japon. Dans cette immensité, le meilleur viatique contre le désespoir est de prendre le temps comme il fuit, la vie comme elle vient. L'espace apprend aux hommes à se comporter devant le temps.

Dans les villages russes, on passe des heures à la fenêtre en engloutissant des océans de thé. Le thé ? Une boisson dont on n'attend rien mais qui ne déçoit jamais. Le symbole de la Russie n'est pas un aigle à deux têtes mais une tasse qui fume. En sirotant, on récrimine contre Moscou – ce vampire. De temps en temps, une déflagration – guerre ou révolution – secoue la bête. Le pays remue, l'ours se retourne sur le flanc. Puis l'engourdissement regagne, dont le rêve éveillé porte le nom d'Histoire.

Par quel prodige un voyageur a-t-il l'impression d'arriver chez lui à la descente de l'avion dans un pays inconnu ? Une odeur de terre, l'aspect des façades, la nuance d'un nuage ravivent en lui des souvenirs insoupçonnés. Le voyage devient retrouvaille, le voyageur *reconnaît* la terre où il débarque pour la première fois. Cela m'est arrivé, en 1991, lors de mon premier voyage en Russie. Je vis des bulbes, des bouleaux, des gens qui faisaient la gueule, d'autres avec des yeux d'anges. J'étais chez moi.

Mon enfance a coulé sur la rive de Seine. Chatou est une ville douce, dans une boucle du fleuve. Il y a cent vingt ans, les canotiers s'y donnaient rendez-vous. La maison familiale ressemblait à une *datcha* russe, mais d'une Russie sage. L'oisiveté n'y existait pas. Mercredi, piano. Vendredi, judo et les scouts le week-end. Le professeur de musique s'appelait Mlle Rondelle. Les cèdres bleus se balançaient au vent. Les parents n'étaient pas là, les chats dormaient sur le piano. Puis je découvris la Russie, c'est-à-dire les antipodes. Le pays m'électrisa. Il incarnait ce que Chatou n'était pas : la vie dangereuse et les plaines sans murs.

Les Russes possèdent le don de jeter toutes leurs forces dans la bataille de l'instant. Est-ce d'avoir subi les tourments de l'Histoire, d'avoir tenu le rôle du récif contre le ressac des hordes ? Est-ce parce que le fatalisme asiate a infusé ses sucs dans le système sanguin des boyards ? Ou parce que les Slaves peuplent une géographie du vide ?

Dans la plaine russe, l'espace sans fond convainc l'Homme d'une chose : rien ne sert de se presser. Où que l'on jette le regard, lumière écrasante, horizon intouchable. Les nuages flottent dans un vêtement trop grand. Un tableau de Chichkine représente des paysans, battoir sur l'épaule, sur un chemin de terre. Les personnages occupent le septième inférieur du cadre vertical. Le reste ? c'est le ciel.

Et si l'impossibilité de maîtriser l'espace avait découragé le Russe de peser sur l'avenir ? Tête d'épingle plantée sur le monde, le Russe partage avec la vache (et avec moi) la capacité d'accepter sa condition. Formule du bonheur : je me tiens dans un champ, j'y rumine mon destin, je regarde passer les trains, c'est-à-dire la vie.

Dans les hameaux oubliés sur la plaine, le moyen de survivre *ensemble* est de beaucoup se pardonner. Le Russe oublie facilement les écarts des autres. Sa rudesse est proportionnée à sa capacité d'absolution. Ce qui se passe un jour ne saurait servir de pièce à conviction pour vous juger le lendemain. La vie sinue, violente et criarde, dangereuse parfois, mais libre de l'atmosphère vicieuse et rentrée de nos clochemerles. L'existence est suffisamment compliquée pour qu'on y ajoute la rancune…

Conséquence de l'indifférence au passé et de la méfiance en l'avenir, il arrive que les Russes vident les actes de leur valeur. Certains moujiks manifestent devant le danger ou le drame une indifférence décourageante. « Chez nous, dit Gorki, on ne sait avoir pitié que des défunts. »

Le méchant petit marquis de Custine dans ses *Lettres* de 1839 prétend que les Russes, écrasés pendant des siècles par le joug mongol, traînent le boulet de la résignation. Kundera, au siècle suivant, déplorera que les Russes n'aient jamais corrigé leur vitalité brutale par l'humanisme de la Renaissance.

Moi, quand j'arrive en Russie, je respire. Comme si on avait ouvert la fenêtre.

La Croix, 2011.

Le sens du voyage

Le soir vient sur le fleuve. Le reflet des coupoles se brouille dans les remous. L'air s'emplit d'une odeur de fleur fatiguée. Un lotus risque un baiser à la surface d'une mare. Un voyageur s'arrête à l'échoppe et commande du thé. Le vent ébroue les branches où gueulent des milans. Des nuages lèvent des citadelles au nord de la ville. Le ciel étend la nuit. Les minarets touchent le ventre des cumulus. L'homme se dit que si les nuages étaient chatouilleux, il pleuvrait plus souvent. La vapeur du thé s'élève vers le ciel et l'homme se souvient que dans les temps antiques, la fumée des sacrifices montait pour le plaisir des dieux. Il tète son narguilé et les vers de Baudelaire reviennent sur la langueur cruelle du houka. Le voyageur s'aperçoit qu'il n'a pas bougé depuis deux heures. Il n'a pas pensé à la journée du lendemain, il n'a pas fouillé dans ses souvenirs. Il a accueilli la paix du soir. Se tenant immobile sur le seuil de lui-même, il s'est laissé traverser par la pure jouissance d'exister.

Tout voyageur est un Monsieur Jourdain : il fait de la philosophie sans le savoir. Les écoles de pensée grecques, épicuriennes, stoïciennes l'ont affirmé : philosopher n'est pas construire des systèmes. Cela, c'est bon pour les *artistes de la raison,* comme les appelait Kant. Philosopher, c'est apprendre à vivre. Et vivre c'est descendre en soi pour se connaître, accepter ce qui advient. Et comprendre que les sens sont des fenêtres. L'essentiel est de les ouvrir. Alors seulement, on assistera avec passion aux spectacles d'un soleil s'assoupissant sur la grève d'un fleuve.

Le voyage invite à conquérir l'essentiel. Le vieux Keyserling dans son *Journal :* « Le plus court chemin vers soi-même conduit d'abord autour du monde. » Qu'est-ce que l'essentiel ? L'essentiel est de ne pas rater notre rendez-vous avec nous-mêmes, avec le temps, avec l'espace, avec les autres. Souvent nous vivons à côté de ces choses-là. Nous courons après les heures, nous sommes indifférents au défilement des paysages, nous n'avons pas de temps pour les autres, nous rechignons à nous sonder. Voyager offre de s'amender.

En voyage, on se frotte l'âme et le corps. Partir décape. On usera du monde, de son étrangeté, de ses beautés comme papier de verre. Le mouvement métamorphose les âmes vagabondes. En route, c'est la mue. Si l'on voyage pour vérifier que le monde ressemble à ce que l'on imaginait et si l'on revient semblable à celui que l'on était, pourquoi faire sa valise ? Mieux vaut s'y jeter.

Voyager inspire. On se met en route : les tourments s'évaporent et les pensées affluent. Quand on cherche une idée ne se lève-t-on pas pour faire les cent pas ? Il en va mêmement dans un bureau et par le vaste monde. Nietzsche traitait Flaubert de nihiliste, reprochant au Normand de ne jamais quitter son fauteuil. Les coques rivées aux rochers ne savent pas la vertu des voyages.

En chemin, on découvre que la liberté ne revient point à agir à sa guise ou à triompher des distances mais à disposer de son temps. Vous êtes-vous déjà réveillé dans la perspective d'une journée entièrement offerte ? Les heures se tiennent là : elles sont vingt-quatre fleurs blanches, ouvertes à l'inspiration. Vous voilà libre comme l'air, libre comme l'heure. Le temps se dilate ; au retour du voyage, il vous semble avoir vécu une existence entière.

En voyage, l'insignifiant se fait essentiel. Robert Paragot, alpiniste des années soixante, pouvait rester accroché à son piton de métal à observer les cristaux de granit recouverts de lichen : il y voyait des univers. « La vraie philosophie, clama Merleau-Ponty au Collège de France, c'est de réapprendre à voir le monde. » Si Merleau-Ponty avait pratiqué l'escalade, il aurait scruté le feldspath des parois.

En voyage, on accueille le silence. Soudain, l'âme vous monte à la peau (d'aucuns appellent cela « la chair de poule ») puis elle s'échappe par la fenêtre d'un train, le hublot de l'avion, le carreau de la voiture. On regarde le ciel, la lisière du bois, on ne pense plus à rien : on a fait taire en soi le brouhaha intérieur, « l'éternelle pulsion parlante » dont se plaint Barthes. On est devenu ce que l'on contemple. On est mûr pour cette sensation océanique d'appartenir au monde.

Les alchimistes médiévaux usaient d'un joli mot dans leur laboratoire. Il parlait d'« essencifier » un matériau pour en tirer la substantifique moelle et le principe vital. Le voyage est un agent qui nous essencifie. Qui a dit « partir c'est mourir un peu » ? Partir c'est vivre beaucoup.

Air France Magazine, 2011.

Tant qu'il y aura des livres

C'est un spectacle d'un autre âge. Il se fait rare.

Il se joue dans les rues de nos villes. Si vous y assistez, regardez-le attentivement car vous en êtes peut-être l'un des derniers témoins. Il s'agit de ces enfants qui marchent sur les trottoirs, plongés dans un livre. Le reste, c'est-à-dire nous, n'existe plus pour eux. Sans quitter des yeux leurs pages, les petits lecteurs ambulants contournent les obstacles. Les fonctions de leur conscience, dévolues au pilotage automatique, se maintiennent en état de veille pour les guider. De temps en temps, ils sont contraints à lever le nez pour éviter un demeuré à grosse bagnole qui ne manque pas de klaxonner. Puis ils retournent à leur histoire et l'on se prend à les envier, ces gosses pour qui le monde s'annule. Les livres sont des trous noirs capables de faire disparaître une ville.

La lecture est un refuge par temps de laideur. – Les livres : *bunkers* de papier. Ils nous offrent d'échapper à cet impératif de la modernité, ce nouveau commandement des sociétés transparentes : « Être joignable. » Rester joignable est une injonction que l'on devrait réserver aux détenus en liberté conditionnelle, aux porteurs de bracelets électroniques. Lire, c'est le contraire : on se coupe, on s'isole, on s'installe dans l'histoire et, si elle vous captive, le monde peut s'écrouler. Les seules personnes joignables, ce sont l'auteur et le lecteur. L'un parle : sa voix provient parfois du fond des âges ou de très loin dans l'espace. L'autre reçoit cinq sur cinq. La communication est parfaite, *ça capte !* Tout lecteur est coupable de préférer le commerce de ses petites stèles de papier au contact avec ses semblables. Le spectacle est réjouissant de ces gens enfouis dans leur livre. Ils l'ouvrent, le monde se ferme. Un général chouan est allé à la mort ainsi. Il était debout sur la charrette, la foule le conspuait, lui lisait. Au pied de l'échafaud, avant de monter les marches vers la guillotine, il a corné la page !

Un jour, à l'Olympia, j'ai vu un homme d'une cinquantaine d'années qui lisait pendant un concert de musique serbe. Les fanfares déjantées auraient pu réveiller un ours en pleine hibernation, le type, lui, était comme le général vendéen. J'ai voulu connaître le titre de l'ouvrage qui avait le pouvoir de happer la concentration au milieu d'un tel fracas. Je n'ai jamais pu l'approcher. Les autres gens dansaient comme des dératés !

Lire nous confirme que la solitude est un trésor. Un livre peut changer une vie. Et dire qu'il n'y a aucune mise en garde d'inscrite sur la couverture ! Lire c'est laisser une parole s'élever dans le silence, vous traverser, vous emporter et vous laisser, métamorphosé, sur le rivage de la dernière page. Pour que cette alchimie opère, il faut être seul. Avant d'ouvrir un livre, on gagnerait à prendre exemple sur les oiseaux qui se cachent pour mourir ou les félins qui pansent leur plaie dans la solitude des tanières. Si l'on remise les livres dans les greniers, c'est que l'on sait inconsciemment que les soupentes sont les meilleurs cabinets de lecture.

La lecture féconde l'espace. – Le lecteur se rappellera le lieu où il a lu un livre comme du berceau d'une nouvelle naissance. Je me souviens de *Zarathoustra* lu dans le refuge Nelter sous le sommet du Toubkal marocain. De Chardonne découvert à Yakoutsk où le thermomètre tombait à – 49° C. De *Don Quichotte* avalé dans la plaine gangétique : pendant que les singes se houspillaient dans les tamariniers, le Triste Chevalier poursuivait ses chimères. Le livre sacre le lieu où il est lu. Ceux qui reprochent aux rêveurs de traverser une pampa ou une ville enfouis dans leur livre ignorent que l'observation de la lumière, la captation des sons ou la perception des parfums sont aiguisées par la concentration nécessaire à la lecture. Hypnotisé, le lecteur n'arrache pas moins à la musique du monde des bribes de partition. Il se laisse imprégner par son environnement selon le principe de l'infusion. Plus tard, le souvenir des lieux sera indissociable de celui du livre. Il lui suffira de penser au titre pour qu'une mécanique de souvenirs se mette en branle. À l'évocation du livre, jailliront les odeurs, un solfège, le chatoiement des couleurs. Parlez-moi de *L'Adieu aux armes* et je sens l'acidité de l'humus des forêts du Cachemire indien où je découvrais le roman d'Hemingway. Le souvenir redistribue aux lieux un peu de leur génie.

Les livres fécondent le temps. – Soudain, on ouvre l'objet. Ce qu'il recèle nous attendait. Le texte se tient là, intact. Le livre appartient à la haute technologie énergétique : la pensée en puissance est accumulée entre les pages et attend l'opération de la lecture pour se libérer. Lire, c'est s'installer dans la longue durée, transformer le temps en *présent continu* et refuser de vivre comme ces hamsters dans leurs roues. On dirait que les modernes ne tiennent plus en place. Regardez ces e-mails que s'envoient les hommes pressés. Ils écrivent : « Je reviens vers vous afin de rebondir sur votre réaction. » Ils reçoivent les informations du monde en temps réel. Ils professent une opinion sur tout. « Bougez plus », leur intime la publicité. Ces gens-là vont finir par se faire mal. Ils feraient mieux d'affaler les voiles, de s'asseoir et d'ouvrir un livre. Le livre nous institue dans le droit de nous tenir immobiles et silencieux, en sécurité, parmi la frénésie du monde. Le droit d'être inutiles et indifférents à toute autre chose qu'à la pensée d'un absent. D'ailleurs, les livres, regardez-les : ils se tiennent bien tranquilles, debout, serrés, alignés, en rang sur les étagères. Mais à l'intérieur ! Quelles tempêtes ! Quels bouillonnements !

Le pouvoir poétique des livres ? – Ils nous font oublier le réel. Ils sont plus forts que lui, ils le masquent lorsqu'il est pénible. Ils tirent entre nous et le monde un écran moins évanescent que celui du cigare car le souvenir d'une lecture ne part pas en fumée au premier souffle. Cette occultation des choses peut sauver l'homme en peine. Jean-Paul Kauffmann parle parfois pudiquement de sa détention dans les geôles du Hezbollah. Il ne possédait que très peu de livres. Il les chérissait. Il dit les avoir lus, relus, relus encore et s'être ensuite forcé à les lire à l'envers ou dans le désordre. Les livres sont des échelles de corde pour s'échapper du cachot de nos vies. L'alpiniste Messner fait référence à sa lecture de *L'Enfer* de Dante pendant sa traversée de l'Antarctique et la championne d'escalade Stéphanie Bodet raconte avoir dévoré Henry Miller, accrochée à ses coinceurs de métal, dans la paroi déversante du Salto del Angel. Le plus beau témoignage sur ce pouvoir d'arrachement du livre, c'est Varlam Chalamov qui le déroule, dans un petit ouvrage intitulé *Mes bibliothèques*. Le détenu russe y explique que chaque lecture ouvre un soupirail dans la muraille du Goulag. Et la lumière y finit par passer.

Sur la route, j'aime emporter des livres qui n'ont rien de commun avec le pays que je traverse ni avec les cultures que je découvre. Sillonner la Sibérie avec *Michel Strogoff* dans le havresac relève de la paraphrase. Le soir, sous la tente, à la lueur de la lampe frontale, rien de ce que je découvrirai dans les pages de Jules Verne ne m'emportera hors des parages où je séjourne. Je préfère la lecture à contre-pied. Par exemple, dans les jungles de l'Amazonie, au lieu de romans sud-américains, peuplés d'oiseaux criards et d'Indiens colorés, j'emporte *Les Sept Piliers* de Lawrence d'Arabie et je corrige ainsi l'oppressante luxuriance de la forêt pluvieuse par l'austère évocation de la loi bédouine. Lire des oraisons funèbres pendant le carnaval de Rio et de la littérature américaine de la côte Est lors d'une retraite dans un monastère cistercien vous offrira le bénéfice d'un double voyage.

Lorsque Martin Heidegger, au cours de sa conférence du 6 octobre 1951, cite Hölderlin et son vers mystérieux – « plein de mérites, mais en poète, l'homme habite sur cette terre » –, il décrit la poésie comme « acte de mesure de la divinité » qui permettrait à l'homme d'« habiter son être ». Il nous rappelle aussi que le destin de l'animal humain n'est pas de soumettre le monde, ni de lui sommer de nous livrer ses ressources mais de le traverser en saisissant chaque occasion pour « produire », créer, faire *apparaître* et *mesurer* un peu de sa beauté. Les livres nous aident à cet exercice de transmutation. La lecture offre un magasin de références infinies pour célébrer une situation, bénir une rencontre, saluer un événement au moyen d'une belle phrase, d'un vers ou d'un aphorisme. Les hommes dotés d'une mémoire livresque excellent à ce jeu. Je me souviens d'avoir traversé les forêts de Chenonceaux et de Chambord avec un ami. Nous allions à pied sous les hautes futaies et le moindre événement amenait aux lèvres de mon compagnon des phrases imprimées en lui. Une branche oscillait, il citait Giono. Un reflet sur l'eau et c'était Bachelard. La vision d'une maison mélancolique lui évoquait Mauriac. Une jolie fille sortait d'une église, il se souvenait de Matzneff. Un mot, un fragment, surgissaient du fond de sa mémoire et éclataient à son esprit comme les bulles de gaz à la surface des tourbières. Lorsque le chemin lui laissait le loisir de lire en marchant, il ouvrait *Par les champs et par les grèves* de Flaubert et Du Camp et lisait un passage du récit des deux Normands, correspondant au tronçon de sentier que nous étions en train de battre. J'écoutais mon ami faire la navette entre le présent et le passé sur la tapisserie de la littérature. Pour lui, la vie consistait à jeter des ponts de singes entre les livres et le réel. Et je me disais qu'il avait raison. Peut-être que la réalité ne suffit pas. C'est pour cela qu'on a inventé la littérature. Pour entretenir une conversation intérieure.

Lire rend beau. – Suis-je aveuglé par ma passion ? Il m'a toujours semblé que les filles qui lisaient dans les trains étaient les plus jolies. J'ai l'impression que quelque chose me donne le droit d'engager la conversation. Peut-être le sentiment ridicule d'appartenir à ce que Julien Gracq appelait « *la société secrète* » des lecteurs : une confrérie d'exaltés calmes capables de parler pendant des heures d'un auteur, de s'émouvoir d'un passage.

Dans le train, si la place est libre, je repère discrètement le titre sur la couverture et m'assois à côté de la lectrice.

— Tiens, vous lisez Ponge ?

— Oui, j'aime ses pointes sèches, cette manière de se mettre à la place des choses.

— Comme Jules Renard ?

— Non, Renard se servait des pierres et des bêtes pour faire des mots alors que Ponge essaie de *devenir* galet ou cageot de bois.

— Oui, c'est ce que dit Nimier dans *Les écrivains sont-ils bêtes ?*

Et voilà comment le fait de lire amène à se parler...

Prions pour que les livres électroniques ne gagnent jamais la partie. Imagine-t-on la même conversation à l'heure où les liseuses auront remplacé les objets de papier ?

— Tiens, vous lisez sur une I-Reader 300 ?

— Oui, j'aime sa luminosité et ce son *dolby* quand on passe à la page suivante.

— Comme avec la Kikool MX ?

— Non, car la Kikool MX n'a pas assez de mégabit et l'ergonomie est nulle.

— Oui, c'est ce que dit le catalogue comparatif qui vient de sortir.

À cette perspective, je frissonne. Pour oublier que l'avenir est une sombre entreprise à dépoétiser le monde, je vais ouvrir un livre et m'y plonger. Lire, c'est la plus élégante manière de pratiquer la politique de l'autruche.

Canopée, 2012.

Note de l'auteur

Les blocs-notes de ce livre ont été publiés entre 2006 et 2012 dans le mensuel *Grands Reportages*. Merci à Pierre Bigorgne de les avoir accueillis.

Les textes présentés à la fin de l'ouvrage (à partir de la page 329) ont été publiés dans *Le Figaro, Animan, Libération, Trek, La Croix, Le Soir, Senso, Air France Magazine, Canopée, Grands Reportages*.

Remerciements à Jean-Christophe Buisson, Anne-Sophie Van Claer, Alexandra Schwartzbrod, Olivier Barrot, Pierre Rouyer, Valérie de Givry, Françoise Lemarchand, Jean-Marc Porte et Bruno Bouvier.

POCKET N° 15361

« *En vieillissant, la forêt sent le sapin.* »

« *Y a-t-il des mers enchaînées ?* »

Sylvain TESSON

APHORISMES SOUS LA LUNE ET AUTRES PENSÉES SAUVAGES

Chaque soir, en voyage, devant un paysage ou après une rencontre, Sylvain Tesson piège sa pensée et l'épingle dans son carnet. Quelques mots forment un aphorisme et suffisent à décrire les fleurs d'un alpage, l'odeur de l'aube dans les sous-bois, le plaisir de la marche, la mélancolie des crépuscules. L'amoureux d'aphorismes est un peintre sans pinceau, un photographe sans appareil. Il saisit l'instant en entomologiste. L'aphorisme, lui, est comme le papillon : il éclôt de la pensée et s'envole, léger.

Peintures originales de Michel Pinosa.

Composé par PCA
à 44400 Rezé

Imprimé en France par

MAURY IMPRIMEUR
à Malesherbes (Loiret)
en avril 2014

POCKET – 12, avenue d'Italie – 75627 Paris Cedex 13